LE FRANÇAIS LANGUE SECONDE PAR THÈMES

Niveau débutant

Cahier d'exercices
2e édition

Guylaine Cardinal

Le français langue seconde par thèmes
2e édition

Niveau débutant

Cahier d'exercices

Guylaine Cardinal

Édition: France Vandal
Coordination: Karine Di Genova
Révision linguistique: Hélène Bard
Correction d'épreuves: Viviane Deraspe
Conception graphique et infographie: Interscript
Conception de la couverture: Karina Dupuis
Illustrations: Karl Dupéré-Richer (colagene) et Karina Dupuis
Impression: Imprimeries Transcontinental

Dans cet ouvrage, le masculin est utilisé comme représentant des deux sexes, sans discrimination à l'égard des hommes et des femmes, et dans le seul but d'alléger le texte.

Catalogage avant publication
de Bibliothèque et Archives nationales du Québec
et Bibliothèque et Archives Canada

Cardinal, Guylaine, 1964-

Le français langue seconde par thèmes. Cahier d'exercices
2e éd.

Sommaire: **[1] Niveau débutant** – [2] Niveau intermédiaire – [3] Niveau avancé.

ISBN 978-2-7650-2349-4 (v. 1)
ISBN 978-2-7650-2350-0 (v. 2)
ISBN 978-2-7650-2351-7 (v. 3)

1. Français (Langue) – Manuels pour allophones. 2. Français (Langue) – Problèmes et exercices. 3. Français (Langue) – Grammaire. 4. Français (Langue) – Vocabulaires et manuels de conversation. I. Titre.

PC2128.C37 2008 448.2'4 C2008-940562-5

Chenelière Éducation

7001, boul. Saint-Laurent
Montréal (Québec)
Canada H2S 3E3
Téléphone: 514 273-1066
Télécopieur: 514 276-0324
info@cheneliere.ca

ISBN 978-2-7650-2349-4

Dépôt légal: 2e trimestre 2008
Bibliothèque et Archives nationales du Québec
Bibliothèque et Archives Canada

Imprimé au Canada

2 3 4 5 6 ITG 15 14 13 12 11

Nous reconnaissons l'aide financière du gouvernement du Canada par l'entremise du Programme d'aide au développement de l'industrie de l'édition (PADIÉ) pour nos activités d'édition.

Gouvernement du Québec – Programme de crédit d'impôt pour l'édition de livres – Gestion SODEC.

Remerciements

Tous mes remerciements vont à :

- l'équipe de Chenelière Éducation,
- tous mes étudiants, qui m'ont beaucoup appris,
- tous les enseignants, qui m'ont aidée, de près ou de loin, dans la réalisation de ce projet,
- Josie Piech et Marc St-Onge, sans qui cet ouvrage n'aurait jamais vu le jour.

Guylaine Cardinal

Caractéristiques de l'ouvrage

Vous trouverez dans cette nouvelle édition :

- ☑ une boîte à sons utile tout au long de la démarche d'apprentissage ;
- ☑ la présentation des contenus d'apprentissage au début de chaque thème ;
- ☑ des références grammaticales plus détaillées ;
- ☑ une approche plus raisonnée de la conjugaison des verbes ;
- ☑ de nouveaux exercices ;
- ☑ du matériel authentique ;
- ☑ de nombreuses références culturelles ;
- ☑ de nouvelles illustrations.

Table des matières

PRÉAMBULE

Contenu d'apprentissage grammatical

- l'alphabet
- les sons
- les noms
- le genre (masculin ou féminin) et le nombre (singulier ou pluriel) des noms
- les déterminants définis et indéfinis
- les pronoms personnels sujets
- les verbes **avoir** et **être** au présent de l'indicatif

Activité de communication

- la fiche d'identification

L'ALPHABET FRANÇAIS

Les 26 lettres de l'alphabet

A	B	C	D	E	F	G	H	I	J	K	L	M
N	O	P	Q	R	S	T	U	V	W	X	Y	Z

LES SONS

Les voyelles

i mi	y vu	u mou	ə le	e dé	ɛ lait	ø feu
œ peur	o beau	ɔ bord	õ mon	ɑ̃ vent	ɛ̃ pain	a la

Les semi-voyelles

ɥ w j + une voyelle

ɥ muette	w alouette	j chand**ail**

Les consonnes

t table	d do	p pas	b bas	v va	f fa	s son
z base	ʃ marcher	ʒ joue	k carré	g bague	R riz	l la

LE NOM

Le nom désigne une **chose,** une **personne** ou un **animal.**
Exemples :

Choses

lampe
Lamp

bureau
desk

chaise
Chair

crayon
pencil

Personnes

homme
man

femme
women

enfant
child

Animaux

chien
dog

chat
cat

oiseau
bird

EXERCICE 1 Nommez les objets d'après la liste ci-dessous.

fourchette – verre – couteau – tasse – cuillère – assiette – cafetière – bouteille de vin – théière – verre à vin

1. ____________ 2. ____________ 3. ____________

4. ____________ 5. ____________ 6. ____________

7. ____________ 8. ____________ 9. ____________

10. ____________

EXERCICE 2 Nommez les personnes d'après la liste ci-dessous.

policier – soldat – facteur – golfeur – enseignant – serveur – peintre – musicien – mannequin – danseur

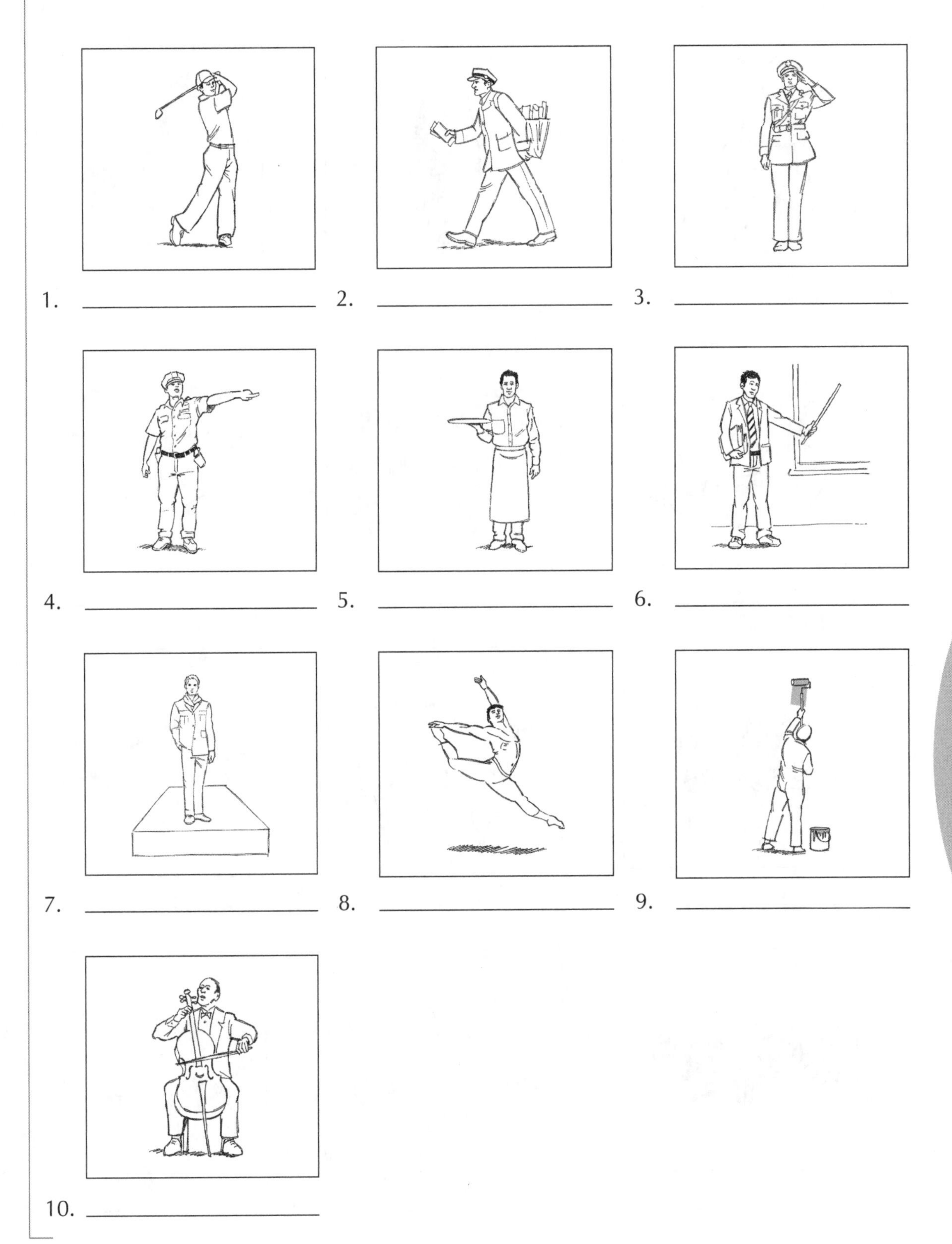

EXERCICE 3 Nommez les animaux d'après la liste ci-dessous.

poisson – éléphant – girafe – mouffette – tigre – lapin – vache – pingouin – ours – canard – cochon – mouton

Les noms au pluriel

1. La majorité des noms → **nom + s**

singulier : crayon

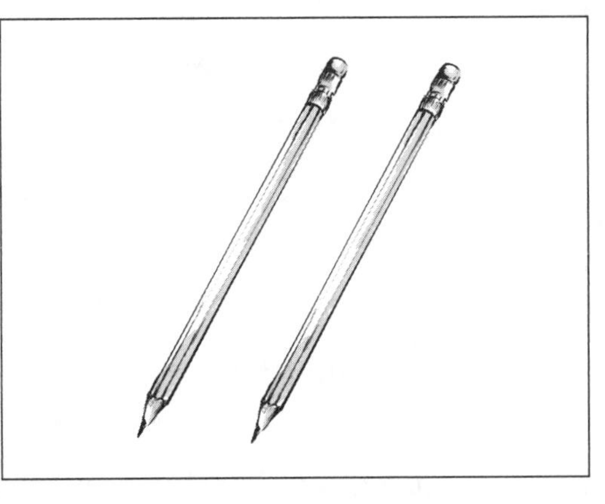

pluriel : crayon**s**

2. Les noms avec **-s**, **-x** ou **-z** au singulier → même orthographe au pluriel

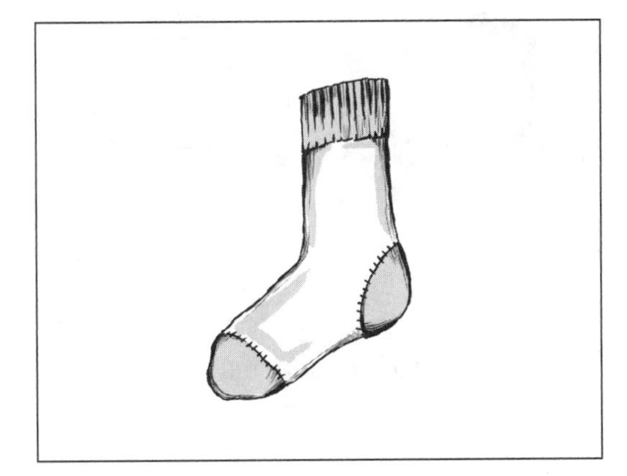

singulier : bas

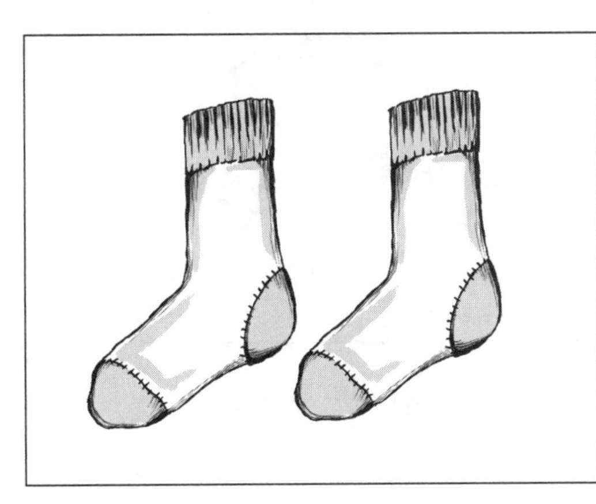

pluriel : bas

singulier : croix

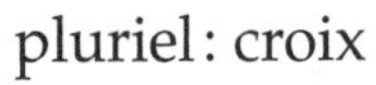

pluriel : croix

singulier : nez

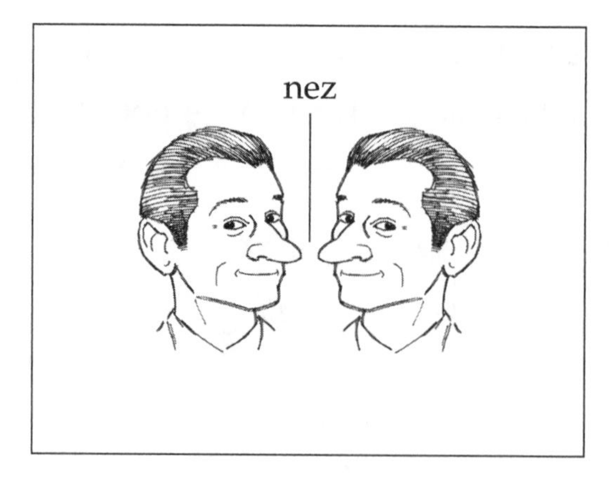

pluriel : nez

3. Les noms en **-eau** au singulier → **-eaux** au pluriel

singulier : chapeau

pluriel : chap**eaux**

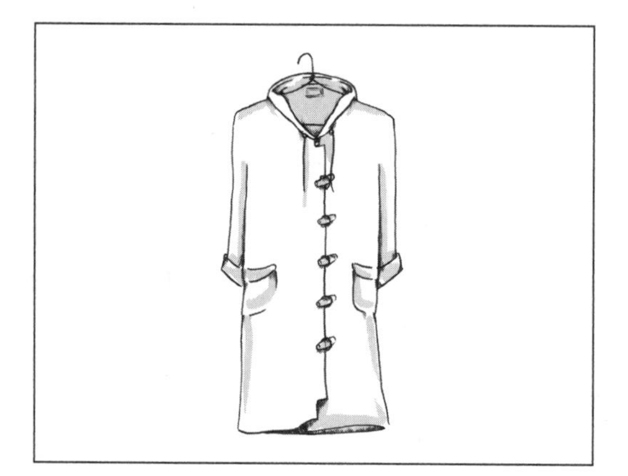

singulier : manteau

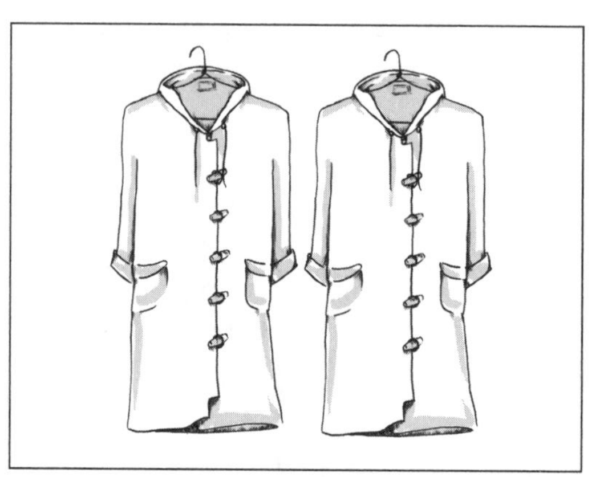

pluriel : mant**eaux**

4. La majorité des noms en **-al** au singulier → **-aux** au pluriel

singulier : journal

pluriel : journ**aux**

singulier : cheval

pluriel : chev**aux**

5. Quelques noms → forme différente au pluriel

singulier : œil

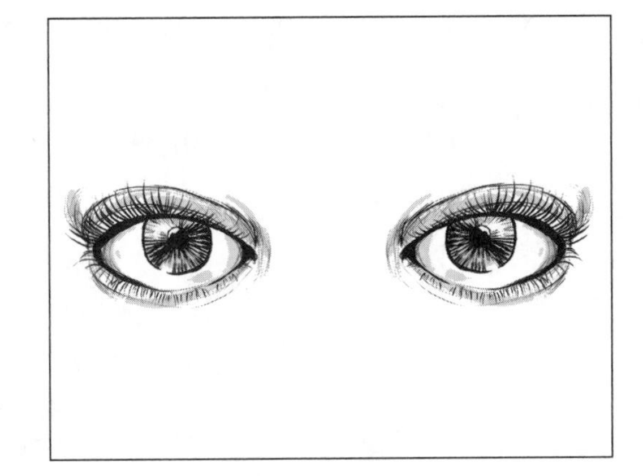

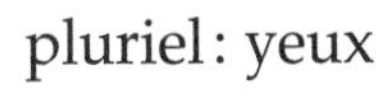

pluriel : yeux

Le nom

Voir les Références grammaticales, pages 245-246.

LE DÉTERMINANT

Les déterminants → devant le nom

le crayon | **un** crayon
la chaise | **une** chaise
les livres | **des** livres

Nom masculin → déterminant masculin

Exemple: lapin (nom masculin singulier) → **le** lapin (déterminant masculin singulier)
lampe (nom féminin singulier) → **la** lampe (déterminant féminin singulier)
crayons (nom masculin pluriel) → **les** crayons (déterminant masculin pluriel)
fourchettes (nom féminin pluriel) → **les** fourchettes (déterminant féminin pluriel)

Les déterminants définis

	masculin	féminin
singulier	le, l' *	la, l' *
pluriel	les	les

* **l'** devant un nom qui commence par une **voyelle** ou un **h muet.**

Exemples: l'**h**omme (masculin singulier) l'**o**rdinateur (masculin singulier)

EXERCICE 1 Écrivez, dans chaque cas, le bon déterminant défini.

	singulier	pluriel
1.	_______ chaise	_______ chaise___
2.	_______ table	_______ table___
3.	_______ bureau	_______ bureau___
4.	_______ tableau	_______ tableau___
5.	_______ fenêtre	_______ fenêtre___
6.	_______ cahier	_______ cahier___
7.	_______ crayon	_______ crayon___
8.	_______ porte	_______ porte___
9.	_______ mur	_______ mur___
10.	_______ plancher	_______ plancher___
11.	_______ ordinateur	_______ ordinateur___
12.	_______ horloge	_______ horloge___

EXERCICE 2 Écrivez, dans chaque cas, le bon déterminant défini.

1. _______ bouteille
2. _______ cuillère Spoon
3. _______ couteaux Knife
4. _______ verres
5. _______ homme man
6. _______ enfants children
7. _______ femme women
8. _______ tables
9. _______ cahier
10. _______ murs wall
11. _______ tableaux
12. _______ crayons

Les déterminants indéfinis

	masculin	féminin
singulier	un	une
pluriel	des	des

EXERCICE 3 Écrivez, dans chaque cas, le bon déterminant indéfini.

	singulier	pluriel
1.	______ homme	______ homme___
2.	______ femme	______ femme___
3.	______ robe	______ robe___
4.	______ manteau	______ manteau___
5.	______ chapeau	______ chapeau___
6.	______ soulier	______ soulier___
7.	______ jupe	______ jupe___
8.	______ pantalon	______ pantalon___
9.	______ chandail	______ chandail___
10.	______ chemise	______ chemise___

EXERCICE 4 Écrivez, dans chaque cas, le bon déterminant indéfini.

1. ______ exercice
2. ______ crayons
3. ______ animaux
4. ______ manteau
5. ______ jupes
6. ______ chemises
7. ______ chapeau
8. ______ lampe
9. ______ question
10. ______ réponse
11. ______ leçon
12. ______ pause-café

Un déterminant défini ou un déterminant indéfini ?

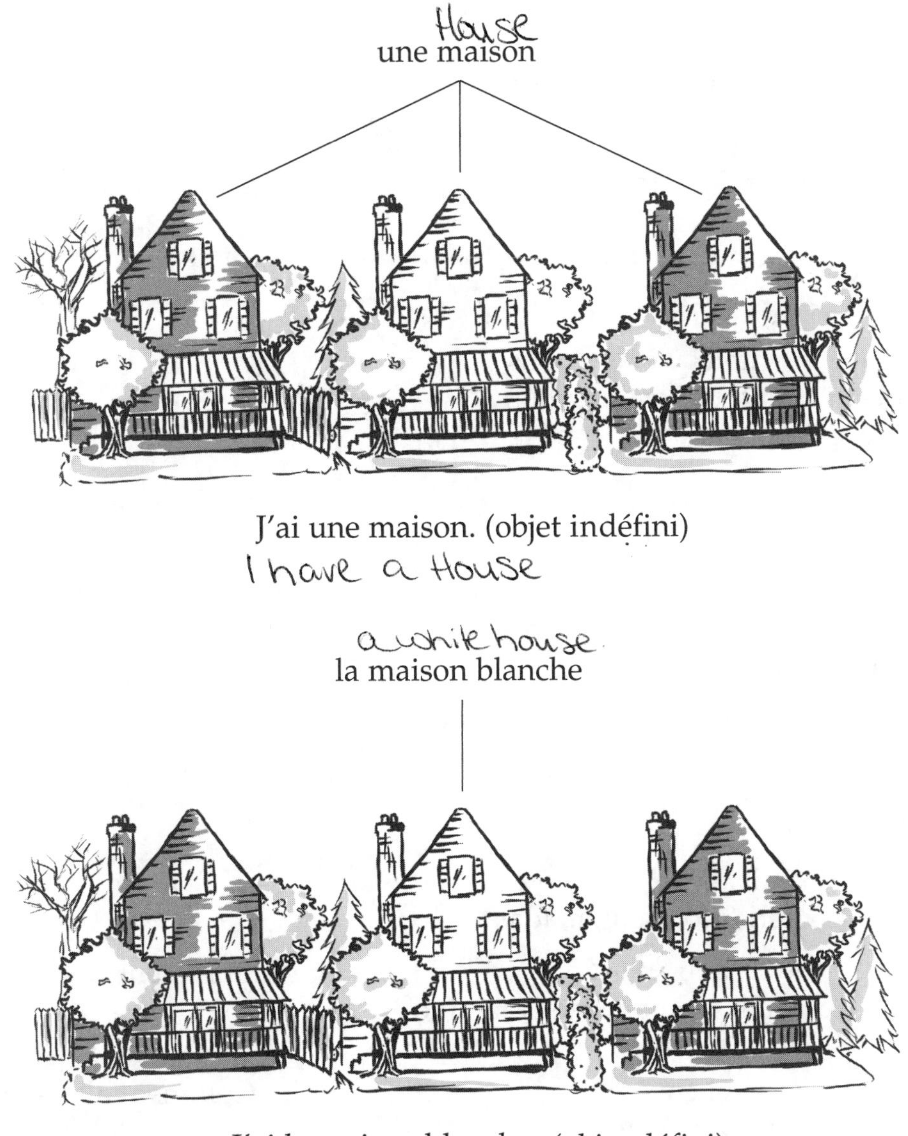

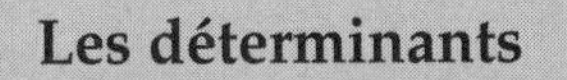

Les déterminants

Voir les Références grammaticales, pages 249 à 261.

LES PRONOMS PERSONNELS SUJETS

singulier

	masculin	**féminin**
1re personne	je	je
2e personne	tu	tu
3e personne	il	elle

pluriel

	masculin	**féminin**
1re personne	nous	nous
2e personne	vous	vous
3e personne	ils	elles

On

pronom
3e personne
masculin singulier

Dans la conversation, très souvent, **on = nous.**

Tu ou vous

Tu → **amical**
Vous → **poli** (monsieur, madame)

tu, pour	• un ami • des membres de la famille • un enfant	Exemple : Comment vas-**tu** ?
vous, pour	• un client • un étranger • un supérieur	Exemple : Comment allez-**vous** ?

Les pronoms personnels sujets
Voir les Références grammaticales, page 265.

LES VERBES **AVOIR** ET **ÊTRE** AU PRÉSENT DE L'INDICATIF

Exemple :

— J'ai...

- un crayon
- un livre

EXERCICE 1 Nommez cinq (5) objets que vous avez.

Exemple : J'ai... un livre.

Suggestions

- une montre
- un dictionnaire
- une bague
- des chaussures
- un stylo

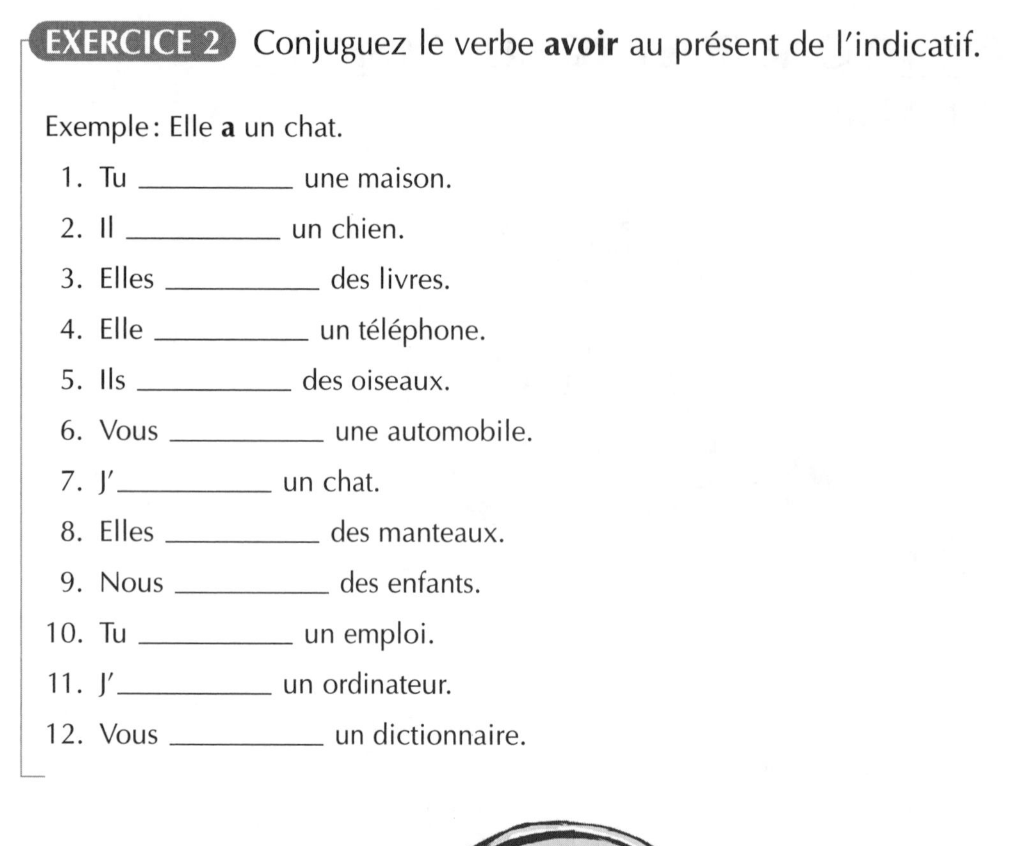

EXERCICE 2 Conjuguez le verbe **avoir** au présent de l'indicatif.

Exemple : Elle **a** un chat.

1. Tu __________ une maison.
2. Il __________ un chien.
3. Elles __________ des livres.
4. Elle __________ un téléphone.
5. Ils __________ des oiseaux.
6. Vous __________ une automobile.
7. J'__________ un chat.
8. Elles __________ des manteaux.
9. Nous __________ des enfants.
10. Tu __________ un emploi.
11. J'__________ un ordinateur.
12. Vous __________ un dictionnaire.

Exemples :

— Je suis…
- un homme
- une femme
- Pierre
- Jeanne

et

Je suis + nom de métier, nom de profession ou nom de titre de fonction

— Je suis…
- enseignant / enseignante
- étudiant / étudiante
- employé / employée
- administrateur / administratrice
- directeur / directrice

Le verbe

Voir les Références grammaticales, pages 273 à 288.

EXERCICE 3

a) Nommez votre profession, métier ou titre de fonction.

Exemple : Je suis représentant commercial.

b) Conjuguez le verbe **être** au présent.

Exemple : Tu **es** ingénieur.

1. Elle ___________ infirmière.
2. Il ___________ commis.
3. Nous ___________ traducteurs.
4. Elles ___________ avocates.
5. Vous ___________ comptables.
6. Tu ___________ représentante commerciale.
7. Pierre ___________ technicien en informatique.
8. Hélène et Ariane ___________ mécaniciennes.
9. Annie ___________ pharmacienne.
10. Sébastien et Pascal ___________ ingénieurs.
11. Tu ___________ radiologiste.
12. Nous ___________ superviseurs.

La fiche d'identification

Exemple :

Nom : *Landry*

Prénom : *Caroline*

Date de naissance : *8 juillet 1981*
jour / mois / année

État civil (célibataire ou marié(e)) : *célibataire*

Adresse
Numéro et rue : *258, rue Prévost*

Ville : *Trois-Rivières*

Province : *Québec*

Code postal : *G9A 1R9*

Numéro de téléphone à domicile : *819-372-9461*

Numéro de téléphone au travail : *819-372-4538*

Numéro de téléphone cellulaire : *819-872-9909*

EXERCICE 4 Faites votre fiche d'identification.

Nom : Harsell

Prénom : Jennifer

Date de naissance (birth) : 1, mars, 1984
jour / mois / année

État civil (célibataire ou marié(e)) : ______

Adresse
Numéro et rue : 3 Dominion Ave.

Ville : Kapuskasing

Province : Ont.

Code postal : P5N 1N9

Numéro de téléphone à domicile (place of residence) : 705-335-2617

Numéro de téléphone au travail (work) : ______

Numéro de téléphone cellulaire (cell) : 705-335-0679

Partie 1

Thèmes

THÈME

LA SANTÉ 1

Vocabulaire à l'étude

- le corps humain
- les maladies et les médicaments
- des métiers et des professions dans le domaine de la santé
- les aliments
- les activités sportives
- les mesures de poids

Éléments grammaticaux

- le genre et le nombre des noms
- les déterminants définis, indéfinis, partitifs
- **ne... pas** à l'indicatif présent
- les pronoms personnels sujets

Verbes

- **avoir** au présent de l'indicatif:
  avoir mal; avoir faim; avoir soif
- **aller** au présent de l'indicatif:
  aller bien; aller mal
- **être** au présent de l'indicatif:
  être en bonne santé; être malade; être en forme
- les verbes du 1er groupe au présent, au passé composé et au futur proche:
  manger; déjeuner; dîner; souper; jouer
- les verbes du 3e groupe au présent, au passé composé et au futur proche:
  faire de l'exercice; boire

Situations de communication ciblées

- informer sur soi (sa santé, ses goûts, ses activités sportives)
- s'informer sur une personne (sa santé, ses goûts, ses activités sportives)
- demander un article (à la pharmacie)

LE CORPS HUMAIN

— J'ai…

— J'ai…

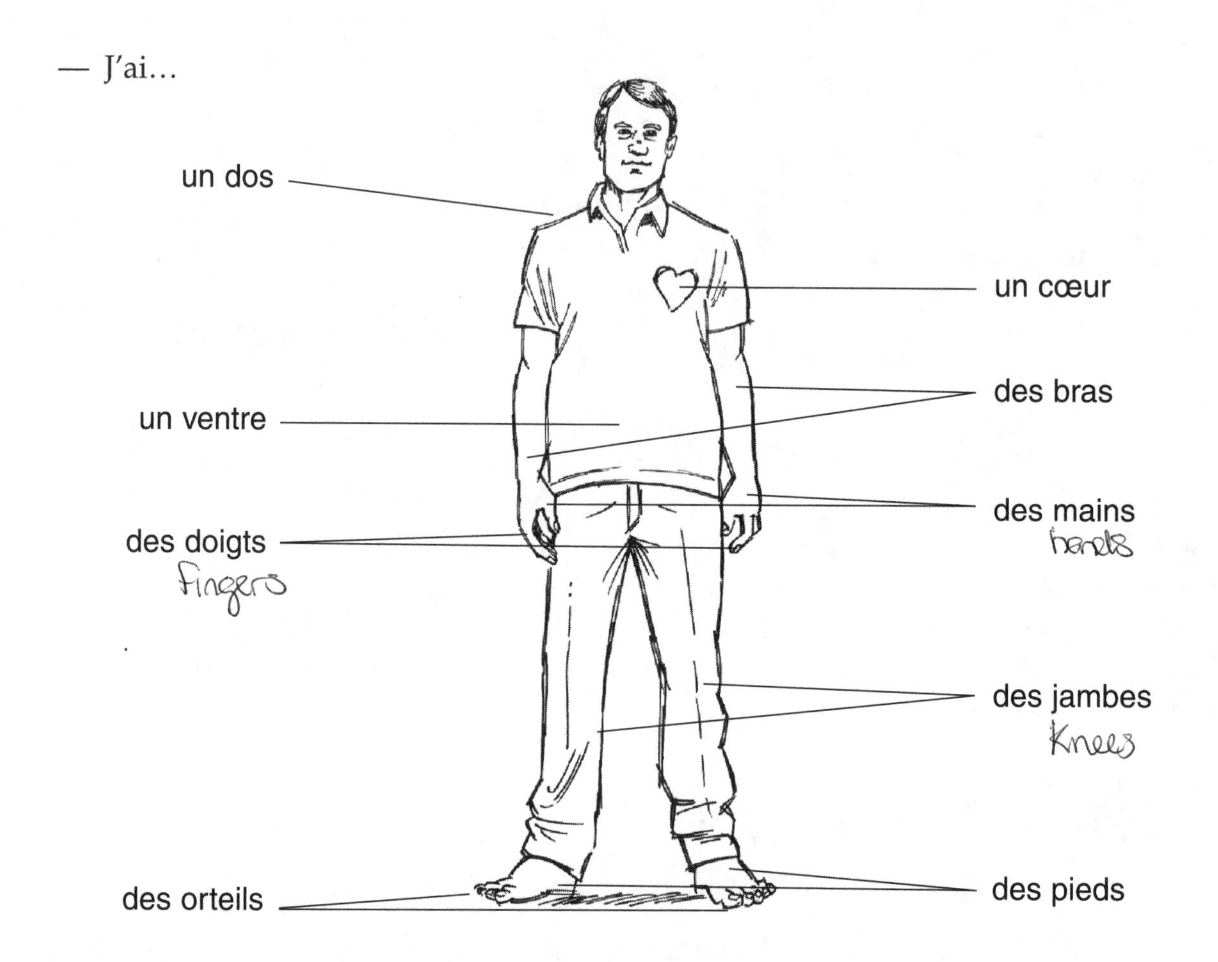

EXERCICE 1 Mémorisez les parties du corps humain.

EXERCICE 2 Écrivez les noms au pluriel.

	singulier	pluriel
1.	une dent:	des ______
2.	une oreille:	des ______
3.	une main:	des ______
4.	un doigt:	des ______
5.	une jambe:	des ______
6.	un pied:	des ______
7.	un cheveu:	des ______
8.	un œil:	des ______
9.	un bras:	des ______
10.	un orteil:	des ______

Comment vas-tu ? / Comment allez-vous ?

— Je vais bien.
— Je **ne** vais **pas** bien. Je vais mal !
— Pourquoi ?
— Parce que j'ai mal…
- au dos
- au bras
- à la tête
- à la jambe
- aux oreilles

La santé

Aller bien / mal

Aller + bien
Aller + mal

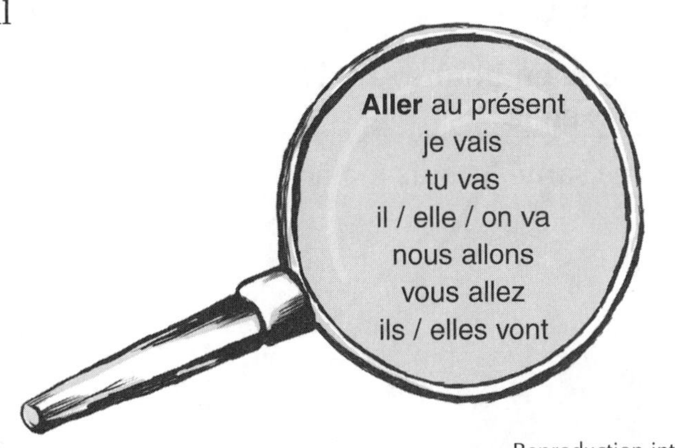

Avoir mal

Avoir + mal

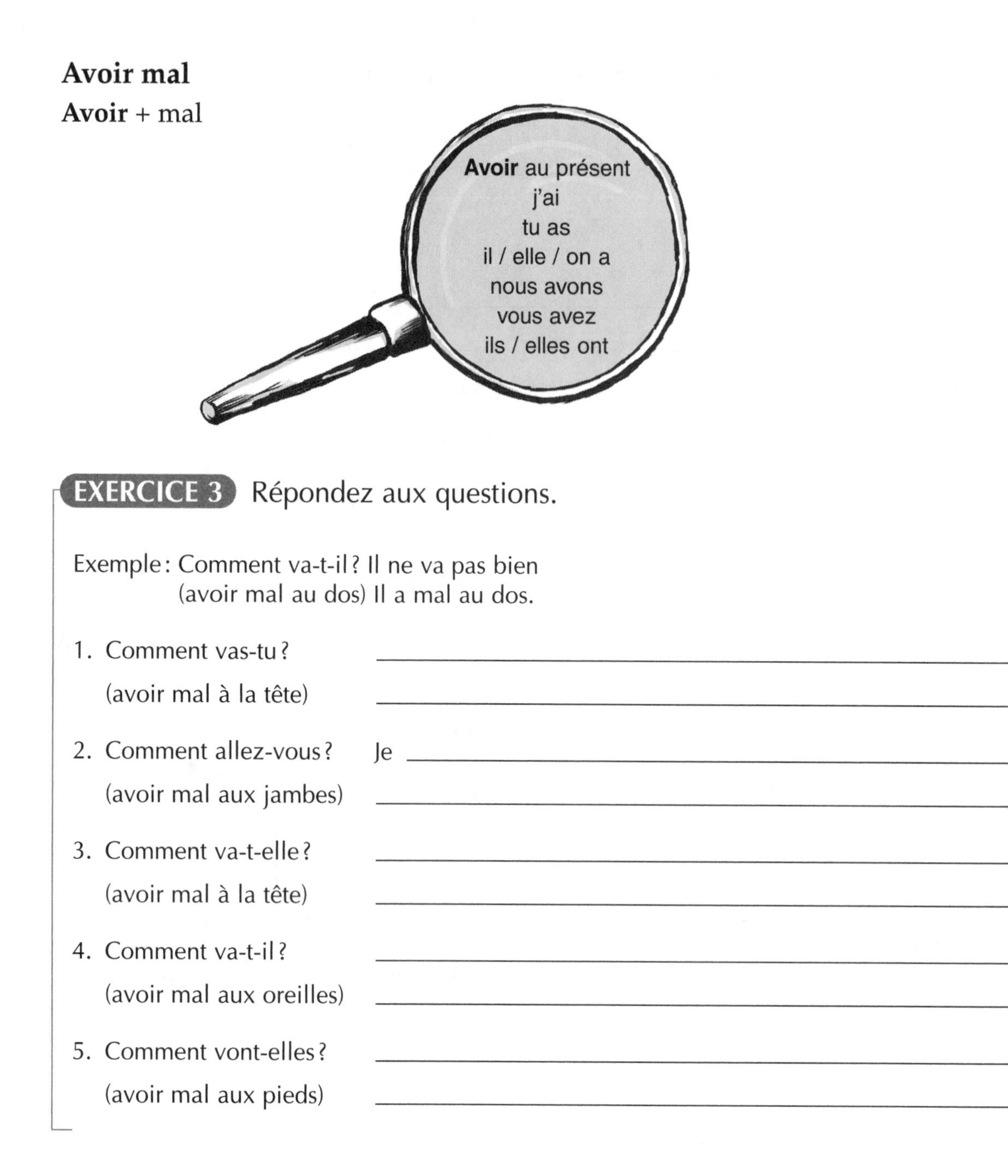

EXERCICE 3 Répondez aux questions.

Exemple : Comment va-t-il ? Il ne va pas bien
(avoir mal au dos) Il a mal au dos.

1. Comment vas-tu ? ____________________
   (avoir mal à la tête) ____________________
2. Comment allez-vous ? Je ____________________.
   (avoir mal aux jambes) ____________________
3. Comment va-t-elle ? ____________________
   (avoir mal à la tête) ____________________
4. Comment va-t-il ? ____________________
   (avoir mal aux oreilles) ____________________
5. Comment vont-elles ? ____________________
   (avoir mal aux pieds) ____________________

Es-tu en bonne santé ?

— **Oui,** je suis en bonne santé.
— **Qu'est-ce que tu fais pour être en bonne santé ?**
— Je mange bien et je fais de l'exercice.

— **Non,** je **ne** suis **pas** en bonne santé. Je suis malade !
— **Qu'est-ce que tu as ?**
— J'ai…
- le rhume
- la grippe
- une bronchite
- une pneumonie

Être en bonne santé / malade

Être + en bonne santé
Être + malade

EXERCICE 4 Répondez aux questions.

Exemple : Est-il malade ? Oui, il est malade.
(bronchite) Il a une bronchite.

1. Est-elle malade ? ______________________
   (grippe) ______________________
2. Êtes-vous malade ? Oui, je ______________________.
   (rhume) ______________________
3. Sont-ils malades ? ______________________
   (grippe) ______________________
4. Es-tu malade ? ______________________
   (pneumonie) ______________________
5. Sont-elles malades ? ______________________
   (rhume) ______________________

EXERCICE 5 Vous êtes malade. Vous allez à la pharmacie. Demandez le bon médicament au pharmacien ou à la pharmacienne.

Le problème

1. J'ai mal à la tête.
   ___
2. J'ai mal à la gorge.
   ___
3. J'ai mal aux oreilles.
   ___
4. J'ai un rhume et j'ai le nez bouché.
   ___

La demande

Avez-vous...

a) du sirop contre la toux?
b) du décongestionnant?
c) des gouttes pour les oreilles?
d) des analgésiques?

Avez-vous les numéros de téléphone suivants?

Urgence (police et ambulance): ___

Médecin: ___

Hôpital: ___

Centre médical: ___

Pharmacie: ___

Dentiste: ___

Avez-vous une carte d'assurance maladie? Oui ☐ Non ☐

Le numéro de la carte: ___

La date d'expiration: ___

La santé

Quelques métiers et professions

un…	**une…**
ambulancier	ambulancière
chirurgien	chirurgienne
infirmier	infirmière
médecin	médecin
pharmacien	pharmacienne
Vos suggestions	
______________________	______________________
______________________	______________________
______________________	______________________
______________________	______________________
______________________	______________________

L'ALIMENTATION

As-tu faim ?

— **Oui,** j'ai faim.
— **Non,** je **n'**ai **pas** faim.

Avoir faim

Avoir + faim

Qu'est-ce que tu veux manger ?

— Je veux manger…
- une pomme
- des céréales
- du poulet

Manger

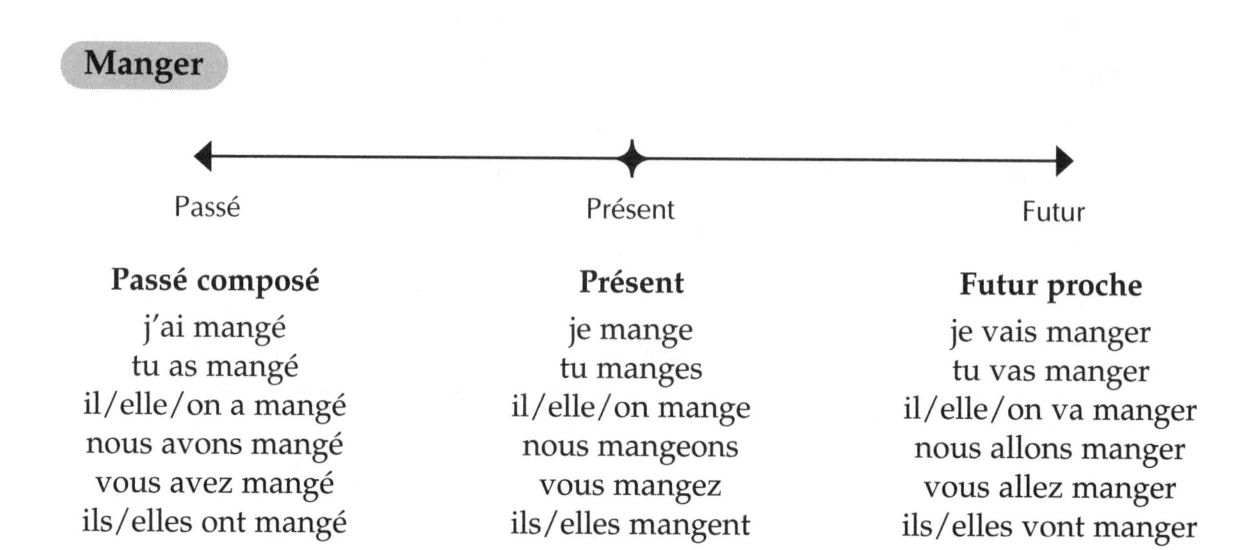

Passé composé	Présent	Futur proche
j'ai mangé	je mange	je vais manger
tu as mangé	tu manges	tu vas manger
il/elle/on a mangé	il/elle/on mange	il/elle/on va manger
nous avons mangé	nous mangeons	nous allons manger
vous avez mangé	vous mangez	vous allez manger
ils/elles ont mangé	ils/elles mangent	ils/elles vont manger

Les quatre groupes alimentaires

la **viande,** la **volaille** et le **poisson**

les **produits laitiers**

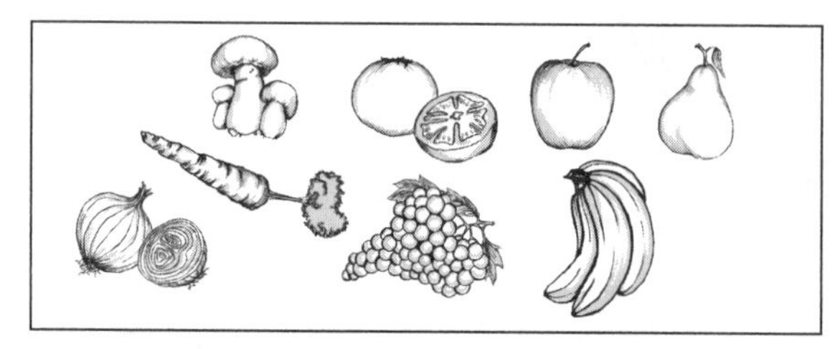

les **légumes** et les **fruits**

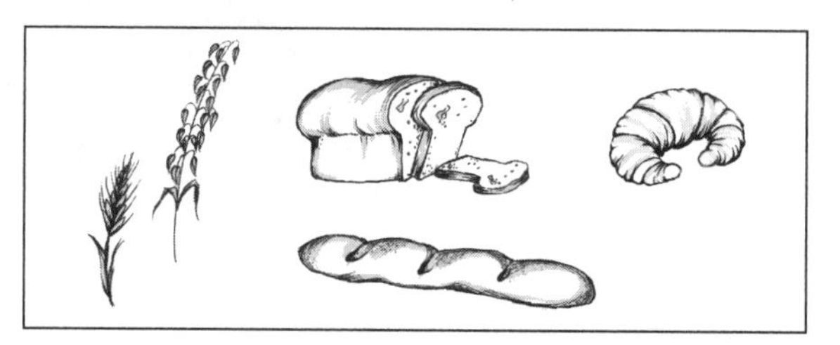

les **céréales** et le **pain**

EXERCICE 6 Déterminez la nature de chaque aliment.

Exemple : une carotte, un légume

1. une fraise
   ____
2. un raisin
   ____
3. du poulet
   ____
4. du bœuf
   ____
5. du céleri
   ____
6. du yogourt
   ____
7. du blé
   ____
8. une pomme
   ____
9. du fromage
   ____
10. un oignon
    ____
11. du beurre
    ____
12. du saumon
    ____
13. une framboise
    ____
14. de la crème glacée
    ____
15. un champignon
    ____
16. de la truite
    ____

Les déterminants **un, une, des** et **le, la, l', les**

choses **quantifiables**

Exemples : **une** pomme — **la** pomme
un champignon — **le** champignon
un oignon — **l'**oignon
des fraises — **les** fraises

Les déterminants **du, de la, de l', des**

choses **non quantifiables**

Exemples : **du** fromage
du beurre
de la crème glacée
mais... **une** pointe **de** fromage
↓
(quantité définie)
un morceau **de** beurre
↓
(quantité définie)
un bol **de** crème glacée
↓
(quantité définie)

> **Les déterminants définis, indéfinis et partitifs**
> Voir les Références grammaticales, pages 250 à 255.

EXERCICE 7 Nommez les aliments d'après la liste ci-dessous.

des œufs – des saucisses – du gâteau – du fromage – du poulet – du pain – un épi de maïs – une grappe de raisins – une poire – une pomme – des champignons – des tomates – des oignons – un croissant – un cornet de crème glacée

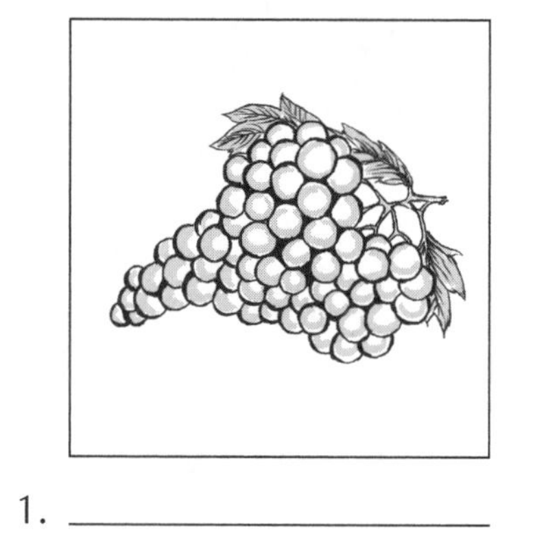

1. ____________________

2. ____________________

3. ____________________

4. ______
5. ______
6. ______
7. ______
8. ______
9. ______
10. ______
11. ______
12. ______
13. ______
14. ______
15. ______
La santé

EXERCICE 8 Répondez aux questions.

Exemple : Qu'est-ce qu'il mange ?
(fromage) Il mange du fromage.

1. Qu'est-ce qu'elle mange ?
(fraises) ______________________________
2. Qu'est-ce que tu manges ?
(croissant) ______________________________
3. Qu'est-ce que vous mangez ?
(poulet) Nous ______________________________.
4. Qu'est-ce qu'ils mangent ?
(pain) ______________________________
5. Qu'est-ce qu'on mange ?
(framboises) ______________________________
6. Qu'est-ce qu'elles mangent ?
(poisson) ______________________________
7. Qu'est-ce que tu manges ?
(céréales) ______________________________
8. Qu'est-ce qu'il mange ?
(œuf) ______________________________
9. Qu'est-ce que nous mangeons ?
(gâteau) ______________________________
10. Qu'est-ce que vous mangez ?
(tomates) Je ______________________________.

As-tu soif ?

— **Oui,** j'ai soif.
— **Non,** je **n'**ai **pas** soif.

Avoir soif

Avoir + soif

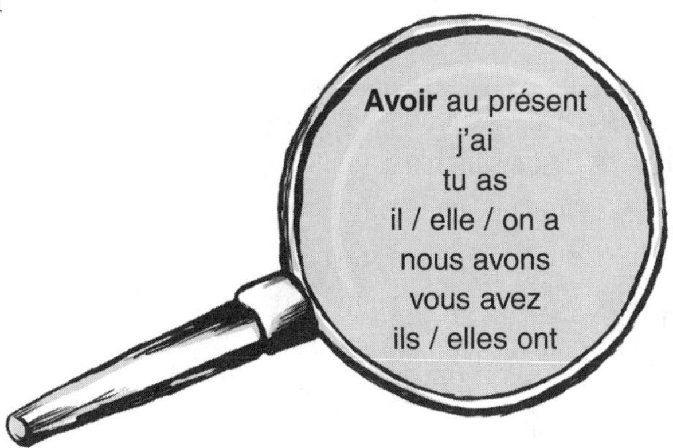

Qu'est-ce que tu veux boire ?

— Je veux boire…
- du thé
- du café
- du lait
- du jus
- de l'eau

Boire

Passé — Présent — Futur

Passé composé	**Présent**	**Futur proche**
j'ai bu	je bois	je vais boire
tu as bu	tu bois	tu vas boire
il/elle/on a bu	il/elle/on boit	il/elle/on va boire
nous avons bu	nous buvons	nous allons boire
vous avez bu	vous buvez	vous allez boire
ils/elles ont bu	ils/elles boivent	ils/elles vont boire

OBSERVEZ

Je bois **du** thé.	**mais**	Je bois **une tasse de** thé.
Je bois **du** café.	**mais**	Je bois **une tasse de** café.
Je bois **du** lait.	**mais**	Je bois **un verre de** lait.
Je bois **du** jus.	**mais**	Je bois **un verre de** jus.
Je bois **de** l'eau.	**mais**	Je bois **un verre d'**eau.

EXERCICE 9 Remplissez les espaces libres.

1. Je bois ________ café.
2. Elles boivent ________ vin.
3. Tu bois ________ verre ________ jus d'orange.
4. Il boit ________ tasse ________ thé.
5. Elle boit ________ lait.
6. Ils mangent ________ tarte au sucre.
7. Tu manges ________ morceau ________ gâteau au chocolat.
8. Je mange ________ pointe ________ fromage.
9. Nous mangeons ________ pain.
10. Vous mangez ________ poulet.
11. On mange ________ beurre d'arachide.
12. Ils mangent ________ sauce tomate.

EXERCICE 10 Conjuguez les verbes suivants.

Présent

1. (avoir faim) J' ____________________
2. (manger) Il ____________________
3. (avoir soif) Vous ____________________
4. (boire) Elle ____________________
5. (avoir soif) Nous ____________________
6. (avoir faim) Il ____________________
7. (avoir soif) J' ____________________
8. (boire) Tu ____________________

Passé composé

9. (manger) J' ____________________
10. (boire) Ils ____________________
11. (manger) Nous ____________________
12. (boire) J' ____________________
13. (boire) Tu ____________________
14. (manger) Elle ____________________

Futur proche

15. (manger) Nous ____________________
16. (boire) Tu ____________________
17. (manger) Je ____________________
18. (boire) Elles ____________________
19. (boire) Il ____________________
20. (manger) Vous ____________________

EXERCICE 11 Associez le mets québécois avec les ingrédients.

Mets québécois	Ingrédients
1. du pain doré	a) de la farine, des œufs, du lait
2. du pâté chinois	b) du sirop d'érable
3. de la tire	c) du bœuf haché, des pommes de terre, du maïs
4. des fèves au lard	d) du pain, du lait, des œufs, de la cassonade
5. des crêpes	e) des haricots secs, de la mélasse, du lard

Les trois repas

Anita est en bonne santé. Elle mange bien. Elle mange trois repas par jour. Le matin, elle **déjeune.** Le midi, elle **dîne.** Le soir, elle **soupe.**

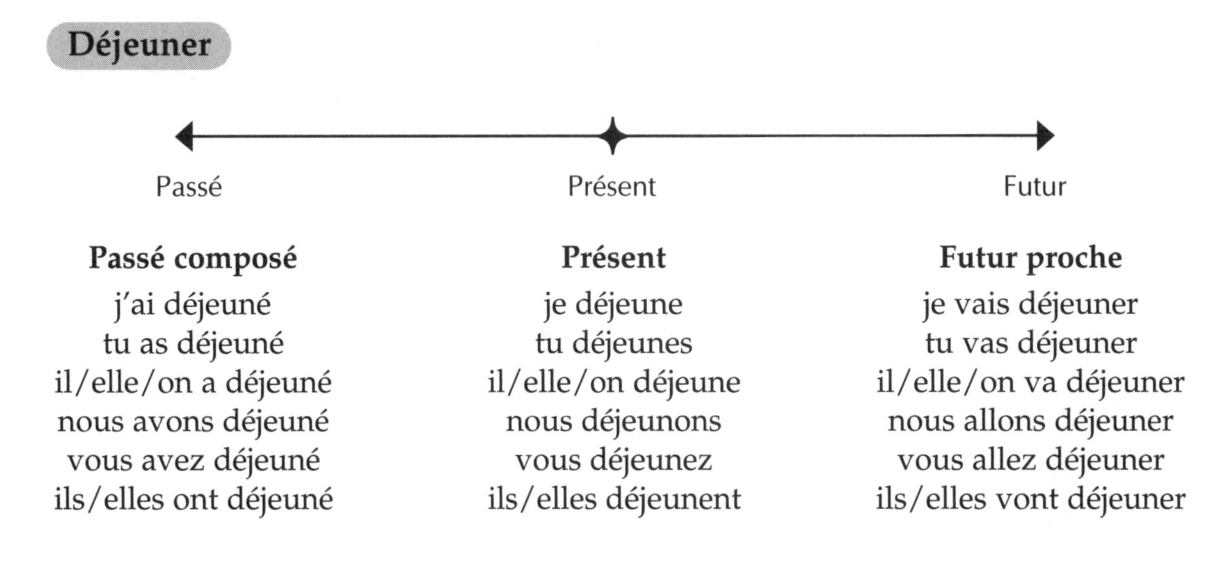

Déjeuner

Passé	Présent	Futur
Passé composé	**Présent**	**Futur proche**
j'ai déjeuné	je déjeune	je vais déjeuner
tu as déjeuné	tu déjeunes	tu vas déjeuner
il/elle/on a déjeuné	il/elle/on déjeune	il/elle/on va déjeuner
nous avons déjeuné	nous déjeunons	nous allons déjeuner
vous avez déjeuné	vous déjeunez	vous allez déjeuner
ils/elles ont déjeuné	ils/elles déjeunent	ils/elles vont déjeuner

Dîner, souper même modèle que **déjeuner**

Les verbes réguliers du 1er groupe (-er)

Voir les Références grammaticales, pages 274-275.

NOTEZ

Déjeuner, dîner et **souper** sont des verbes et des noms.

déjeuner	→	verbe à l'infinitif	
le déjeuner	→	nom	Exemple : Je mange du pain au déjeuner.
dîner	→	verbe à l'infinitif	
le dîner	→	nom	Exemple : Je mange des légumes au dîner.
souper	→	verbe à l'infinitif	
le souper	→	nom	Exemple : Je mange de la viande au souper.

EXERCICE 12 Complétez les phrases avec les mots de la liste ci-dessous.

laitue – céréales – riz – verre de jus d'orange – salade – oignons – carottes – café – vinaigrette – verre de jus de tomate – tomates – gâteau – poulet – concombre – verre de vin

Ce matin, Anita a déjeuné à sept heures du matin. Elle a mangé des ______________ et elle a bu un ______________. À midi, Anita a dîné. Elle a préparé une ______________. Elle a mis de la ______________, des ______________, des ______________, des ______________, du ______________ et de la ______________. Elle a bu un ______________. À six heures du soir, Anita a soupé. Elle a mangé du ______________ avec du ______________. Elle a bu un ______________. Pour dessert, elle a mangé du ______________ et elle a bu du ______________.

La santé

POUR VOTRE INFORMATION...

LES MESURES DE POIDS

Les aliments

Système impérial		Système international d'unités
1 once	× 30 =	30 grammes
1 livre	× 0,45 =	0,45 kilogramme

Les liquides

Système impérial		Système international d'unités
1 once	× 30 =	30 millilitres
1 gallon US	× 3,785 =	3,785 litres

LE SPORT, C'EST LA SANTÉ !

Es-tu en forme ?

— **Oui,** je suis en forme.
— **Qu'est-ce que tu fais pour être en forme ?**
— Je fais **de l'**exercice.

— **Non,** je **ne** suis **pas** en forme.
— **Pourquoi ?**
— Parce que je **ne** fais **pas d'**exercice.

Être en forme

Être + en forme

Faire

Faire + de l'exercice

Passé — Présent — Futur

Passé composé	**Présent**	**Futur proche**
j'ai fait	je fais	je vais faire
tu as fait	tu fais	tu vas faire
il/elle/on a fait	il/elle/on fait	il/elle/on va faire
nous avons fait	nous faisons	nous allons faire
vous avez fait	vous faites	vous allez faire
ils/elles ont fait	ils/elles font	ils/elles vont faire

POUR VOTRE INFORMATION...

STATISTIQUES SUR L'ACTIVITÉ PHYSIQUE, SELON LE GROUPE D'ÂGE ET LE SEXE (2005)

	Total de personnes	Personnes physiquement actives	Personnes modérément actives	Personnes physiquement inactives
Total, 12 ans et plus	27 131 964	7 180 754	6 643 422	12 673 186
Hommes	13 371 912	3 934 204	3 197 144	5 890 771
Femmes	13 760 052	3 246 550	3 446 278	6 782 415

Source : Statistique Canada, CANSIM, tableau 105-0433.

Joues-tu au hockey ?

— **Oui,** je joue au hockey.
— **Non,** je **ne** joue **pas** au hockey.

Jouer…
Play

- au football
- au hockey
- au tennis
- au baseball
- au golf

Jouer

Passé — Présent — Futur

Passé composé	Présent	Futur proche
j'ai joué	je joue	je vais jouer
tu as joué	tu joues	tu vas jouer
il/elle/on a joué	il/elle/on joue	il/elle/on va jouer
nous avons joué	nous jouons	nous allons jouer
vous avez joué	vous jouez	vous allez jouer
ils/elles ont joué	ils/elles jouent	ils/elles vont jouer

NOTEZ

Je fais **de l'**exercice.	**mais**	Je **ne** fais **pas d'**exercice.
Je fais **du** sport.	**mais**	Je **ne** fais **pas de** sport.

Dans la négation, les déterminants **du, de la, de l'** sont remplacés par **de** ou **d'.**

Les déterminants partitifs et la forme négative
Voir les Références grammaticales, pages 253-254.

Fais-tu du sport ?

— **Oui,** je fais **du** sport.
— **Non,** je **ne** fais **pas de** sport.

EXERCICE 13 Nommez les sports pratiqués d'après la liste ci-dessous et conjuguez les verbes **faire** ou **jouer** au présent.

faire du ski de randonnée – faire du vélo – jouer au hockey – faire du jogging – faire de la planche à voile – jouer au golf – jouer au football – faire du ski alpin – jouer au baseball – jouer au tennis

1. Il ______________________

2. Il ______________________

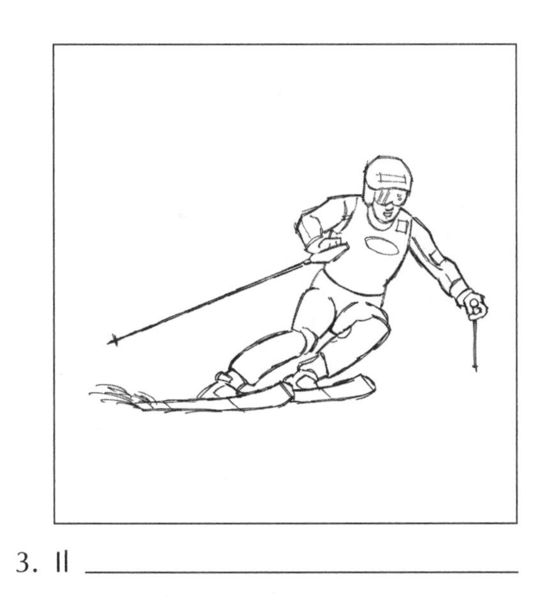

3. Il ______________________

4. Il ______________________

5. Il ______________________________

6. Il ______________________________

7. Il ______________________________

8. Il ______________________________

9. Il ______________________________

10. Il ______________________________

Conjugate the verbs.

EXERCICE 14 Conjuguez les verbes suivants.

Présent

1. (être en forme) Je ______________________.
2. (faire de l'exercice) Nous ______________________.
3. (faire du sport) Vous ______________________.
4. (jouer au tennis) Il ______________________.
5. (être en forme) Elle ______________________.
6. (jouer au hockey) Nous ______________________.
7. (faire du sport) Ils ______________________.
8. (jouer au golf) Tu ______________________.

Passé composé

9. (jouer au football) J' ______________________.
10. (faire du vélo) Il ______________________.
11. (jouer au golf) Nous ______________________.
12. (faire du ski alpin) Vous ______________________.
13. (jouer au tennis) Elle ______________________.
14. (faire de la planche à voile) Tu ______________________.

Futur proche

15. (faire du sport) Ils ______________________.
16. (jouer au golf) Tu ______________________.
17. (faire du ski de randonnée) Je ______________________.
18. (jouer au tennis) Vous ______________________.
19. (faire de l'exercice) Il ______________________.
20. (faire du ski) Nous ______________________.

EXERCICE 15 Écrivez les phrases à la forme négative.

Exemple : Je suis en forme.
Je **ne** suis **pas** en forme.

1. Je joue au golf. ______
2. Elle est en forme. ______
3. Il fait du sport. ______
4. Vous êtes en forme. ______
5. Nous avons joué au football. ______
6. Tu as fait du ski alpin. ______
7. Elles ont joué au tennis. ______
8. Il va jouer au tennis. ______
9. Elles vont faire de la planche à voile. ______
10. Tu vas faire de l'exercice. ______

La forme négative

Voir les Références grammaticales, pages 289 à 300.

EXERCICE 16 Des champions sportifs québécois

Associez le nom de la personne au sport qu'elle pratique.

Noms des personnes	**Les sports**
Sylvie Bernier	a) le hockey
Gaétan Boucher	b) le patinage de vitesse
Jean-Luc Brassard	c) le plongeon
Alexandre Despatie	d) la nage synchronisée
Sylvie Fréchette	e) le ski acrobatique
Nathalie Lambert	
Maurice Richard	

EXERCICE 17 Lisez attentivement.

Le travail et la santé

Jean-Claude travaille de neuf heures du matin à cinq heures de l'après-midi, cinq jours par semaine. Jean-Claude est en bonne santé. Il mange bien et il fait de l'exercice. Jean-Claude est végétarien. Il ne mange pas de viande. Il mange des légumes, du poisson, des fruits, du pain, des céréales et des produits laitiers. Il ne boit pas d'alcool. Jean-Claude fait de l'exercice régulièrement : il fait du jogging, il joue au tennis et il joue au hockey. Jean-Claude est en forme et il est très actif. Jean-Claude dit : « Je travaille pour vivre ! »

Sylvain travaille de neuf heures du matin à huit heures du soir, six jours par semaine. Sylvain n'est pas en bonne santé. Il ne mange pas bien et il ne fait pas d'exercice. Sylvain ne déjeune pas, il mange un sandwich au dîner et, au souper, il mange des mets surgelés. Il boit beaucoup de café. Sylvain dit : « Je n'ai pas le temps de faire de l'exercice. Le jour, je travaille et le soir, je suis très fatigué. » Sylvain n'est pas en forme et il n'est pas actif. Sylvain dit : « Je vis pour travailler ! »

Répondez aux questions sur le texte.

1. Jean-Claude ne mange pas de viande parce qu'il est ____________________.
2. Nommez trois aliments que Jean-Claude mange.

   ____

   ____

   ____
3. Jean-Claude fait de l'exercice. Nommez les trois sports qu'il pratique.

   ____
4. Jean-Claude vit-il pour travailler ou travaille-t-il pour vivre ?

   ____
5. Combien d'heures par jour Sylvain travaille-t-il ?

   ____
6. Sylvain est-il en bonne santé ?

   ____
7. Qu'est-ce qu'il mange au dîner ?

   ____
8. Qu'est-ce qu'il mange au souper ?

   ____
9. Sylvain fait-il de l'exercice ?

   ____
10. Sylvain vit-il pour travailler ou travaille-t-il pour vivre ?

   ____

AUTOÉVALUATION

	Réponses possibles			
	1 Très bien	2 Bien	3 Pas assez	4 Pas du tout
VOCABULAIRE				
Je connais des parties du corps humain.				
Je connais des maladies et des médicaments.				
Je connais des aliments.				
Je connais des mesures de poids.				
Je connais des sports.				
ÉLÉMENTS À L'ÉTUDE DANS LE THÈME				
Je comprends les notions de **singulier** et de **pluriel.**				
Je comprends les notions de **masculin** et de **féminin.**				
Je connais les pronoms personnels sujets (exemples: je, tu,...).				
Je connais les verbes **avoir, être** et **aller** au présent de l'indicatif.				
Je connais les verbes **faire, manger, déjeuner, dîner, souper, jouer** et **boire.**				
Je connais la phrase affirmative. (Exemple: Je fais du sport.)				
Je connais la phrase négative. (Exemple: Je **ne** mange **pas.**)				
Je connais la phrase interrogative avec inversion du sujet. (Exemple: **As-tu** faim?)				
Je connais les questions **Comment vas-tu?** et **Comment allez-vous?**				
Je connais les réponses **Je vais bien** et **Je vais mal.**				
Je connais les questions **Qu'est-ce que tu veux manger?** et **Qu'est-ce que tu veux boire?**				
PARTICIPATION				
J'ai participé aux activités de communication orale.				
J'ai fait les exercices écrits.				
J'ai lu des textes français.				

THÈME 2

LES QUALITÉS ET LES DÉFAUTS

Vocabulaire à l'étude

- des adjectifs qualificatifs
- la famille
- des salutations, des excuses et des remerciements

Éléments grammaticaux

- l'accord de l'adjectif en genre et en nombre
- les déterminants possessifs
- le **vous** de politesse
- **ne… pas** au présent
- la question avec inversion du sujet au présent

Verbes

- **avoir** au présent de l'indicatif :
  avoir bon caractère ; avoir mauvais caractère
- **être** au présent de l'indicatif
- **être** au présent de l'impératif

Situations de communication ciblées

- informer sur soi
- informer sur une autre personne
- amorcer une conversation
- mettre fin à une conversation
- présenter des excuses
- remercier une personne

AS-TU BON CARACTÈRE ?

— **Oui,** j'ai bon caractère.

— **Non,** je **n'**ai **pas** bon caractère. J'ai mauvais caractère !

Avoir bon caractère / mauvais caractère

Avoir + bon caractère
Avoir + mauvais caractère

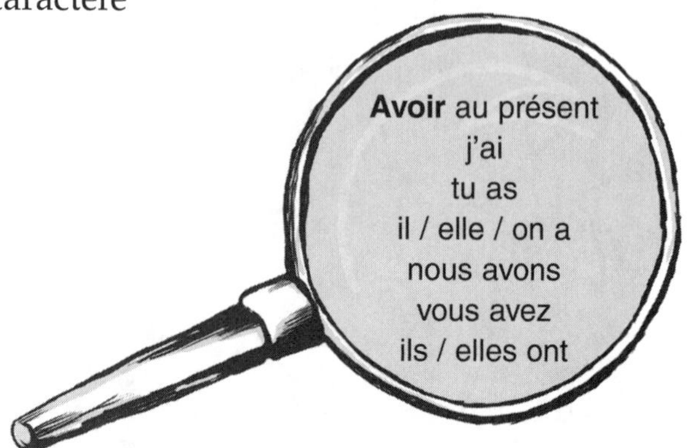

Quelles sont tes qualités ?

	masculin	**féminin**
— Je suis…	poli	polie
	intelligent	intelligente
	honnête	honnête
	gentil	gentille
	ponctuel	ponctuelle
	généreux	généreuse

Quels sont tes défauts ?

♂

	masculin	**féminin**
— Je suis…	têtu	têtue
	distrait	distraite
	agressif	agressive
	nerveux	nerveuse
	paresseux	paresseuse

Être + un adjectif qualificatif

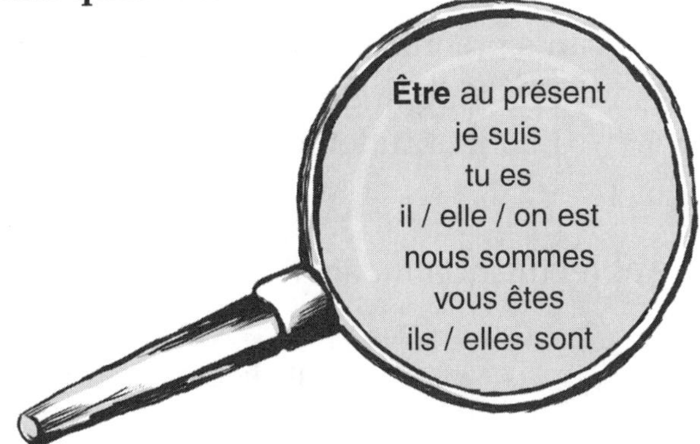

Les adjectifs qualificatifs

L'adjectif qualificatif s'accorde en **genre** (masculin ou féminin) et en **nombre** (singulier ou pluriel) avec le **nom.**

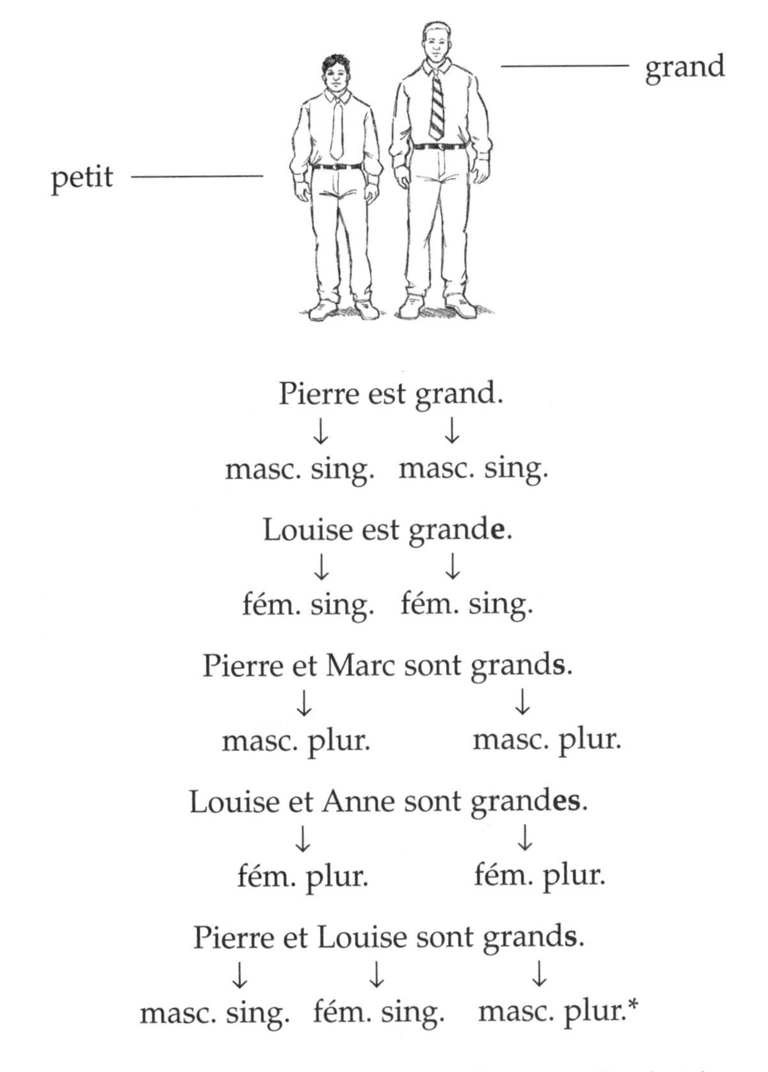

Exemples :

Pierre est grand.
↓ ↓
masc. sing. masc. sing.

Louise est grand**e**.
↓ ↓
fém. sing. fém. sing.

Pierre et Marc sont grand**s**.
↓ ↓
masc. plur. masc. plur.

Louise et Anne sont grand**es**.
↓ ↓
fém. plur. fém. plur.

Pierre et Louise sont grand**s**.
↓ ↓ ↓
masc. sing. fém. sing. masc. plur.*

* Un sujet masculin + un ou des sujets féminins → accord au masculin pluriel

Les adjectifs qualificatifs au féminin

a) Beaucoup d'adjectifs qualificatifs prennent simplement un **-e** au féminin.

Exemples : Il est grand. Elle est grand**e**.
Il est prudent. Elle est prudent**e**.

EXERCICE 1 Écrivez les adjectifs qualificatifs au féminin.

1. petit : ______________________
2. poli : ______________________
3. grand : ______________________
4. fort : ______________________
5. distrait : ______________________
6. intelligent : ______________________
7. délicat : ______________________
8. intéressant : ______________________
9. amusant : ______________________
10. souriant : ______________________

b) Quand l'adjectif qualificatif se termine par **-e** au masculin, il ne change pas au féminin.

Exemples : Il est calme. Elle est calme.
Il est drôle. Elle est drôle.

EXERCICE 2 Écrivez le féminin des adjectifs qualificatifs suivants.

1. faible: ______________________
2. pauvre: ______________________
3. honnête: ______________________
4. aimable: ______________________
5. sensible: ______________________
6. timide: ______________________
7. sincère: ______________________
8. sympatique: ______________________
9. étrange: ______________________
10. égoïste: ______________________

c) Quand l'adjectif qualificatif se termine par **-eux** au masculin, il se termine par **-euse** au féminin.

Exemples: Il est nerveux. Elle est nerv**euse**.
Il est généreux. Elle est génér**euse**.

EXERCICE 3 Écrivez le féminin des adjectifs qualificatifs suivants.

1. précieux: ______________________
2. peureux: ______________________
3. heureux: ______________________
4. malheureux: ______________________
5. fiévreux: ______________________
6. coûteux: ______________________
7. sérieux: ______________________
8. soucieux: ______________________
9. studieux: ______________________
10. superstitieux: ______________________

d) Quand un adjectif qualificatif se termine par **-f** au masculin, il se termine par **-ve** au féminin.

Exemples : Il est actif. Elle est act**ive**.
Il est agressif. Elle est agress**ive**.

EXERCICE 4 Écrivez le féminin des adjectifs qualificatifs suivants.

1. sportif : ______
2. inactif : ______
3. impulsif : ______
4. productif : ______
5. attentif : ______
6. naïf : ______
7. dépressif : ______
8. créatif : ______
9. expressif : ______
10. craintif : ______

EXERCICE 5 Accordez les adjectifs qualificatifs.

Exemple : (sportif) Ils sont sportifs.

1. (fort) Pierre et Marc sont ______.
2. (sensible) Louise est ______.
3. (sympathique) Diane et Pauline sont ______.
4. (sincère) Nous sommes ______.
5. (studieux) Jeanne est ______.
6. (timide) Tu es ______.
7. (méchant) Ils sont ______.
8. (honnête) Nous sommes ______.
9. (attentif) Elles sont ______.

10. (sérieux) Ils sont ______________________.

11. (heureux) Lucie est ______________________.

12. (craintif) Elles sont ______________________.

13. (sincère) Je suis ______________________.

14. (amusant) Jean et Luc sont ______________________.

15. (intelligent) Viviane est ______________________.

EXERCICE 6 Nommez quatre (4) qualités et trois (3) défauts que vous avez. Vous pouvez utiliser les adjectifs mentionnés dans les exercices 1 à 5.

les qualités		les défauts	
féminin	**masculin**	**féminin**	**masculin**
______	______	______	______
______	______	______	______
______	______	______	______
______	______	______	______

Les ressemblances et les différences dans la famille

Des membres de la famille

un père
une mère
.... des parents
un fils
une fille
un frère
une sœur
un oncle
une tante
un cousin
une cousine

un grand-père
une grand-mère
... des grands-parents
un beau-père
une belle-mère
un époux
une épouse
un conjoint
une conjointe

Les déterminants possessifs

masculin singulier	féminin singulier	masculin et féminin pluriel
mon	ma	mes
ton	ta	tes
son	sa	ses
notre	notre	nos
votre	votre	vos
leur	leur	leurs

Comment utiliser les déterminants possessifs

Le déterminant possessif est masculin devant un nom masculin.

Exemple : **mon** frère
↓
masculin

Le déterminant possessif est féminin devant un nom féminin.

Exemple : **ma** sœur
↓
féminin

Le déterminant possessif est pluriel devant un nom pluriel.

Exemple : **mes** tantes
↓
pluriel

NOTEZ

Ma, ta, sa deviennent **mon, ton, son** devant un **nom féminin** débutant par une **voyelle** ou un **h muet.**

Exemples : **une é**pouse **mon é**pouse ; **une** histoire **son h**istoire
↓ féminin ↓ féminin

Les déterminants possessifs

Voir les Références grammaticales, pages 255 à 258.

Les qualités et les défauts

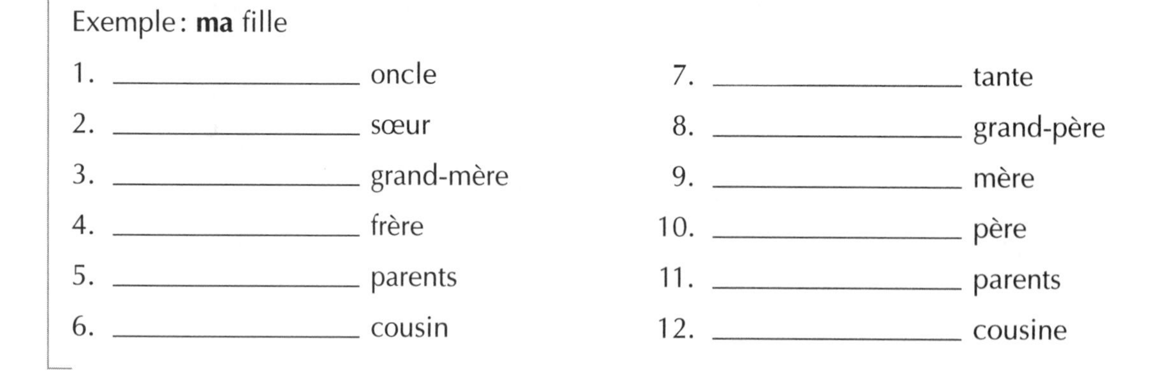

EXERCICE 7 Écrivez le bon déterminant possessif à la **1re personne du singulier.**

Exemple : **ma** fille

1. ________________ oncle
2. ________________ sœur
3. ________________ grand-mère
4. ________________ frère
5. ________________ parents
6. ________________ cousin
7. ________________ tante
8. ________________ grand-père
9. ________________ mère
10. ________________ père
11. ________________ parents
12. ________________ cousine

EXERCICE 8 Nommez quatre (4) ressemblances et quatre (4) différences entre vous et les membres de votre famille. Vous pouvez utiliser les adjectifs qualificatifs des exercices précédents.

Exemple : Je suis tranquille comme **mon** père. (une ressemblance)
Je ne suis pas têtu comme **ma** sœur. (une différence)

Les ressemblances

1. ____
2. ____
3. ____
4. ____

Les différences

1. ____
2. ____
3. ____
4. ____

EXERCICE 9 Présentez votre famille. Utilisez des adjectifs qualificatifs pour décrire les personnes.

____

____

____

____

____

____

____

____

____

____

____

____

____

____

____

LA QUESTION AVEC INVERSION DU SUJET

OBSERVEZ

Il est gentil. (affirmation)
↓ ↘
sujet verbe

Est-il gentil ? (interrogation)
↓ ↘
verbe sujet

La question avec inversion du sujet

Voir les Références grammaticales, pages 301 à 305.

EXERCICE 10 Formulez des questions.

Exemple : Elle est douce.
Est-elle douce ?

1. Il est agressif. ____________________
2. Tu es nerveux. ____________________
3. Vous êtes paresseux. ____________________
4. Elle est têtue. ____________________
5. Ils sont calmes. ____________________
6. Elles sont généreuses. ____________________
7. Il est distrait. ____________________
8. Vous êtes attentifs. ____________________
9. Elle est malhonnête. ____________________
10. Il est poli. ____________________

EXERCICE 11 Écrivez les phrases à la forme négative.

Exemple : Il est gentil.
Il n'est pas gentil.

1. Tu es aimable. ____________________
2. Je suis calme. ____________________
3. Nous sommes attentifs. ____________________
4. Vous êtes polis. ____________________
5. Tu es obéissant. ____________________
6. Elles sont nerveuses. ____________________
7. Ils sont gentils. ____________________
8. Je suis têtu. ____________________
9. Elle est ponctuelle. ____________________
10. Il est généreux. ____________________

EXERCICE 12 Répondez aux questions.

Exemple : Est-elle honnête ?
Non, elle n'est pas honnête. Elle est malhonnête.

1. Est-elle généreuse ? ______________________________
2. Est-il doux ? ______________________________
3. Es-tu distrait ? ______________________________
4. Sont-ils travailleurs ? ______________________________
5. Est-elle stupide ? ______________________________
6. Êtes-vous obéissants ? ______________________________
7. Est-elle nerveuse ? ______________________________
8. Es-tu retardataire ? ______________________________
9. Est-il poli ? ______________________________
10. Sont-elles méchantes ? ______________________________

EXERCICE 13 Dans la liste ci-dessous, choisissez l'adjectif qualificatif qui correspond à la définition. Écrivez l'adjectif au féminin quand le sujet est féminin.

généreux – poli – paresseux – têtu – honnête – travailleur – distrait – ponctuel

1. Claude n'aime pas travailler. Quand il est à la maison, il ne fait pas le ménage. Il regarde la télévision, il lit des bandes dessinées ou il dort. Claude est ______________.

2. Marie oublie souvent son sac à main à la maison ou au restaurant. Marie est secrétaire. Quand elle répond au téléphone, elle oublie souvent de noter le numéro de téléphone ou le nom du client. Marie est ______________.

3. Alain est au restaurant. Il voit une dame qui sort du restaurant. La dame a oublié son portefeuille sur la table du restaurant. Alain prend le portefeuille et va rapidement rendre le portefeuille à la dame. Alain est ______________.

4. Quand Jocelyne a un rendez-vous, elle arrive toujours à l'heure prévue. Jocelyne est ______________.

5. Marc-Antoine connaît un couple qui a quatre enfants. Le couple n'est pas très riche. Le père et la mère travaillent, mais ils ne gagnent pas beaucoup d'argent. Chaque mois, Marc-Antoine achète des vêtements, des jouets ou des livres pour les enfants. Marc-Antoine est _______________.

6. Sylvain pense toujours que son idée est la meilleure idée. Sylvain ne veut pas écouter les autres personnes. Sylvain est _______________.

7. Louise respecte beaucoup les gens. Quand elle demande quelque chose, elle dit toujours « s'il vous plaît ». Louise est _______________.

8. Vincent étudie à l'université. Le soir et les fins de semaine, il travaille. Vincent est _______________.

Quelques métiers et professions

un...	**une...**
psychologue	psychologue
psychiatre	psychiatre
décorateur	décoratrice
détective	détective
écrivain	écrivaine
éducateur	éducatrice

Vos suggestions (des emplois liés à la personnalité)

_______________	_______________
_______________	_______________
_______________	_______________
_______________	_______________
_______________	_______________

EXERCICE 14 Associez un **adjectif qualificatif** de la liste ci-dessous aux personnages imaginaires. Si le personnage est féminin, écrivez l'adjectif au féminin.

bavard – avare – naïf – généreux – spirituel

Séraphin

Séraphin est le personnage d'un roman. Le roman s'intitule *Un homme et son péché.* Séraphin aime l'argent. Il vit à Sainte-Adèle à la fin du XIXe siècle. Les personnes du village n'aiment pas Séraphin. Elles disent que Séraphin pense toujours à l'argent. Il ne donne rien aux autres. Séraphin est ________________.

Le père Noël

Le père Noël est un personnage qui apporte des cadeaux aux enfants à Noël. Il vit au pôle Nord. Les enfants aiment le père Noël parce qu'il leur donne des jouets. Le père Noël est ________________.

Le Petit Chaperon rouge

Le Petit Chaperon rouge est le personnage d'un conte pour enfants. Dans ce conte, on raconte l'histoire d'une petite fille qui se rend chez sa grand-mère malade. Elle apporte un panier de provisions pour sa grand-mère. Dans la forêt, elle rencontre un loup. Elle parle avec le loup. Elle pense que le loup est gentil. Le loup n'est pas gentil. Il est méchant. Le Petit Chaperon rouge ne réalise pas que le loup est méchant. Le Petit Chaperon rouge est ________________.

Sol

Sol est un clown. Sol raconte des histoires. Ses histoires sont spéciales. Sol joue avec les mots. Il a des idées très originales. C'est un clown philosophe. L'acteur qui joue Sol, Marc Favreau, est mort en 2005. Il y a des DVD qui présentent les spectacles de Sol. Sol est ________________.

La Sagouine

La Sagouine est un personnage d'une pièce de théâtre d'Antonine Maillet. La Sagouine parle beaucoup. Elle raconte l'histoire de l'Acadie, au Canada. Elle peut parler des heures et des heures. La Sagouine est ________________.

Être à l'impératif présent

2e personne du singulier : sois
1re personne du pluriel : soyons
2e personne du pluriel : soyez

affirmation	négation
sois	ne sois pas
soyons	ne soyons pas
soyez	ne soyez pas

Jacques dit à son garçon de huit ans :

Marie cherche un emploi. Elle a une entrevue dans deux heures. Jeanne, une amie, dit à Marie :

Luc et Annie vont au cinéma. Ils ont deux enfants. Quand la gardienne arrive, Luc et Annie disent à leurs enfants :

EXERCICE 15 Formez des phrases avec un adjectif qualificatif et le verbe **être** à l'impératif.

Exemple :

poli impoli

1.

2.

3.

SOYEZ POLIS !

Dans toutes les cultures, la politesse est une qualité très appréciée. Étudiez les points suivants si vous désirez être polis quand vous parlez français.

Tu ou **vous**

- Quand vous parlez à une personne de votre famille, à un ami ou une amie, à un ou une collègue de travail, à un ou une enfant, vous pouvez utiliser le **tu.**
- Quand vous parlez à un supérieur ou une supérieure, à un étranger ou une étrangère, vous devez utiliser le **vous.**
- Quand vous ne savez pas si vous devez dire **tu** ou **vous,** utilisez le **vous.**

Madame, mademoiselle et **monsieur**

- Madame : vous utilisez **madame** pour une femme.
  Mme est l'abréviation de **madame.**
- Mademoiselle : vous utilisez **mademoiselle** pour une jeune fille.
  Mlle est l'abréviation de **mademoiselle.**
- Monsieur : vous utilisez **monsieur** pour un homme.
  M. est l'abréviation de **monsieur.**

Pour vous présenter

— Bonjour, je m'appelle… (votre nom).

Quand vous rencontrez un supérieur, une supérieure, un client ou une cliente, vous pouvez dire :

— Bonjour, Monsieur X / Madame X ! Comment allez-vous ?

Si l'autre personne demande : « Comment allez-vous ? », vous pouvez dire :

— Très bien, merci.

ou

— Je vais (très) bien, merci.

> Exemple :
>
> — Bonjour, Monsieur Lalonde ! Comment allez-vous ?
>
> — Très bien, merci. Et vous ?
>
> — Je vais très bien, merci.

Quand vous rencontrez un ami, une amie ou une personne que vous connaissez très bien, vous pouvez dire :

— Bonjour ! Comment vas-tu ?

ou

Comment ça va ?

Si l'autre personne demande : « Comment vas-tu ? », vous pouvez dire :

— Je vais (très) bien.

ou

— Ça va !

ou

— Ça va mal !

Exemple :

— Bonjour, Marc ! Comment vas-tu ?

— Je vais bien. Et toi ?

— Ça va !

Pour vous présenter, vous pouvez dire :

— Bonjour, je m'appelle… (votre nom).
ou
— Bonjour, je suis…

Pour présenter une autre personne, vous pouvez dire :

— Monsieur X / Madame X, je vous présente… (nom de la personne).

Si quelqu'un vous présente une autre personne, vous pouvez dire :

— Je suis enchanté(e).
ou
— Enchanté(e).

Exemple :

M. Rodrigue. — Bonjour, Monsieur Tremblay.

M. Tremblay. — Bonjour, Monsieur Rodrigue.

M. Rodrigue. — Monsieur Tremblay, je vous présente ma conjointe, madame Lemire.

M. Tremblay à Mme Lemire. — Enchanté !

Mme Lemire. — Enchantée !

Quand vous partez, vous pouvez dire :

— Bonjour !
— Bonsoir !
— Bonne nuit !
— Au revoir !
— À bientôt !

Pour remercier une personne, vous pouvez dire :

— Merci.
ou
— Merci beaucoup.
ou
— Je te/vous remercie (beaucoup).

Quand une personne vous remercie, vous pouvez dire :

— De rien.
ou
— Ça m'a fait plaisir.

Pour vous excuser, vous pouvez dire :

— Excusez-moi.
— Pardon.
— Je suis désolé(e).

EXERCICE 16 Complétez les dialogues.

Exemple : — Comment vas-tu ?
— Je vais très bien, merci.

1. — Bonjour, comment allez-vous ?
— ____________________

2. — Quel est votre nom ?
— ____________________

3. — Je vous présente madame X.
— ____________________

4. — Je vais très bien. Et toi ?
— ____________________

5. — Merci beaucoup.
— ____________________

6. — Vous avez marché sur mon pied !
— ____________________

LES GESTES PARLENT !

Les gestes sont un acte de communication. Ils disent des choses que le cerveau pense et ne dit pas. La programmation neurolinguistique étudie nos gestes et nos attitudes.

Voici des exemples de gestes qui peuvent avoir une signification durant une entrevue pour obtenir un emploi.

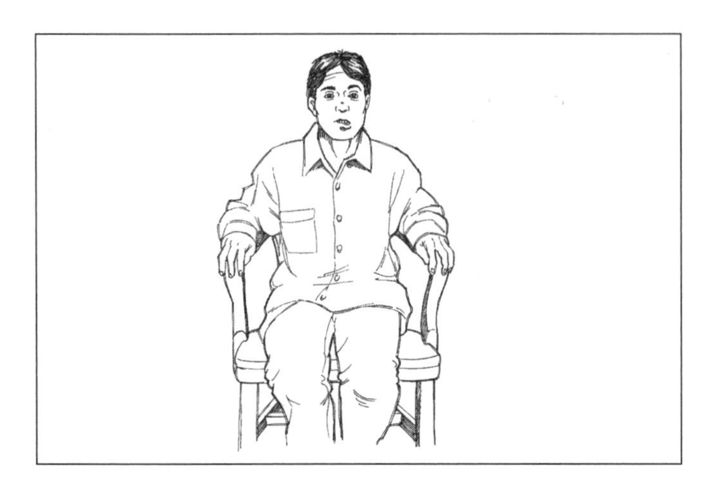

Mordiller sa lèvre inférieure.
C'est un signe de panique, d'un manque de contrôle.

Cacher sa main gauche sous le bureau.
C'est un signe d'un manque d'ouverture, d'un manque de créativité.

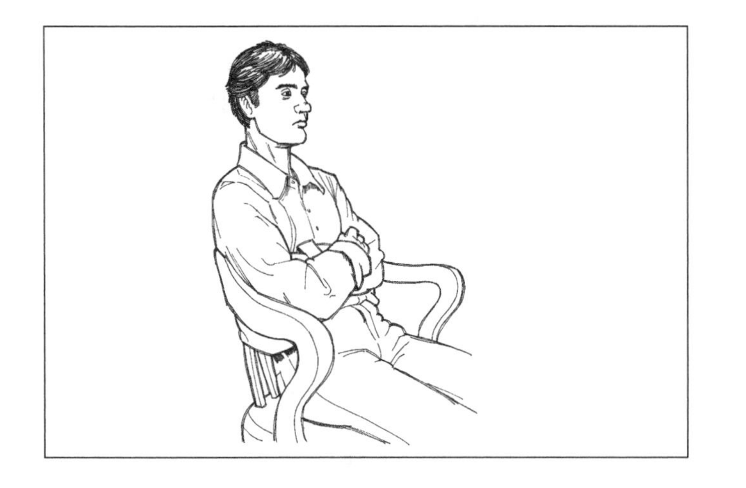

Fermer les poings en cachant ses pouces.
C'est un signe d'un manque de motivation ou d'un manque de créativité.

Se gratter souvent la tête
de la main droite ou de
la main gauche.
C'est un signe d'une
personnalité indécise.

Avoir les mains dans
les poches.
C'est un signe d'indifférence.

Se gratter le genou droit.
C'est un signe d'un manque
d'enthousiasme.

EXERCICE 17 Trouvez d'autres gestes et faites une courte phrase pour décrire la signification de chacun de ces gestes.

Exemple : Vous mettez votre main sur le front et vous dites « Je suis fatigué(e) ».

EXERCICE 18 Lisez attentivement.

L'entrevue de Marie

Marie cherche un emploi. Elle a vu une offre d'emploi dans le journal. Elle a envoyé son curriculum vitæ à l'entreprise Transport Gendron. Trois jours plus tard, la secrétaire de Transport Gendron a appelé Marie. Elle a demandé à Marie de venir au bureau pour rencontrer la directrice, madame Lemieux.

Marie arrive au bureau. Elle est très nerveuse. La secrétaire dit à Marie : « Bonjour, Marie. Madame Lemieux va arriver dans cinq minutes. Assoyez-vous ! »

Cinq minutes plus tard, madame Lemieux arrive. Madame Lemieux est grande, elle a les cheveux noirs et elle est très sérieuse. Elle dit à Marie : « Bonjour, Madame, comment allez-vous ? »

Marie. — Je vais bien, merci. Et vous ?

Mme Lemieux. — Je vais très bien. Madame, je veux vous poser une question.

Marie. — Certainement, Madame Lemieux.

Mme Lemieux. — Quelles sont vos trois plus grandes qualités et quels sont vos trois plus grands défauts ?

Marie. — Euh ! Je suis honnête, je suis travailleuse et je suis intelligente.

Mme Lemieux. — Et vos défauts ?

Marie. — Je suis un peu nerveuse.

Mme Lemieux. — Vous n'avez pas d'autres défauts ?

Marie. — Je ne pense pas !

Mme Lemieux. — Dites-moi, Madame, êtes-vous ponctuelle ?

Marie. — Oui, je suis très ponctuelle.

Mme Lemieux. — C'est bien, Madame, l'entrevue est terminée.

Marie. — C'est tout ?

Mme Lemieux. — Oui, c'est tout ! Je n'aime pas les longues entrevues. Soyez au bureau lundi prochain à neuf heures.

Marie. — Quoi ? J'ai le poste ?

Mme Lemieux. — Oui. Ma secrétaire va vous dire quoi faire. Au revoir !

Marie. — Au revoir, Madame Lemieux. À lundi !

Les entrevues ne sont pas toujours simples comme l'entrevue de Marie !

Répondez aux questions sur le texte.

1. Où Marie a-t-elle vu l'offre d'emploi ?

2. Où Marie a-t-elle envoyé son curriculum vitæ ?

3. Qui est madame Lemieux ?

4. Comment est madame Lemieux ? (trois caractéristiques)

5. Quelles sont les qualités de Marie ?

6. Quel est son défaut ?

7. Marie est-elle triste ?

8. Quand Marie doit-elle être au bureau ?

9. Qui va dire à Marie quoi faire ?

10. Dans l'histoire, quelle phrase prouve que Marie est surprise d'avoir l'emploi ?

AUTOÉVALUATION

	Réponses possibles			
	1 Très bien	**2 Bien**	**3 Pas assez**	**4 Pas du tout**
VOCABULAIRE				
Je connais des adjectifs qualificatifs.				
Je connais des membres de la famille.				
Je connais des salutations, des excuses et des remerciements.				
ÉLÉMENTS À L'ÉTUDE DANS LE THÈME				
Je comprends l'accord de l'adjectif en genre et en nombre.				
Je connais les déterminants possessifs.				
Je connais la place de la négation **ne... pas** au présent.				
Je connais la question avec inversion du sujet au présent. (Exemple: Est-il aimable?)				
Je connais le verbe **être** au présent de l'indicatif.				
Je connais le verbe **être** au présent de l'impératif.				
Je peux faire des salutations, des excuses et des remerciements.				
Je peux lire et comprendre des phrases.				
PARTICIPATION				
J'ai participé aux activités de communication orale.				
J'ai fait les exercices écrits.				
J'ai cherché des mots dans le dictionnaire pour mieux comprendre.				
J'ai pratiqué les salutations, les excuses et les remerciements.				

LA MÉTÉO

Vocabulaire à l'étude

- le temps et la température
- les quatre saisons
- les 12 mois de l'année
- les évènements importants dans une année
- les nombres de 0 à 40
- les vêtements et les articles saisonniers
- des services aux citoyens et citoyennes

Éléments grammaticaux

- le pronom impersonnel **il**
- la question avec inversion du sujet au présent, au passé composé et au futur proche
- les questions avec **quel** et **combien**
- **ne... pas** au présent, au passé composé et au futur proche

Verbes

- les verbes impersonnels **faire, pleuvoir, neiger** et **venter**
- **aimer** au présent
- **pouvoir** au présent

Situations de communication ciblées

- donner ses préférences au sujet des saisons et du temps
- informer sur des évènements importants
- informer et s'informer sur le temps qu'il fait
- informer sur son état
- donner son appréciation sur le temps
- amorcer une conversation
- faire une demande

LES PHÉNOMÈNES MÉTÉOROLOGIQUES

le soleil
sun

la pluie
rain

un nuage
Cloudy

la neige
snow

un orage : le tonnerre et des éclairs

une tornade
Tornado

le vent
windy

The four Seasons.

Les quatre saisons

le printemps

Spring

l'été

Summer

l'automne

Fall

l'hiver

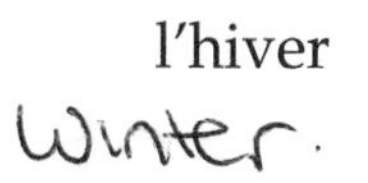

Les 12 mois de l'année

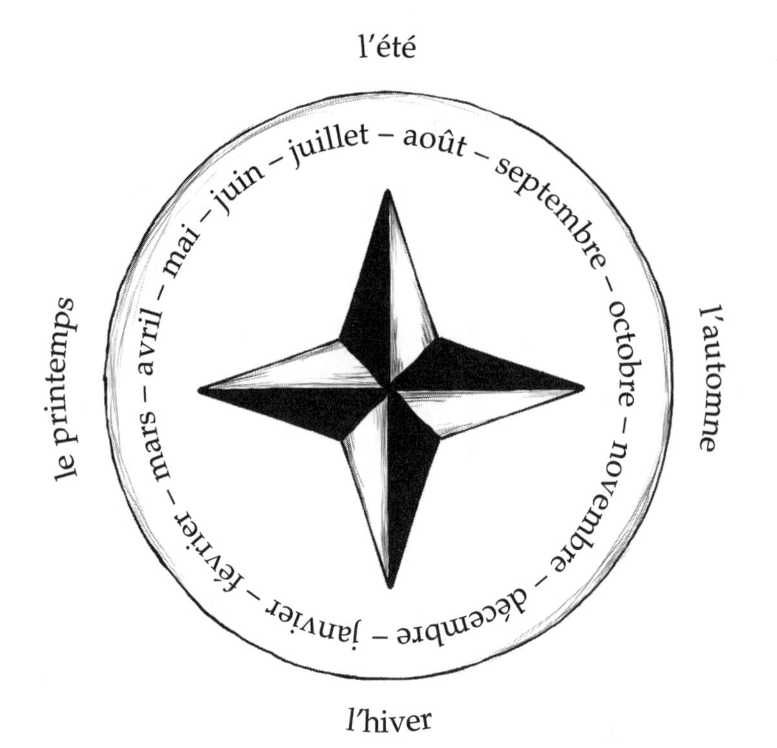

janvier – février – mars – avril – mai – juin – juillet – août – septembre – octobre – novembre – décembre

EXERCICE 1 Complétez les phrases.

1. Le printemps commence au mois de ____________ et finit au mois de ____________.
2. L'été commence au mois de ____________ et finit au mois de ____________.
3. L'automne commence au mois de ____________ et finit au mois de ____________.
4. L'hiver commence au mois de ____________ et finit au mois de ____________.

EXERCICE 2 Le calendrier des évènements importants

Exemples d'évènements importants :

Un anniversaire de naissance ou une fête
Un anniversaire de mariage
Un baptême
La veille de Noël
Noël
La veille du jour de l'An
Le jour de l'An
La Saint-Valentin
Pâques
La remise des diplômes
Le bal des finissants

Faites votre calendrier des évènements importants pour vous durant l'année. Indiquez la date de chaque évènement.

Exemple : le 1er janvier : le jour de l'An ; le 17 février : la fête de Philippe, etc.

Calendrier des dates importantes

____
____
____
____
____
____
____
____
____
____
____
____
____
____
____

Quelle température fait-il ? Combien fait-il ?

↓ ↓

Il fait... **Il fait...** (en degrés Celsius)

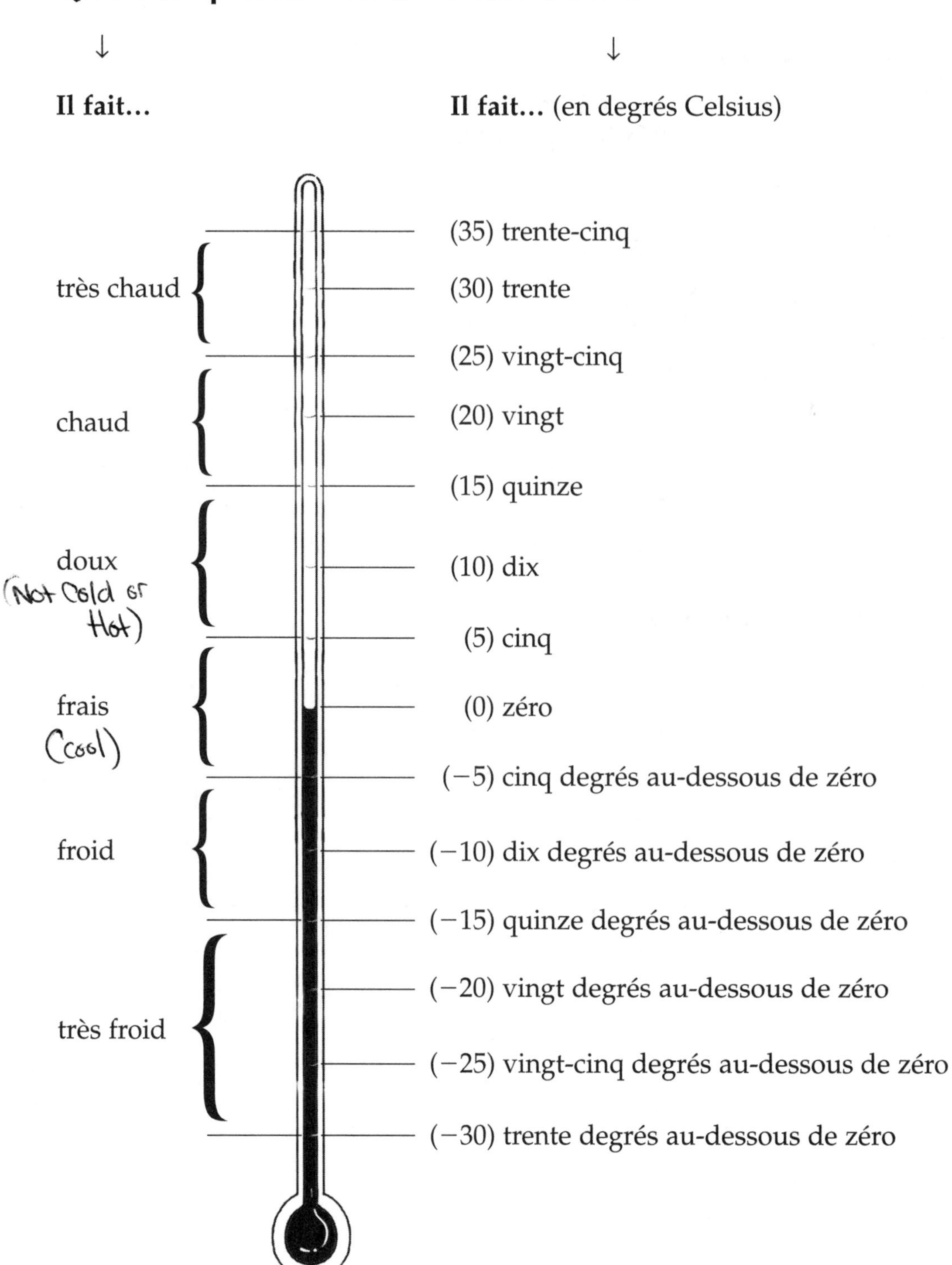

NOTEZ

Pour les températures au-dessous de zéro, on peut aussi dire :
Il fait **moins** 5, il fait **moins** 10.

POUR VOTRE INFORMATION...

LES DEGRÉS CELSIUS ET LES DEGRÉS FAHRENHEIT

Mesure Fahrenheit		Mesure Celsius
0 degré	$\frac{-32 \times 5}{9} =$	−17,777 degrés
Mesure Celsius		**Mesure Fahrenheit**
0 degré	$\times 9 = \frac{\quad}{5} + 32 =$	32 degrés

Les nombres de zéro (0) à quarante (40)

(0) zéro
(1) un
(2) deux
(3) trois
(4) quatre
(5) cinq
(6) six
(7) sept
(8) huit
(9) neuf
(10) dix

(11) onze
(12) douze
(13) treize
(14) quatorze
(15) quinze
(16) seize
(17) dix-sept
(18) dix-huit
(19) dix-neuf
(20) vingt

(21) vingt et un
(22) vingt-deux
(23) vingt-trois
(24) vingt-quatre
(25) vingt-cinq
(26) vingt-six
(27) vingt-sept
(28) vingt-huit
(29) vingt-neuf
(30) trente

(31) trente et un
(32) trente-deux
(33) trente-trois
(34) trente-quatre
(35) trente-cinq
(36) trente-six
(37) trente-sept
(38) trente-huit
(39) trente-neuf
(40) quarante

Les nombres

Voir les Références grammaticales, page 260.

EXERCICE 3 Répondez aux questions.

Exemple : — Combien fait-il ?
(8) — Il fait huit degrés.

— Combien fait-il ?

1. (0) ______
2. (6) ______
3. (−9) ______
4. (11) ______
5. (−16) ______
6. (17) ______
7. (−21) ______
8. (28) ______

EXERCICE 4 Indiquez s'il fait très chaud, chaud, doux, frais, froid ou très froid.

Exemple : (17) Il fait chaud.

1. (−3) doux
2. (14) doux
3. (2) doux
4. (−25) tres froid
5. (33) très chaud
6. (8) doux
7. (−10) froid
8. (17) Chaud

POUR VOTRE INFORMATION…

CONDITIONS MÉTÉOROLOGIQUES DANS LES CAPITALES ET LES GRANDES VILLES (TEMPÉRATURES – DE 1971 À 2000)

Villes canadiennes	Moyennes annuelles	
	Maximum Degrés Celsius	Minimum Degrés Celsius
St. John's	8,7	0,6
Charlottetown	9,7	0,9
Halifax	11,0	1,6
Fredericton	11,2	−0,5
Québec	9,0	−1,0
Montréal	11,1	1,4
Ottawa	10,9	1,1
Toronto	12,5	2,5
Winnipeg	8,3	−3,1
Regina	9,1	−3,4
Edmonton	8,5	−3,8
Calgary	10,5	−2,4
Vancouver	13,7	6,5
Victoria	14,1	5,3
Whitehorse	4,5	−5,9
Yellowknife	−0,2	−9,0
Comparaisons internationales		
Beijing, Chine	17	7
Londres, Angleterre	14	7
Los Angeles, États-Unis	21	13
Mexico, Mexique	23	11
New Delhi, Inde	31	20
Paris, France	14	7

Sources : Environnement Canada, 2006, *Normales climatologiques, 1971 à 2000* ; Environnement Canada, Centre climatologique canadien, Direction de l'information climatologique, *Normales climatologiques, 1951 à 1980* (pour les données internationales).

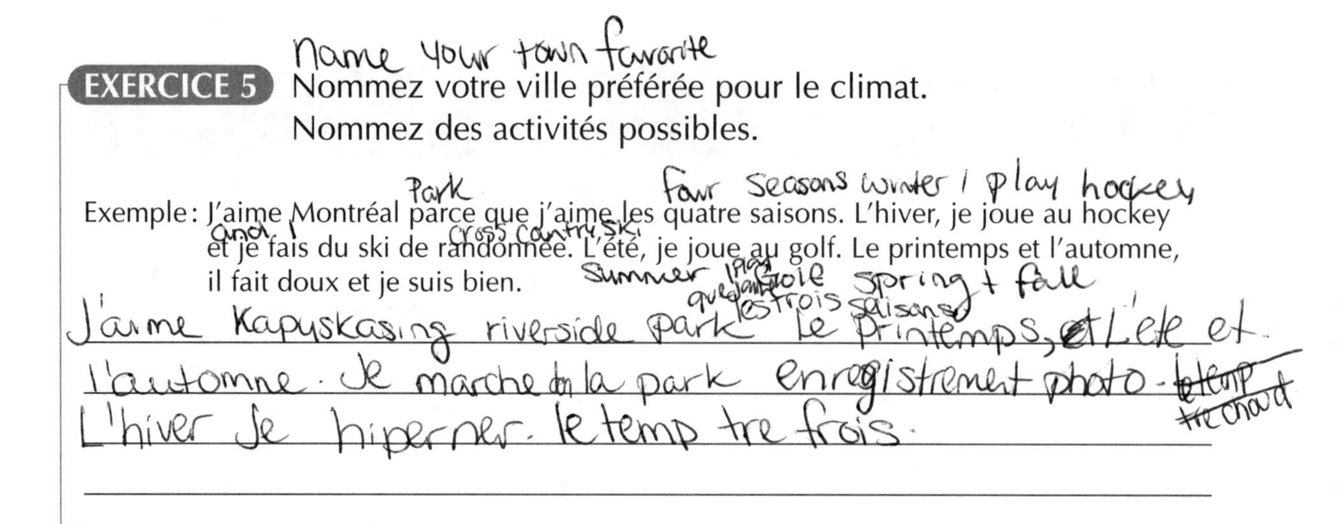

EXERCICE 5 Nommez votre ville préférée pour le climat.
Nommez des activités possibles.

Exemple : J'aime Montréal parce que j'aime les quatre saisons. L'hiver, je joue au hockey et je fais du ski de randonnée. L'été, je joue au golf. Le printemps et l'automne, il fait doux et je suis bien.

LE TEMPS

Faire beau – pleuvoir – neiger – venter

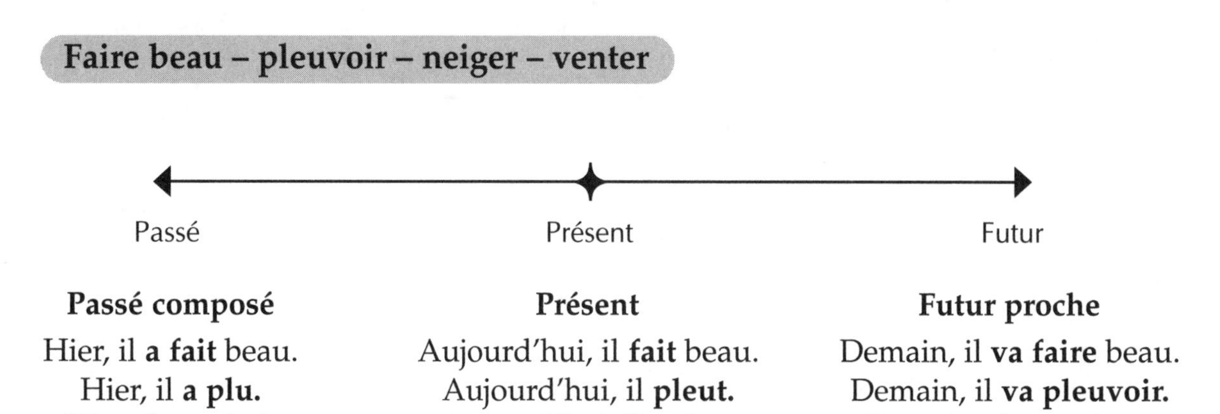

Passé composé	Présent	Futur proche
Hier, il **a fait** beau.	Aujourd'hui, il **fait** beau.	Demain, il **va faire** beau.
Hier, il **a plu.**	Aujourd'hui, il **pleut.**	Demain, il **va pleuvoir.**
Hier, il **a neigé.**	Aujourd'hui, il **neige.**	Demain, il **va neiger.**
Hier, il **a venté.**	Aujourd'hui, il **vente.**	Demain, il **va venter.**

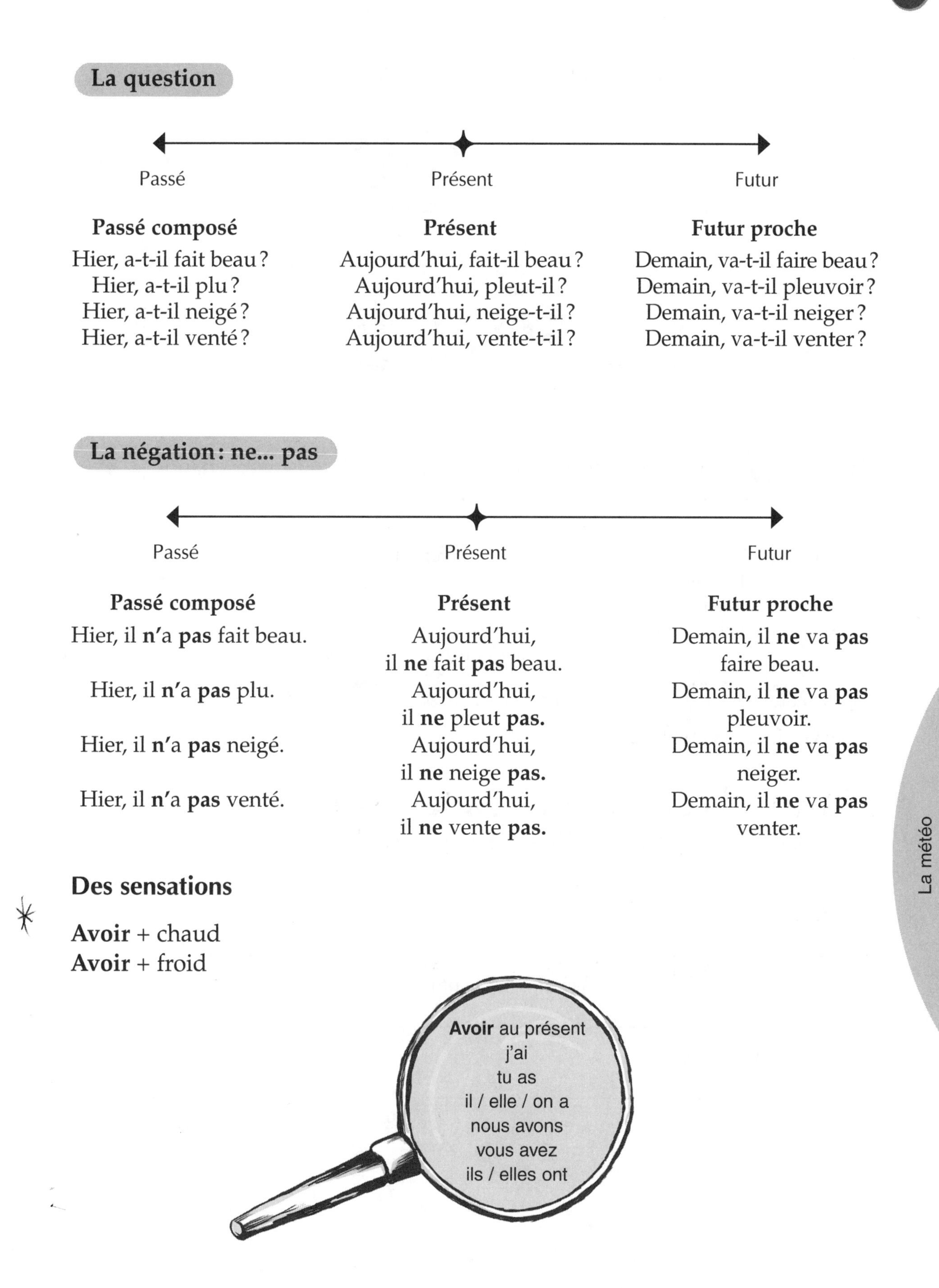

La question

Passé	Présent	Futur
Passé composé	**Présent**	**Futur proche**
Hier, a-t-il fait beau ?	Aujourd'hui, fait-il beau ?	Demain, va-t-il faire beau ?
Hier, a-t-il plu ?	Aujourd'hui, pleut-il ?	Demain, va-t-il pleuvoir ?
Hier, a-t-il neigé ?	Aujourd'hui, neige-t-il ?	Demain, va-t-il neiger ?
Hier, a-t-il venté ?	Aujourd'hui, vente-t-il ?	Demain, va-t-il venter ?

La négation : ne... pas

Passé	Présent	Futur
Passé composé	**Présent**	**Futur proche**
Hier, il **n'**a **pas** fait beau.	Aujourd'hui, il **ne** fait **pas** beau.	Demain, il **ne** va **pas** faire beau.
Hier, il **n'**a **pas** plu.	Aujourd'hui, il **ne** pleut **pas.**	Demain, il **ne** va **pas** pleuvoir.
Hier, il **n'**a **pas** neigé.	Aujourd'hui, il **ne** neige **pas.**	Demain, il **ne** va **pas** neiger.
Hier, il **n'**a **pas** venté.	Aujourd'hui, il **ne** vente **pas.**	Demain, il **ne** va **pas** venter.

Des sensations

Avoir + chaud
Avoir + froid

Être bien → ne pas avoir chaud et ne pas avoir froid.

Être au présent
je suis
tu es
il / elle / on est
nous sommes
vous êtes
ils / elles sont

EXERCICE 6 Lisez les renseignements. Indiquez si vous avez chaud, si vous avez froid ou si vous êtes bien.

Exemple : La fenêtre est ouverte. C'est l'hiver. Il fait −15 °C.
— J'ai froid.
— Pourquoi ?
— J'ai froid parce que la fenêtre est ouverte. **ou** J'ai froid parce que c'est l'hiver. **ou** J'ai froid parce qu'il fait 15 degrés au-dessous de zéro.

1. Il vente et il pleut. C'est l'automne. Vous attendez l'autobus. Il fait 4 °C.

   ____

   Pourquoi ?

   ____

2. La fenêtre est fermée. Il fait soleil et il vente. C'est l'été. Il fait 23 °C.

   ____

   Pourquoi ?

   ____

3. Vous faites du vélo. C'est nuageux. C'est le printemps. Il fait 10 °C.

   ____

   Pourquoi ?

   ____

EXERCICE 7 Faites une demande.

Exemple : Vous êtes dans une maison. Vous avez chaud. Vous pouvez demander :
— Pouvez-vous ouvrir la fenêtre, s'il vous plaît ?
ou
— Peux-tu ouvrir la fenêtre, s'il te plaît ?

1. Dans l'autobus, vous avez froid.

____

2. Dans la classe, vous avez chaud.

____

3. Dans la maison d'une amie, vous avez froid.

____

4. Dans une automobile, vous avez chaud.

____

may/can/to be able to

Pouvoir au présent
je peux
tu peux
il / elle / on peut
nous pouvons
vous pouvez
ils / elles peuvent (silent ent)

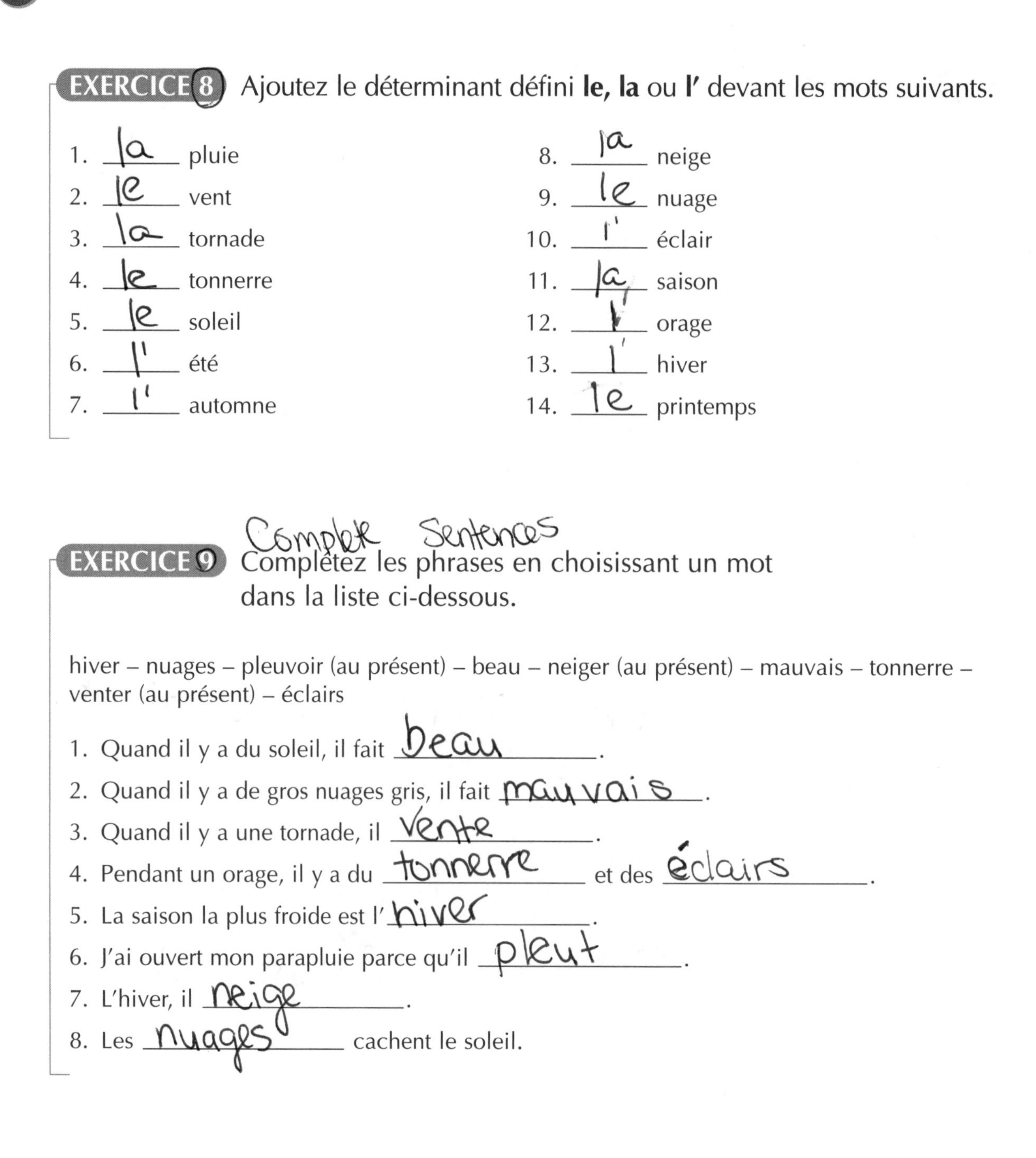

EXERCICE 8 Ajoutez le déterminant défini **le, la** ou **l'** devant les mots suivants.

1. la pluie
2. le vent
3. la tornade
4. le tonnerre
5. le soleil
6. l' été
7. l' automne
8. la neige
9. le nuage
10. l' éclair
11. la saison
12. l' orage
13. l' hiver
14. le printemps

Complete Sentences

EXERCICE 9 Complétez les phrases en choisissant un mot dans la liste ci-dessous.

hiver – nuages – pleuvoir (au présent) – beau – neiger (au présent) – mauvais – tonnerre – venter (au présent) – éclairs

1. Quand il y a du soleil, il fait beau.
2. Quand il y a de gros nuages gris, il fait mauvais.
3. Quand il y a une tornade, il vente.
4. Pendant un orage, il y a du tonnerre et des éclairs.
5. La saison la plus froide est l'hiver.
6. J'ai ouvert mon parapluie parce qu'il pleut.
7. L'hiver, il neige.
8. Les nuages cachent le soleil.

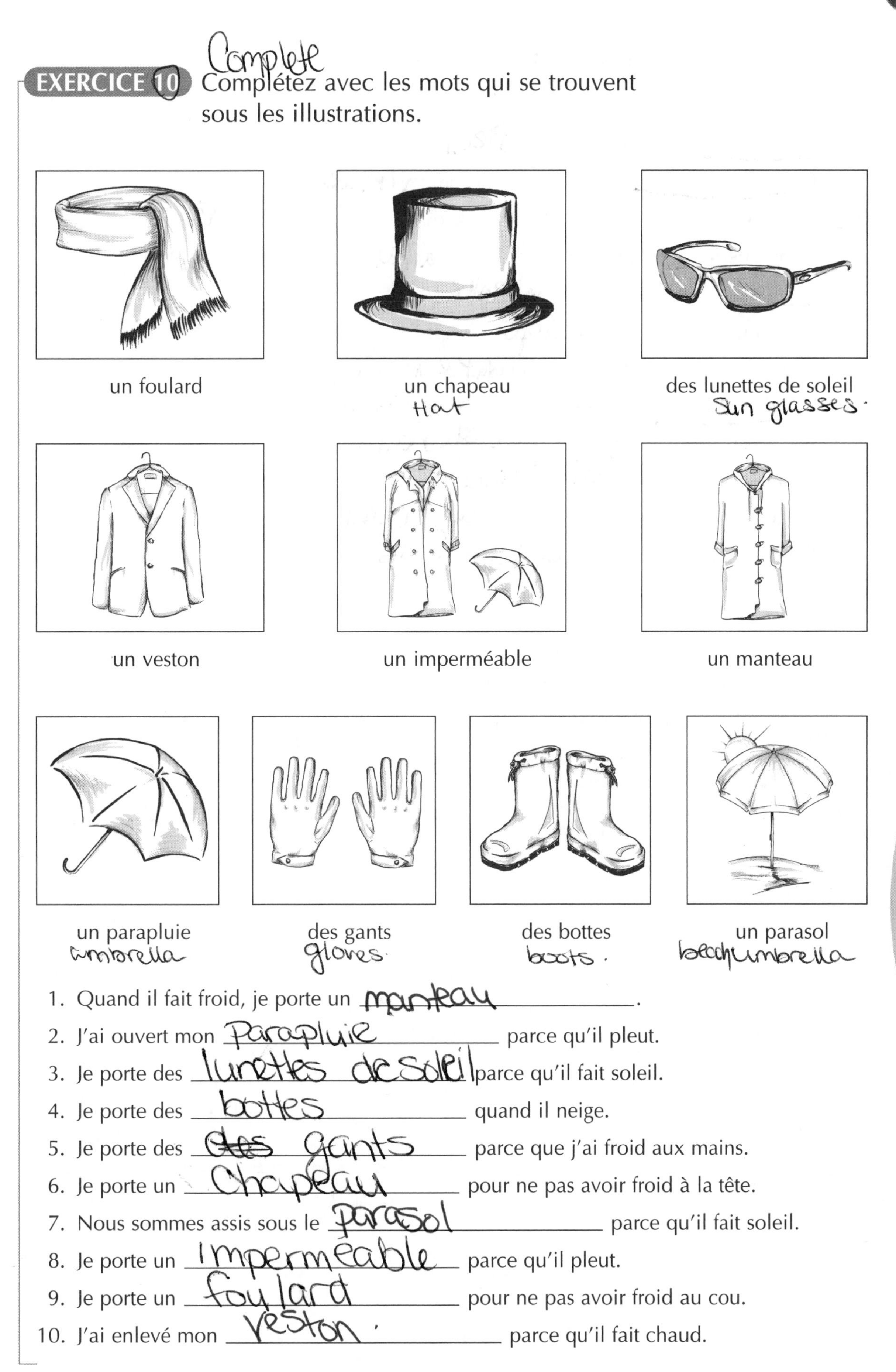

EXERCICE 10 Complétez avec les mots qui se trouvent sous les illustrations.

un foulard — un chapeau — des lunettes de soleil

un veston — un imperméable — un manteau

un parapluie — des gants — des bottes — un parasol

1. Quand il fait froid, je porte un ______________________.
2. J'ai ouvert mon ______________________ parce qu'il pleut.
3. Je porte des ______________________ parce qu'il fait soleil.
4. Je porte des ______________________ quand il neige.
5. Je porte des ______________________ parce que j'ai froid aux mains.
6. Je porte un ______________________ pour ne pas avoir froid à la tête.
7. Nous sommes assis sous le ______________________ parce qu'il fait soleil.
8. Je porte un ______________________ parce qu'il pleut.
9. Je porte un ______________________ pour ne pas avoir froid au cou.
10. J'ai enlevé mon ______________________ parce qu'il fait chaud.

La météo

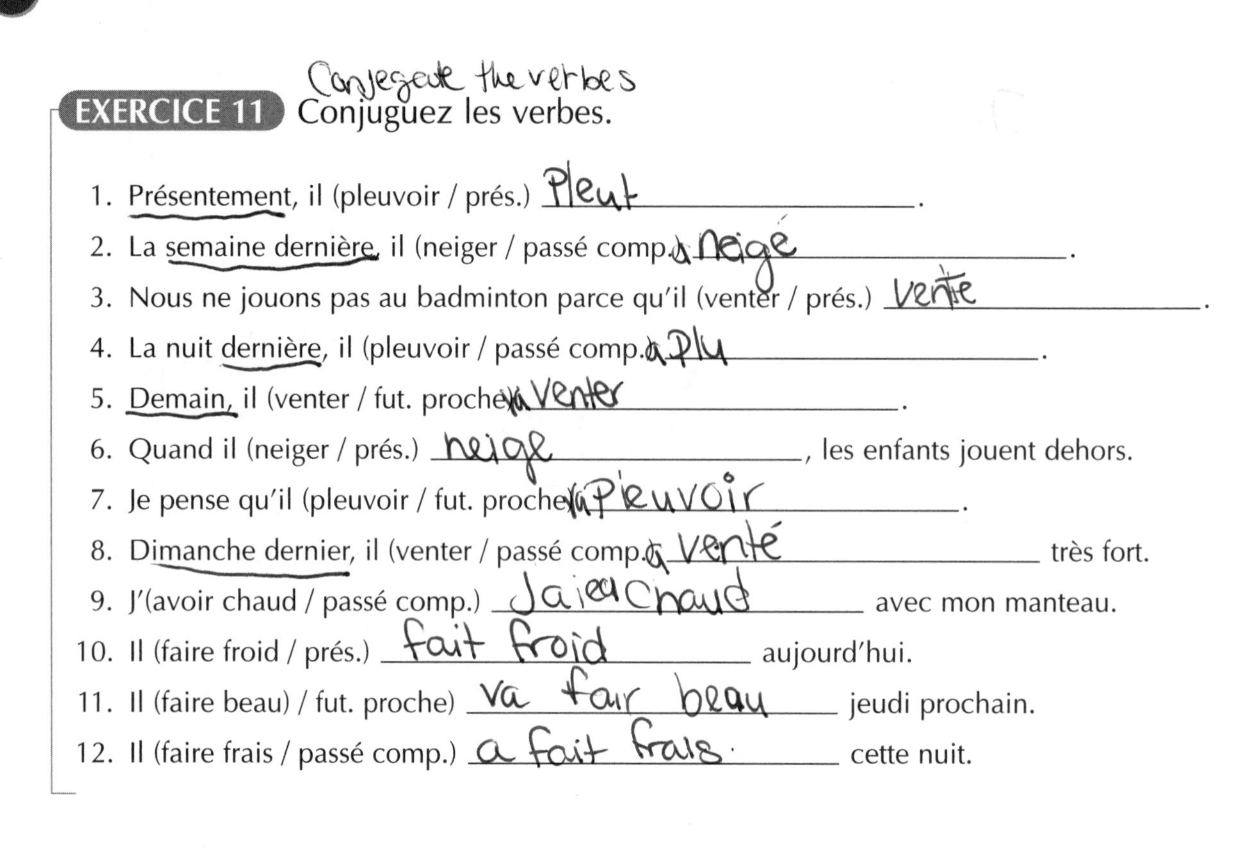

EXERCICE 11 Conjuguez les verbes.

1. Présentement, il (pleuvoir / prés.) ________________________.
2. La semaine dernière, il (neiger / passé comp.) ________________________.
3. Nous ne jouons pas au badminton parce qu'il (venter / prés.) ________________________.
4. La nuit dernière, il (pleuvoir / passé comp.) ________________________.
5. Demain, il (venter / fut. proche) ________________________.
6. Quand il (neiger / prés.) ________________________, les enfants jouent dehors.
7. Je pense qu'il (pleuvoir / fut. proche) ________________________.
8. Dimanche dernier, il (venter / passé comp.) ________________________ très fort.
9. J'(avoir chaud / passé comp.) ________________________ avec mon manteau.
10. Il (faire froid / prés.) ________________________ aujourd'hui.
11. Il (faire beau) / fut. proche) ________________________ jeudi prochain.
12. Il (faire frais / passé comp.) ________________________ cette nuit.

➡ **L'utilisation du présent, du passé composé et du futur proche**

Voir les Références grammaticales, page 273.

EXERCICE 12 Répondez aux questions suivantes.

1. Fait-il beau?
   Oui, ______________________________.
2. Quel temps fait-il?
   ______________________________ froid.
3. Combien fait-il dehors?
   ______________________________ 12 degrés.
4. A-t-il neigé ce matin?
   Non, ______________________________.
5. A-t-il plu hier?
   Oui, ______________________________.
6. As-tu froid?
   Non, ______________________________.
7. As-tu eu chaud?
   Oui, ______________________________.
8. Va-t-il faire beau demain?
   Oui, ______________________________.
9. A-t-il venté la nuit dernière?
   Non, ______________________________.
10. Ont-elles eu froid?
    Non, ______________________________.
11. Va-t-il faire froid demain?
    Oui, ______________________________.
12. Va-t-il neiger demain?
    Non, ______________________________.

Write the questions.

EXERCICE 13 Écrivez les questions.

1. ______________________________

Il fait beau.

2. ______________________________

Il fait 17 degrés.

3. ______________________________

Oui, il pleut.

4. ______________________________

Oui, nous avons eu froid.

5. ______________________________

Non, je n'ai pas eu chaud.

6. ______________________________

Oui, il a venté.

7. ______________________________

Non, il n'a pas neigé.

8. ______________________________

Oui, il va faire froid.

9. ______________________________

Non, il ne va pas pleuvoir.

10. ______________________________

Non, il n'a pas fait −30 °C.

EXERCICE 14 Avec une autre personne, amorcez une conversation et parlez de la météo. Utilisez les informations mises entre parenthèses ( ).

Exemple : (soleil, 20 °C)

— Bonjour ! Comment vas-tu ?
— Bien, et toi ?
— Très bien. Quelle belle journée, n'est-ce pas ?
— Oui, c'est vrai. Il fait très beau.

1. (pluie, vent, 8 °C)
2. (neige, −10 °C)
3. (nuages, vent, 0 °C)

Quelques métiers et professions influencés par les conditions météorologiques

un...	une...
météorologue	météorologue
agriculteur	agricultrice
camionneur	camionneuse
chauffeur (de taxi, d'autobus)	chauffeuse (de taxi, d'autobus)
couvreur	couvreuse
paysagiste	paysagiste

Vos suggestions

______________________	______________________
______________________	______________________
______________________	______________________
______________________	______________________
______________________	______________________
______________________	______________________

EXERCICE 15 Les services aux citoyens et citoyennes

a) La Ville offre des services. Vous appelez pour avoir de l'information sur un service. Formulez votre demande.

Exemple: — Bonjour! J'habite sur la rue Genest et je n'ai pas de garage.
— Je veux avoir le règlement sur les abris d'auto.

Exemples de services aux citoyens et citoyennes:

Les abris d'auto
L'abattage des arbres
La collecte des feuilles et des branches d'arbres
L'arrosage des fleurs
L'enlèvement de la neige
L'utilisation de pesticides
L'installation des piscines privées

b) Associez une saison ou des saisons à chaque service.

Exemple: L'arrosage des fleurs: l'été.

EXERCICE 16 Lisez attentivement.

Le soleil a déménagé !

Annie travaille avec Laurent. Annie a pris deux semaines de vacances. Elle est revenue au bureau ce matin. Laurent dit à Annie : « Bonjour, Annie ! As-tu eu de belles vacances ? »

Annie. — Ah oui ! J'ai eu de très belles vacances. Je suis allée en voyage.

Laurent. — Où es-tu allée ?

Annie. — Je suis allée en Italie.

Laurent. — Chanceuse ! A-t-il fait beau ?

Annie. — Oui, il a fait très beau. Il a fait soleil tous les jours.

Laurent. — A-t-il fait très chaud ?

Annie. — Non. Il a fait environ 25 °C tous les jours. Le mois d'octobre est un beau mois pour visiter l'Italie. Il fait chaud, mais il ne fait pas très chaud. Et ici, quel temps a-t-il fait ?

Laurent. — Il n'a pas fait beau ! Il a plu et il a fait froid. Samedi passé, il y a eu un gros orage. Dimanche, il a venté très fort toute la journée.

Annie. — Et aujourd'hui, il fait froid et c'est nuageux !

Laurent. — Annie, je pense que nous avons un problème !

Annie. — Quel est le problème ?

Laurent. — Je pense que le soleil a déménagé en Italie !

Répondez aux questions sur le texte.

1. Où sont Laurent et Annie ?

____

2. Annie a pris des vacances. Où est-elle allée ?

____

3. A-t-il fait beau pendant son voyage ?

____

4. Quel temps a-t-il fait tous les jours ?

____

5. Combien de degrés Celsius a-t-il fait ?

____

6. Selon Laurent, quel temps a-t-il fait samedi passé ?

____

7. Selon Laurent, quel temps a-t-il fait dimanche passé ?

____

8. Laurent pense qu'il y a un problème. Quel est le problème ?

____

AUTOÉVALUATION

	Réponses possibles			
	1 Très bien	2 Bien	3 Pas assez	4 Pas du tout
VOCABULAIRE				
Je connais les saisons et les mois de l'année.				
Je connais des évènements importants dans une année.				
Je connais des mots pour décrire le temps.				
Je connais des vêtements et des articles saisonniers.				
ÉLÉMENTS À L'ÉTUDE DANS LE THÈME				
Je connais le pronom impersonnel **il.**				
Je comprends la question avec inversion du sujet.				
Je connais les questions avec **quel** et **combien.**				
Je connais **ne… pas** au présent, au passé composé et au futur proche.				
Je connais les verbes **faire, pleuvoir, neiger** et **venter** au présent, au passé composé et au futur proche.				
Je connais les verbes **aimer** et **pouvoir** au présent.				
PARTICIPATION				
J'ai participé aux activités de communication orale.				
J'ai fait les exercices écrits.				
J'ai cherché des mots dans le dictionnaire pour mieux comprendre.				
J'ai trouvé des phrases que je peux utiliser dans une conversation.				
J'utilise les éléments des autres thèmes (*La santé, Les qualités et les défauts*) dans la conversation.				
Je pratique mon français tous les jours de la semaine.				

THÈME

LES TRANSPORTS

Vocabulaire à l'étude

- les moyens de transport urbain
- les lieux commerciaux et récréatifs
- les parties de l'automobile
- l'avion
- le train
- le bateau

Éléments grammaticaux

- les déterminants contractés avec la préposition **à**
- la préposition **chez**
- la préposition **en**
- les questions avec **où** et **comment**
- la question avec **qu'est-ce que**

Verbes

- les verbes du 1er groupe au présent, au passé composé et au futur proche : **avancer** ; **reculer** ; **freiner**
- les verbes **décoller, voler, atterrir, rouler** et **naviguer** à la 3e personne du singulier, au présent, au passé composé et au futur proche
- les verbes du 3e groupe au présent, au passé composé et au futur proche : **conduire** ; **attendre** ; **prendre**
- les verbes conjugués avec l'auxiliaire **être** au passé composé : **aller** ; **venir** ; **retourner** ; **revenir**

Situations de communication ciblées

- informer sur ses déplacements
- s'informer sur les déplacements d'une autre personne
- lire un court texte et repérer les éléments importants
- offrir son aide
- comprendre une grille tarifaire

LES MOYENS DE TRANSPORT

l'automobile

l'autobus

le métro

le taxi

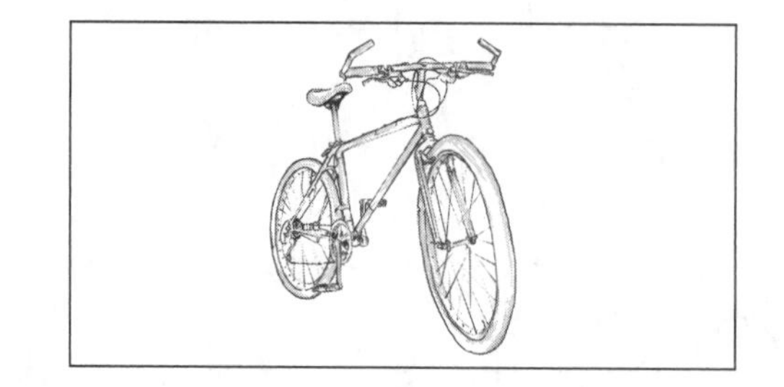

le vélo

Quel moyen de transport prends-tu ?

— Je prends…
- l'automobile
- l'autobus
- le métro
- le taxi
- le vélo

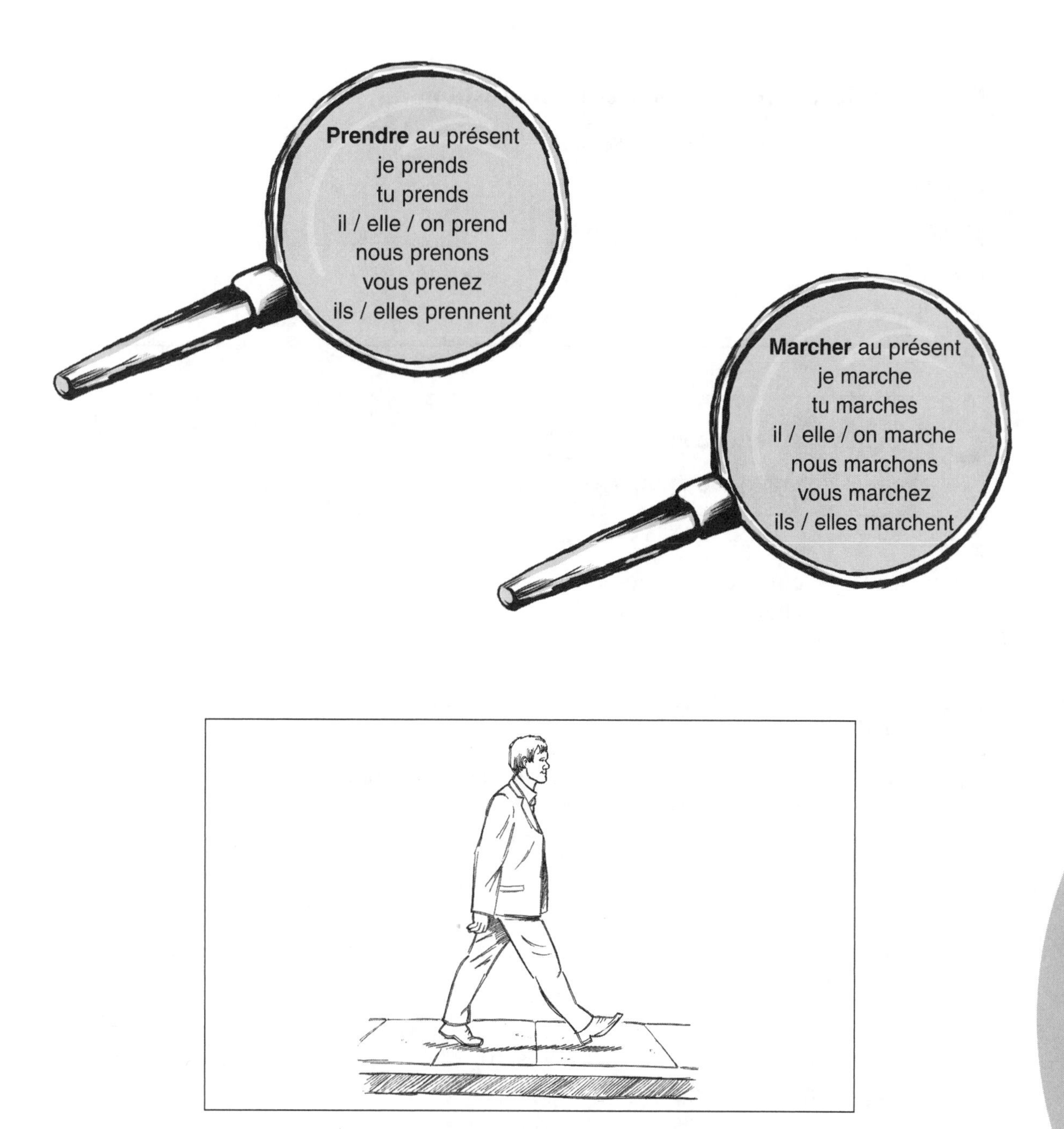

Je n'utilise pas de véhicule. Je marche.

Où vas-tu ?

— Je vais…
- **au** bureau
- **à la** banque
- **au** dépanneur
- **à la** pharmacie
- **au** théâtre

Les déterminants contractés avec la préposition *à*

	masculin	féminin
singulier	au*, à l'	à la, à l'
pluriel	aux*	aux*

* à + le → au
à + les → aux

Les déterminants contractés
Voir les Références grammaticales, pages 252-253.

— Je vais…
- **chez** le dentiste
- **chez** le médecin
- **chez** mon ami

NOTEZ
On utilise **chez** devant le nom d'une personne ou le nom d'une entreprise.

Aller

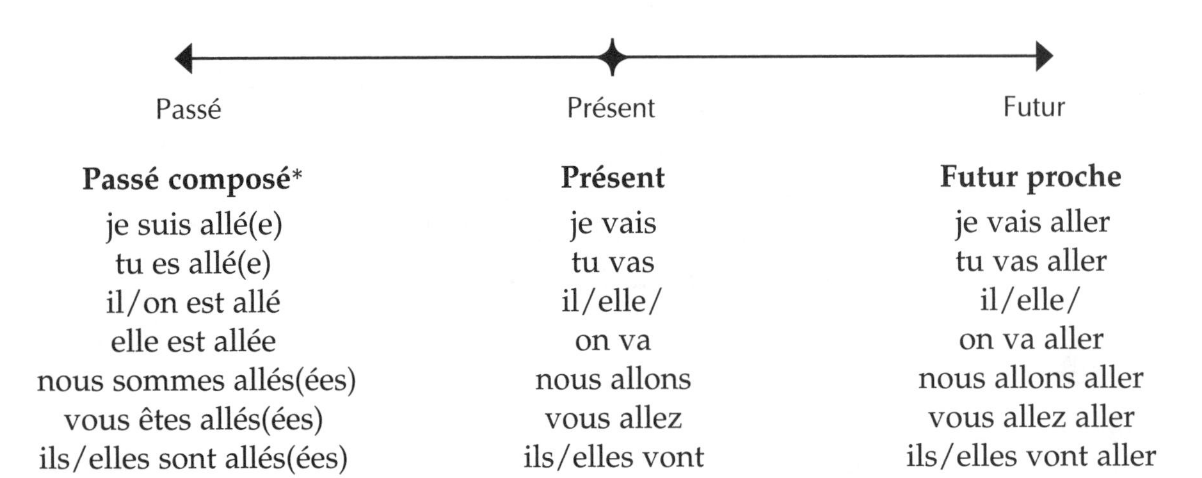

Passé composé*	**Présent**	**Futur proche**
je suis allé(e)	je vais	je vais aller
tu es allé(e)	tu vas	tu vas aller
il/on est allé	il/elle/	il/elle/
elle est allée	on va	on va aller
nous sommes allés(ées)	nous allons	nous allons aller
vous êtes allés(ées)	vous allez	vous allez aller
ils/elles sont allés(ées)	ils/elles vont	ils/elles vont aller

NOTEZ
* Pour tous les verbes qui se conjuguent avec l'auxiliaire **être,** le **participe passé** s'accorde en **genre** (masculin ou féminin) et en **nombre** (singulier ou pluriel) avec le **sujet.**

Les verbes qui se conjuguent avec l'auxiliaire être au passé composé

Voir les Références grammaticales, pages 287-288.

EXERCICE 1 Répondez aux questions en utilisant les déterminants **au, à la** ou **à l'.**

Exemple : — Où vas-tu ?
(dépanneur) — Je vais au dépanneur.

1. Où va-t-il ?
   (bibliothèque) ____________________
2. Où va-t-elle ?
   (hôpital) ____________________
3. Où allez-vous ?
   (magasin) Nous ____________________.
4. Où vont-ils ?
   (parc) ____________________
5. Où vont-elles ?
   (cinéma) ____________________
6. Où vas-tu ?
   (banque) ____________________
7. Où va-t-on ?
   (restaurant) ____________________
8. Où vont-ils ?
   (école) ____________________
9. Où allez-vous ?
   (bureau) Je ____________________.
10. Où allons-nous ?
    (centre commercial) ____________________

EXERCICE 2 Utilisez les déterminants **au, à la, à l'** ou la proposition **chez.**

1. Il est ______________ maison.
2. Elle est ______________ bureau.
3. Ils sont ______________ école.
4. Tu vas ______________ pâtisserie.
5. Je vais ______________ marché.
6. Il va ______________ médecin.
7. Vous allez ______________ dentiste.
8. Elles sont ______________ collège.
9. Vous êtes ______________ université.
10. Il est ______________ centre d'emploi.
11. Elle va ______________ optométriste.
12. Nous allons ______________ magasin.

Comment vas-tu au bureau ?

— Je vais au bureau…

- **en** automobile
- **en** autobus
- **en** métro
- **en** vélo
- **à** pied

Comment reviens-tu à la maison ?

— Je reviens à la maison…

- **en** automobile
- **en** autobus
- **en** métro
- **en** vélo
- **à** pied

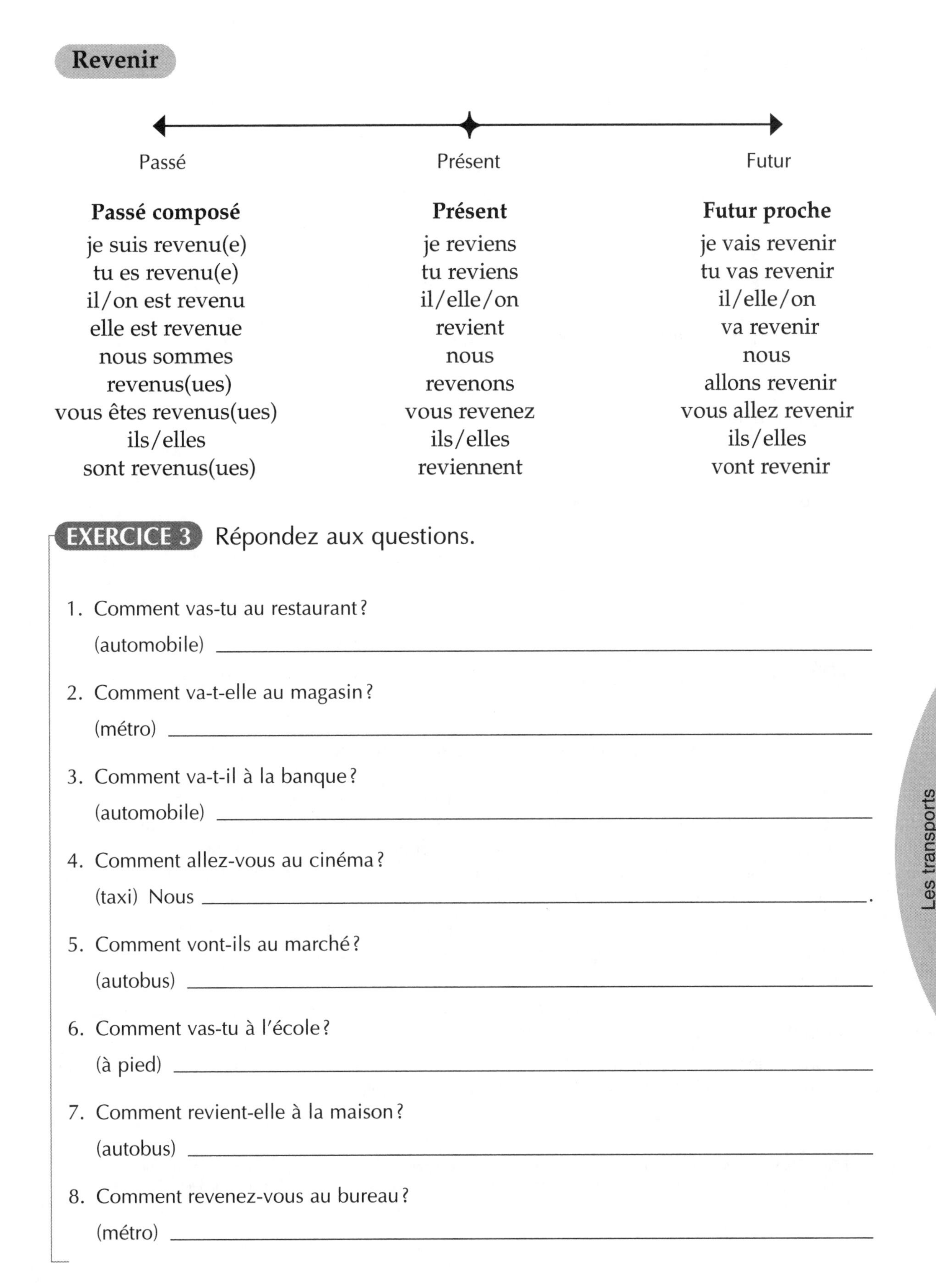

Revenir

Passé — Présent — Futur

Passé composé	Présent	Futur proche
je suis revenu(e)	je reviens	je vais revenir
tu es revenu(e)	tu reviens	tu vas revenir
il/on est revenu elle est revenue	il/elle/on revient	il/elle/on va revenir
nous sommes revenus(ues)	nous revenons	nous allons revenir
vous êtes revenus(ues)	vous revenez	vous allez revenir
ils/elles sont revenus(ues)	ils/elles reviennent	ils/elles vont revenir

EXERCICE 3 Répondez aux questions.

1. Comment vas-tu au restaurant ?
   (automobile) ______________________________
2. Comment va-t-elle au magasin ?
   (métro) ______________________________
3. Comment va-t-il à la banque ?
   (automobile) ______________________________
4. Comment allez-vous au cinéma ?
   (taxi) Nous ______________________________.
5. Comment vont-ils au marché ?
   (autobus) ______________________________
6. Comment vas-tu à l'école ?
   (à pied) ______________________________
7. Comment revient-elle à la maison ?
   (autobus) ______________________________
8. Comment revenez-vous au bureau ?
   (métro) ______________________________

EXERCICE 4 Écrivez les questions.

1. ______________________________

Je vais à l'hôpital en automobile.

2. ______________________________

Nous allons au théâtre en taxi.

3. ______________________________

Elles vont au magasin en métro.

4. ______________________________

Il revient au bureau en autobus.

5. ______________________________

Elle va au dépanneur en automobile.

6. ______________________________

Ils reviennent à la maison à pied.

EXERCICE 5 Lisez le texte suivant. Observez bien les mots en caractères gras.

Le Programme-employeur... vous connaissez?

Le **Programme-employeur** comprend des **mesures** offertes par les **employeurs** pour **faciliter** les **déplacements des employés** entre leur domicile et leur lieu de travail. Ces mesures consistent principalement à **modifier** des **habitudes de déplacement,** par exemple utiliser le transport en commun, faire du covoiturage, implanter des horaires de travail variables, faire du télétravail, repenser la gestion des stationnements et offrir des services de navette.

Aux États-Unis et en Europe, le Programme-employeur a permis de **réduire** de 45 % dans certains cas **le nombre de déplacements** effectués **en automobile** par les employés d'une entreprise.

Ce programme est un outil efficace pour **réduire le nombre de déplacements** effectués **en automobile** par les employés, le nombre de voitures dans un stationnement, etc.

Pour aider les employeurs qui veulent recourir à ce programme, le ministère des Transports du Québec **offre de l'information** sur le sujet.

Source: *Transports Québec,* « Le programme employeur... vous connaissez? », [en ligne], http://www.mtq.gouv.qc.ca/portal/page/portal/grand_public/vehicules_promenade/deplacement_domicile_travail (page consultée le 17 janvier 2008).

Répondez par vrai ou par faux.

	vrai	faux
Le Programme-employeur facilite les déplacements des employés.	☐	☐
Le Programme-employeur ne modifie pas les habitudes de déplacement des employés.	☐	☐
Aux États-Unis, le Programme-employeur réduit le nombre de déplacements des employés.	☐	☐
Le programme est un outil efficace pour réduire le nombre de déplacements en vélo.	☐	☐
Le ministère des Transports du Québec n'offre pas d'information sur le Programme-employeur.	☐	☐

EXERCICE 6 Mémorisez les 12 parties de l'automobile.

Les parties de l'automobile

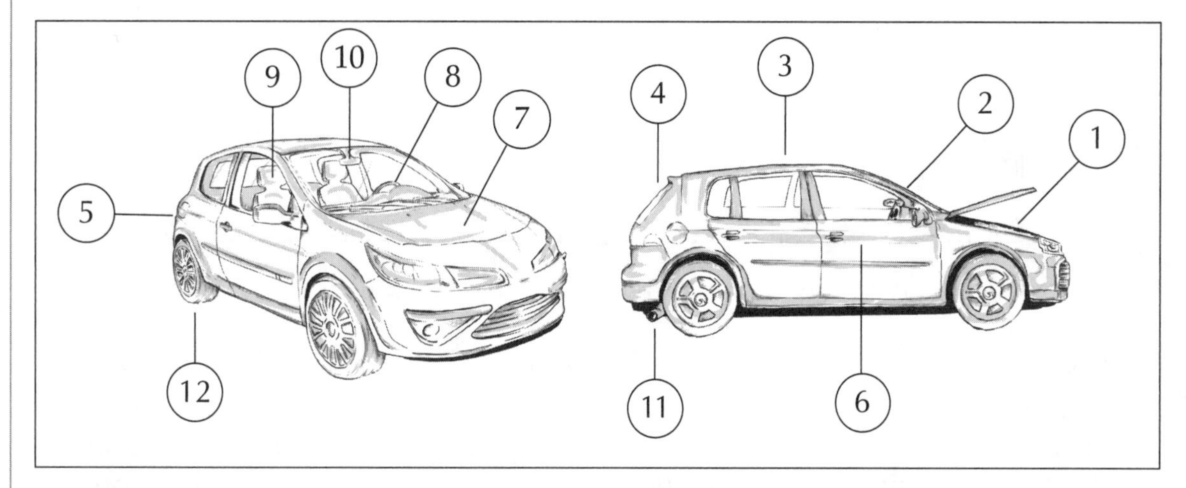

1. C'est un moteur.
2. C'est un pare-brise.
3. C'est un toit.
4. C'est un coffre à bagages.
5. C'est un réservoir d'essence.
6. C'est une portière.
7. C'est un capot.
8. C'est un volant.
9. C'est un siège.
10. C'est un rétroviseur.
11. C'est un silencieux.
12. C'est un pneu.

Qu'est-ce qu'il fait ?

Il conduit.

Il avance.

Il recule.

Il freine.

Conduire

Passé — Présent — Futur

Passé composé	Présent	Futur proche
j'ai conduit	je conduis	je vais conduire
tu as conduit	tu conduis	tu vas conduire
il/elle/on a conduit	il/elle/on conduit	il/elle/on va conduire
nous avons conduit	nous conduisons	nous allons conduire
vous avez conduit	vous conduisez	vous allez conduire
ils/elles ont conduit	ils/elles conduisent	ils/elles vont conduire

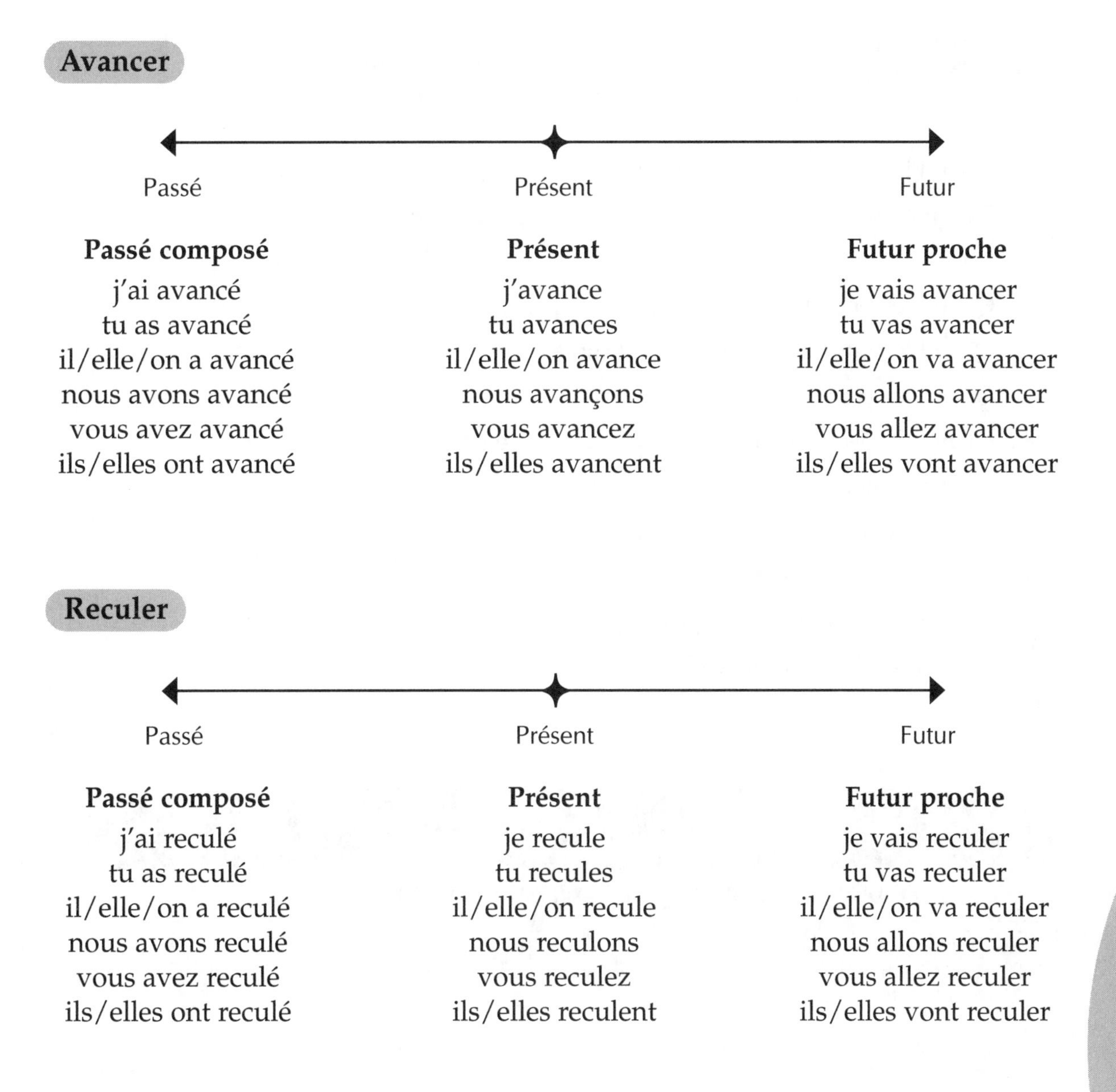

Avancer

Passé	Présent	Futur
Passé composé	**Présent**	**Futur proche**
j'ai avancé	j'avance	je vais avancer
tu as avancé	tu avances	tu vas avancer
il/elle/on a avancé	il/elle/on avance	il/elle/on va avancer
nous avons avancé	nous avançons	nous allons avancer
vous avez avancé	vous avancez	vous allez avancer
ils/elles ont avancé	ils/elles avancent	ils/elles vont avancer

Reculer

Passé	Présent	Futur
Passé composé	**Présent**	**Futur proche**
j'ai reculé	je recule	je vais reculer
tu as reculé	tu recules	tu vas reculer
il/elle/on a reculé	il/elle/on recule	il/elle/on va reculer
nous avons reculé	nous reculons	nous allons reculer
vous avez reculé	vous reculez	vous allez reculer
ils/elles ont reculé	ils/elles reculent	ils/elles vont reculer

Freiner **même modèle que reculer**

EXERCICE 7 Complétez les phrases à l'aide des mots que vous avez mémorisés à l'exercice 6.

1. Quand je conduis, je regarde dans mon ________________ pour voir derrière.
2. Pour monter dans l'automobile, j'ouvre la ________________.
3. Je mets de l'essence dans le ________________.
4. Quand je conduis, je regarde par le ________________.
5. Quand je conduis, mes mains sont sur le ________________.
6. Quand je conduis, je suis assis sur un ________________.
7. Quand je vais faire du ski, je mets mes skis sur le ________________.
8. Quand je vérifie l'huile, j'ouvre le ________________.
9. L'automobile fonctionne parce qu'elle a un ________________.
10. Quand je voyage, je mets mes bagages dans le ________________.
11. Une automobile roule sur quatre ________________.
12. Une automobile est silencieuse quand elle a un ________________.

POUR VOTRE INFORMATION...
SI VOUS CONDUISEZ UNE AUTOMOBILE, AVEZ-VOUS VOS PAPIERS ?
☑ Le permis de conduire
☑ Le certificat d'immatriculation
☑ La carte d'assurance automobile

EXERCICE 8 Choisissez une réplique dans la liste ci-dessous.

Liste des répliques

— Viens, nous allons prendre le métro ensemble.

— Non, merci. C'est gentil, mais je vais prendre mon vélo.

— J'ai une automobile. Veux-tu que je te dépose au magasin ?

— C'est gentil, mais je finis de travailler à six heures. Je vais prendre l'autobus.

— Bien sûr ! Ça me fait plaisir.

1. — Je dois aller au magasin, mais il pleut. Je ne veux pas marcher.
   — ______________________________

2. — C'est la première fois que je prends le métro. Je ne sais pas comment faire.
   — ______________________________

3. — Après le travail, peux-tu me déposer chez mon ami ?
   — ______________________________

4. — Nous allons au restaurant à pied. Veux-tu venir avec nous ?
   — ______________________________

5. — Je finis de travailler à cinq heures. Veux-tu que je te dépose chez toi ?
   — ______________________________

Les transports

LES TRANSPORTS EN COMMUN

Qu'est-ce qu'elle fait ?

Elle attend l'autobus.

Qu'est-ce qu'il fait ?

Il attend le métro.

Qu'est-ce qu'elle fait ?

Elle prend l'autobus.

Qu'est-ce qu'il fait ?

Il prend le métro.

Attendre

Passé — Présent — Futur

Passé composé	Présent	Futur proche
j'ai attendu	j'attends	je vais attendre
tu as attendu	tu attends	tu vas attendre
il/elle/on a attendu	il/elle/on attend	il/elle/on va attendre
nous avons attendu	nous attendons	nous allons attendre
vous avez attendu	vous attendez	vous allez attendre
ils/elles ont attendu	ils/elles attendent	ils/elles vont attendre

La question

— Pour aller au bureau…

- prends-tu ton automobile ?
- prends-tu l'autobus ?
- prends-tu le métro ?

La réponse

— Pour aller au bureau…

- je prends mon automobile.
- je prends l'autobus.
- je prends le métro.

Prendre

Passé — Présent — Futur

Passé composé	Présent	Futur proche
j'ai pris	je prends	je vais prendre
tu as pris	tu prends	tu vas prendre
il/elle/on a pris	il/elle/on prend	il/elle/on va prendre
nous avons pris	nous prenons	nous allons prendre
vous avez pris	vous prenez	vous allez prendre
ils/elles ont pris	ils/elles prennent	ils/elles vont prendre

POUR VOTRE INFORMATION…

Les sites Internet des sociétés de transport en commun donnent les tarifs pour prendre l'autobus et le métro. Voici un exemple de la STM (Société de transport de Montréal) :

TARIFS 2007 (EN VIGUEUR À COMPTER DU 1ER JANVIER 2008)

	Tarif ordinaire	Tarif réduit
CAM[1] mensuelle	66,25 $	36 $
CAM Hebdo[2]	19,25 $	11 $
Lisière de 6 tickets	12 $	6,50 $
Espèces[3]	2,75 $	1,75 $
Carte touristique	9 $ / 1 jour 17 $ / 3 jours	–

1. CAM → Carte d'autobus et de métro.
2. Hebdo → Hebdomadaire : pour une semaine.
3. Espèces → Argent comptant (pas de carte de crédit, pas de chèque).

EXERCICE 9 Lisez attentivement.

Pierre et Jacques sont au bureau. Pierre demande à Jacques : « As-tu pris ton automobile ce matin ? »

Jacques. — Non, je n'ai pas pris mon automobile.

Pierre. — Pourquoi ?

Jacques. — Parce que mon automobile est en panne.

Pierre. — Comment es-tu venu au bureau ?

Jacques. — Je suis venu au bureau en autobus.

Pierre. — As-tu attendu l'autobus longtemps ?

Jacques. — Non, j'ai attendu cinq minutes.

Pierre. — Comment vas-tu retourner à la maison ?

Jacques. — Je vais retourner à la maison en autobus.

Répondez en cochant la case appropriée.

	vrai	faux	non mentionné
1. Pierre est à la maison.	☐	☐	☐
2. Jacques est un comptable.	☐	☐	☐
3. Jacques est venu au bureau en automobile.	☐	☐	☐

	vrai	faux	non mentionné
4. Pierre et Jacques sont des frères.	☐	☐	☐
5. Pierre va retourner à la maison en autobus.	☐	☐	☐
6. Jacques a une automobile.	☐	☐	☐

OBSERVEZ

Aller au bureau	Présentement, je suis à la maison et je dis: « Je **vais** au bureau. »
Venir au bureau	Présentement, je suis au bureau et je dis: « Je **suis venu(e)** au bureau. »
Retourner à la maison	Présentement, je suis au bureau et je dis: « Je **vais retourner** à la maison. »
Revenir à la maison	Présentement, je suis à la maison et je dis: « Je **suis revenu(e)** à la maison. »

Venir

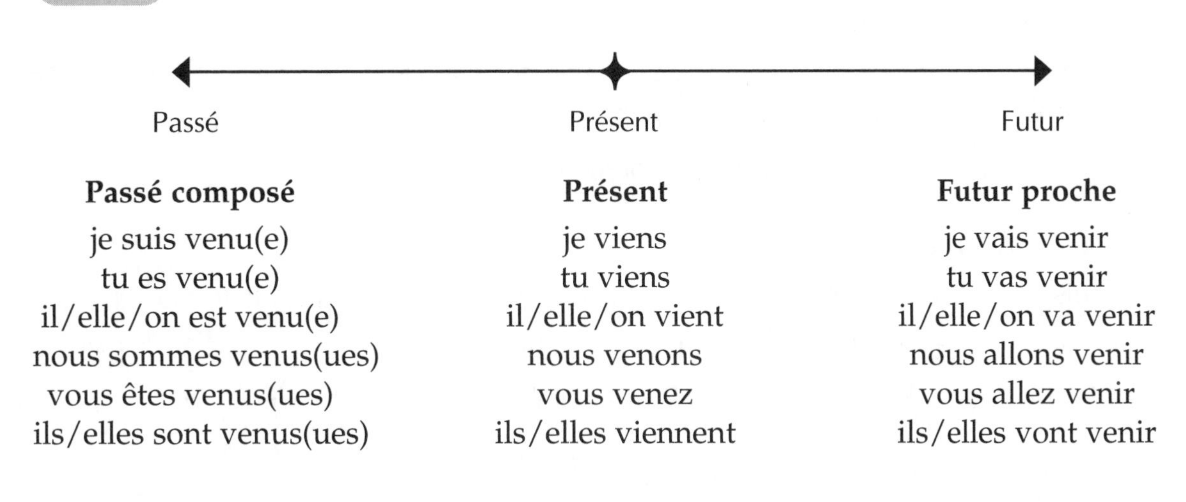

Passé composé	Présent	Futur proche
je suis venu(e)	je viens	je vais venir
tu es venu(e)	tu viens	tu vas venir
il/elle/on est venu(e)	il/elle/on vient	il/elle/on va venir
nous sommes venus(ues)	nous venons	nous allons venir
vous êtes venus(ues)	vous venez	vous allez venir
ils/elles sont venus(ues)	ils/elles viennent	ils/elles vont venir

Retourner

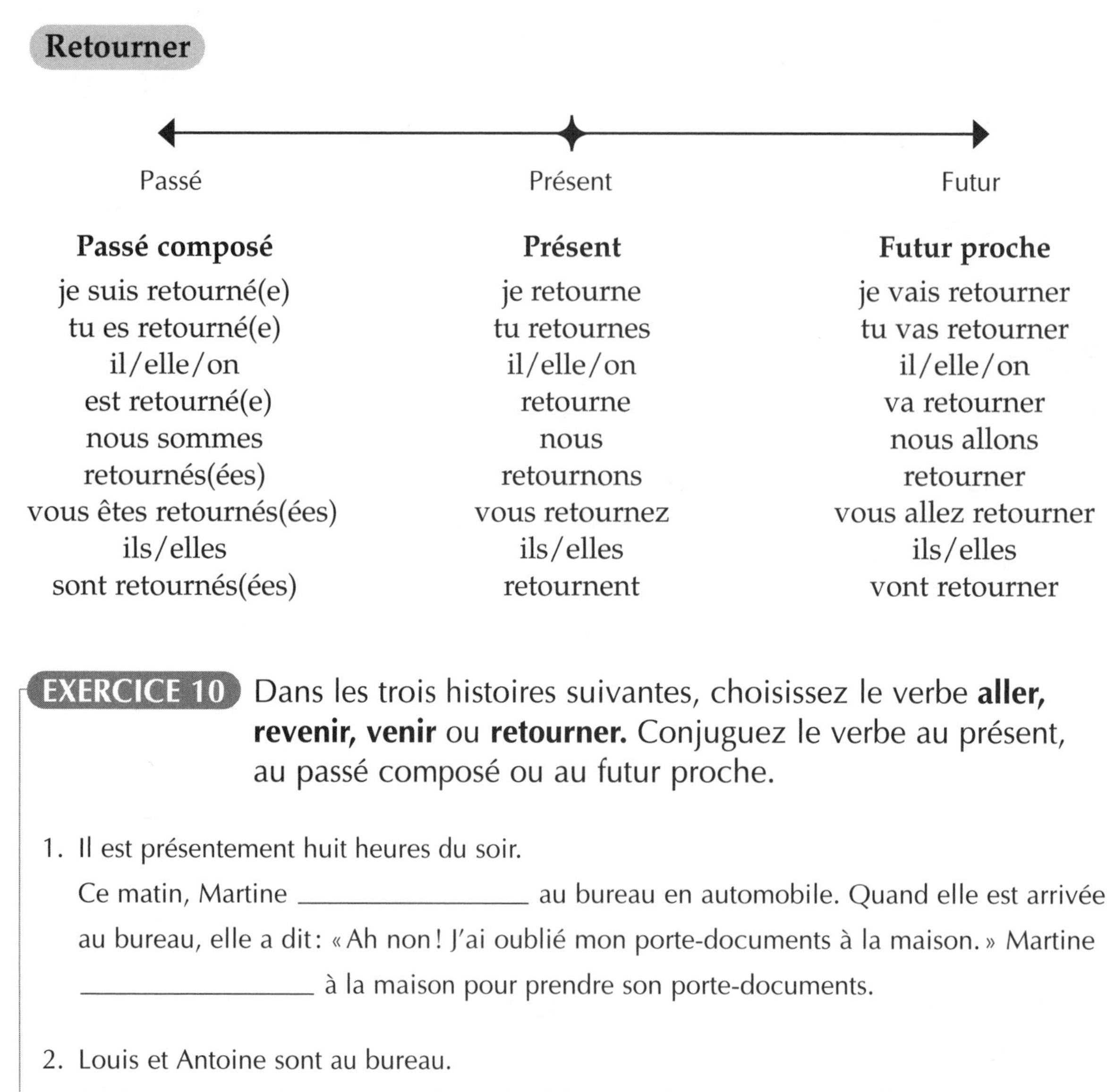

Passé composé	Présent	Futur proche
je suis retourné(e)	je retourne	je vais retourner
tu es retourné(e)	tu retournes	tu vas retourner
il/elle/on est retourné(e)	il/elle/on retourne	il/elle/on va retourner
nous sommes retournés(ées)	nous retournons	nous allons retourner
vous êtes retournés(ées)	vous retournez	vous allez retourner
ils/elles sont retournés(ées)	ils/elles retournent	ils/elles vont retourner

EXERCICE 10 Dans les trois histoires suivantes, choisissez le verbe **aller, revenir, venir** ou **retourner.** Conjuguez le verbe au présent, au passé composé ou au futur proche.

1. Il est présentement huit heures du soir.

   Ce matin, Martine ________________ au bureau en automobile. Quand elle est arrivée au bureau, elle a dit: « Ah non! J'ai oublié mon porte-documents à la maison. » Martine ________________ à la maison pour prendre son porte-documents.

2. Louis et Antoine sont au bureau.

   Louis. — Antoine, je dois partir. J'ai un rendez-vous avec un client.

   Antoine. — Après ton rendez-vous, est-ce que tu ________________ au bureau?

   Louis. — Oui, je ________________ parce que j'ai beaucoup de travail.

3. Pauline, Annie et Marc sont au bureau.

   Pauline. — Annie, est-ce que tu ________________ au bureau en automobile?

   Annie. — Non, je ne ________________ pas ________________ au bureau en automobile. Je ________________ au bureau en métro.

   Pauline. — Et toi, Marc, comment ________________-tu ________________ au bureau ce matin?

   Marc. — Je ________________ au bureau en autobus.

EXERCICE 11 Conjuguez les verbes.

Présent

1. (aller) Nous ________________
2. (avancer) Ils ________________
3. (conduire) Vous ________________
4. (freiner) Je ________________
5. (retourner) Tu ________________
6. (prendre) Elle ________________
7. (venir) Nous ________________
8. (reculer) Il ________________
9. (prendre) Elles ________________
10. (venir) Ils ________________

Passé composé

11. (reculer) Elle ________________
12. (retourner) Tu ________________
13. (prendre) Il ________________
14. (venir) Ils ________________
15. (attendre) Nous ________________
16. (aller) Vous ________________
17. (prendre) J' ________________
18. (retourner) Elle ________________
19. (attendre) Il ________________
20. (aller) Je ________________

Futur proche

21. (revenir) Je ________________
22. (aller) Tu ________________
23. (attendre) Vous ________________
24. (retourner) Ils ________________
25. (prendre) Elles ________________
26. (venir) Nous ________________
27. (prendre) Je ________________
28. (attendre) Il ________________
29. (revenir) Elle ________________
30. (retourner) Nous ________________

EXERCICE 12 Vous voulez de l'aide. Qui allez-vous contacter?

Choisissez le bon endroit dans la liste ci-dessous.

Liste des endroits à contacter

l'aéroport
la marina
le Service de transport en commun
le garage ou le concessionnaire

La situation

1. J'ai un problème avec le silencieux de mon automobile.

   ____

2. Je ne connais pas l'horaire des autobus. Je dois prendre l'autobus.

   ____

3. Je veux acheter un billet d'avion. Je ne sais pas comment faire.

   ____

4. Je veux prendre le métro. Je ne sais pas comment faire.

   ____

5. J'ai un bateau. Je veux trouver un endroit pour amarrer mon bateau.

   ____

L'avion

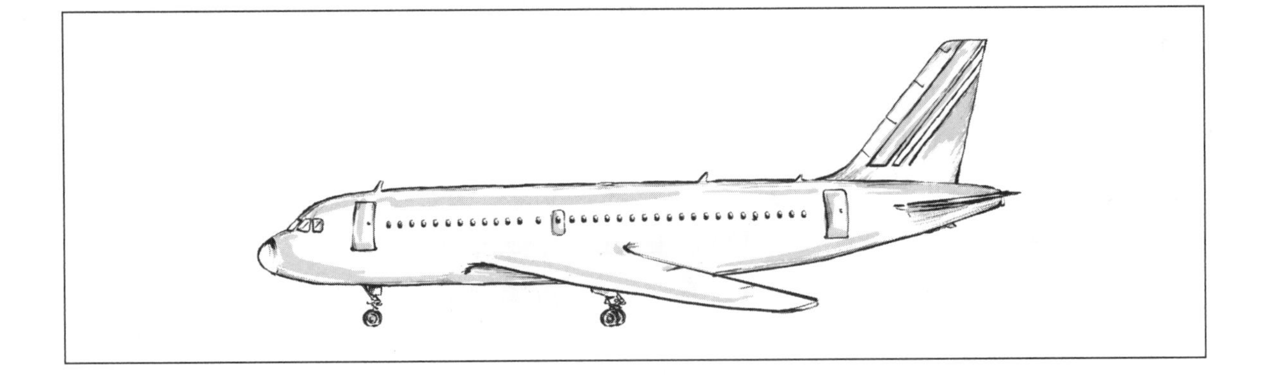

Les parties de l'avion

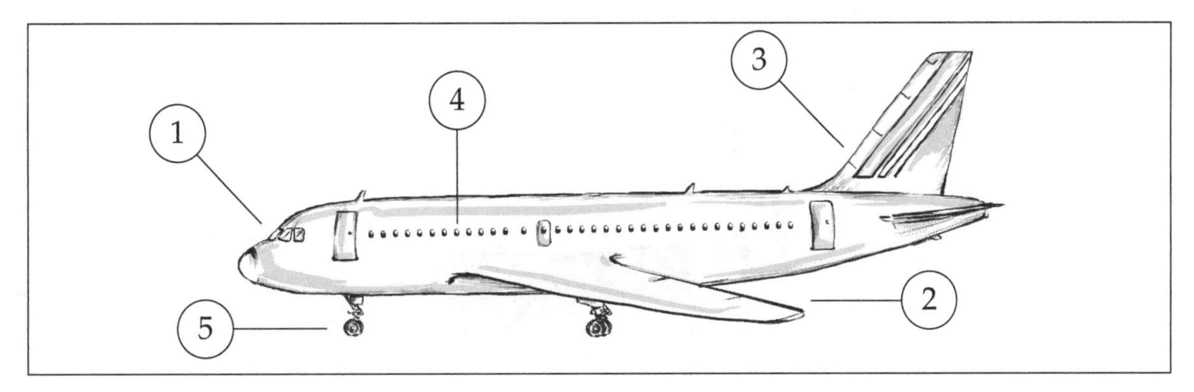

1. La cabine de pilotage.
2. L'aile.
3. La queue.
4. Le hublot.
5. Le train d'atterrissage.

Qu'est-ce que l'avion fait?

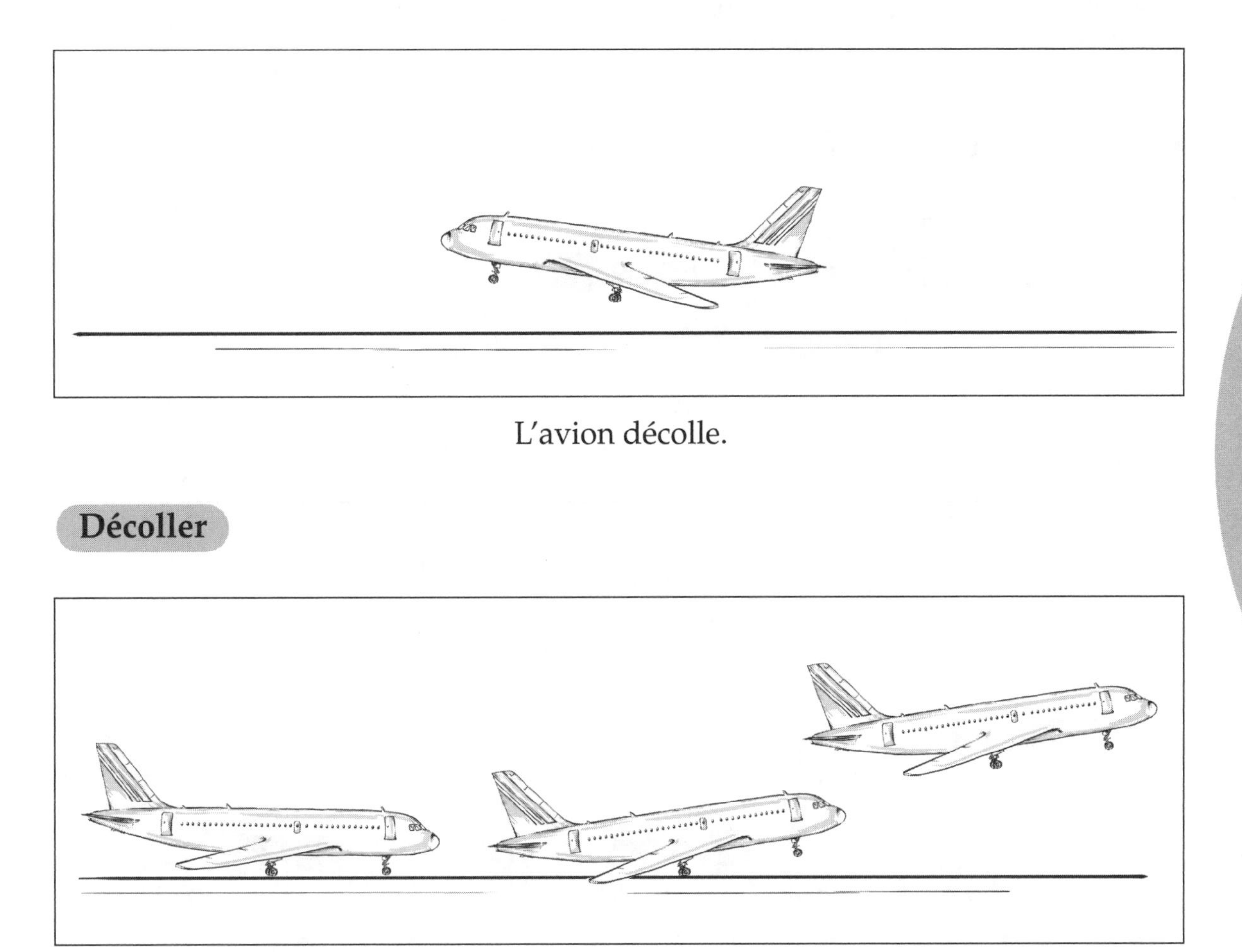

L'avion décolle.

Décoller

L'avion va décoller. L'avion décolle. L'avion a décollé.

Qu'est-ce que l'avion fait ?

L'avion vole.

Voler

Présent : L'avion vole.
Passé composé : L'avion a volé.
Futur proche : L'avion va voler.

Qu'est-ce que l'avion fait ?

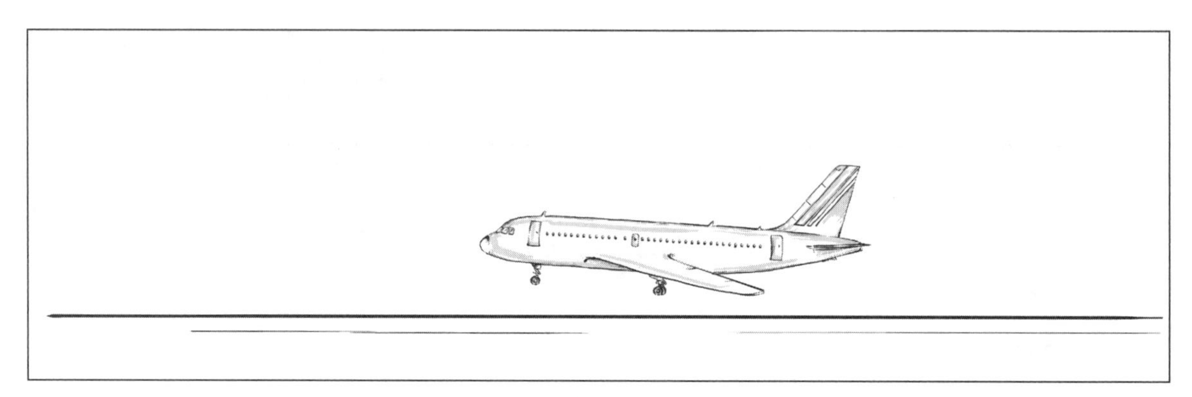

L'avion atterrit.

Atterrir

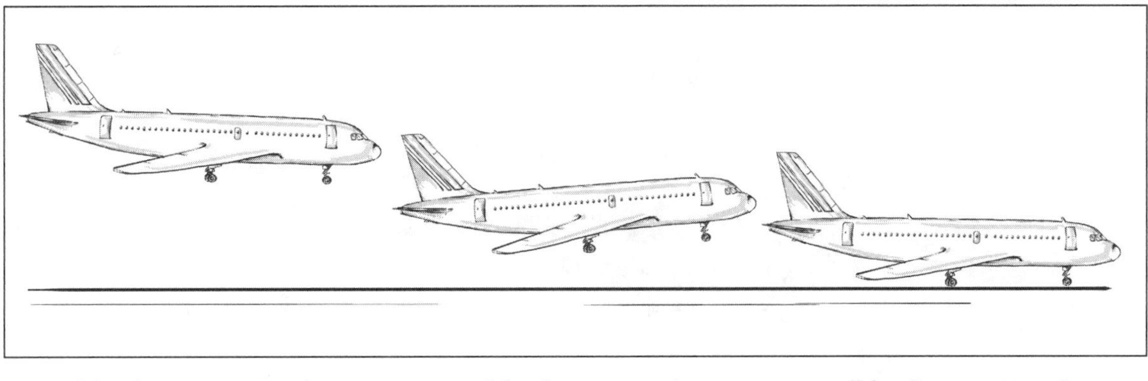

L'avion va atterrir. L'avion atterrit. L'avion a atterri.

Pour prendre l'avion, où vas-tu ?

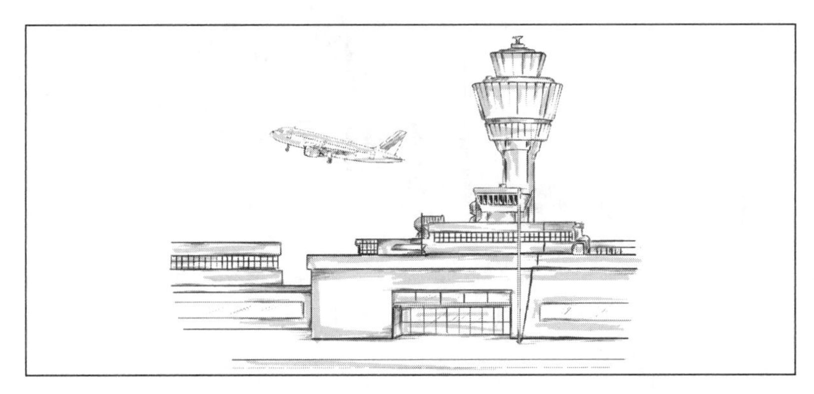

Je vais à l'aéroport.

Aller

Présent : Je vais.
Passé composé : Je suis allé(e).
Futur proche : Je vais aller.

Le train

Qu'est-ce que le train fait ?

Le train roule.

Rouler

Présent :	Le train roule.
Passé composé :	Le train a roulé.
Futur proche :	Le train va rouler.

Pour prendre le train, où vas-tu ?

Je vais à la gare.

Le bateau

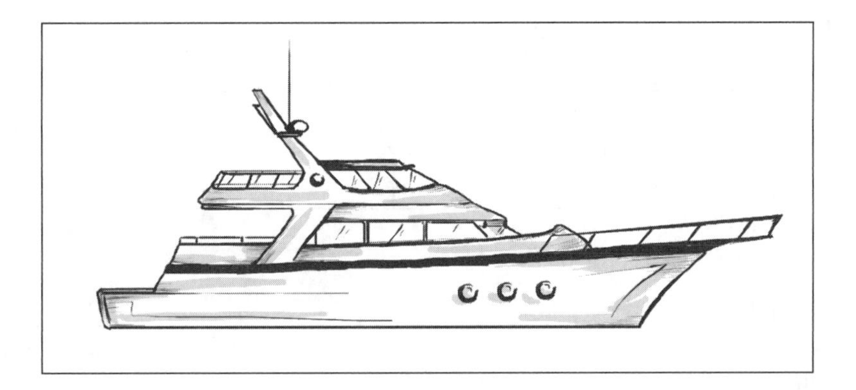

Qu'est-ce que le bateau fait ?

Le bateau navigue.

Naviguer

Présent :	Le bateau navigue.
Passé composé :	Le bateau a navigué.
Futur proche :	Le bateau va naviguer.

Pour prendre le bateau, où vas-tu ?

Je vais au port. Je vais à la marina.

EXERCICE 13 Répondez aux questions.

1. À quelle heure l'avion a-t-il décollé?
   (à 8 h) ______________________________
2. À quelle heure l'avion va-t-il atterrir?
   (à 7 h) ______________________________
3. À quelle vitesse l'avion vole-t-il?
   (à 500 km / h) ______________________________
4. À quelle vitesse le train roule-t-il?
   (à 100 km / h) ______________________________
5. Où le bateau navigue-t-il?
   (sur l'eau) ______________________________

Les transports

Quelques métiers et professions

un…	**une…**
chauffeur d'autobus	chauffeuse d'autobus
conducteur d'automobile, de métro, de train	conductrice d'automobile, de métro, de train
pilote d'avion	pilote d'avion
agent de bord	agente de bord
contrôleur aérien	contrôleuse aérienne

Vos suggestions

______________	______________
______________	______________
______________	______________
______________	______________
______________	______________

EXERCICE 14 Lisez attentivement.

Les voyages d'affaires

Pierre est représentant pour l'entreprise Ordi Plus. Il vend des ordinateurs. Pierre ne prend pas l'autobus ou le métro. Il va au bureau et chez ses clients en automobile. Pierre conduit souvent.

Mardi passé, Pierre est allé à Toronto en automobile. Il a rencontré un nouveau client. Pierre est revenu à Montréal jeudi passé.

Lundi prochain, Pierre va prendre l'avion parce qu'il va rencontrer un nouveau client à Vancouver. Il va aller à l'aéroport à 8 h. L'avion va décoller à 9 h 30. Quand l'avion va atterrir à Vancouver, Pierre va prendre un taxi pour aller chez son client. Pierre va revenir à Montréal mercredi prochain.

Répondez aux questions sur le texte.

1. Où Pierre travaille-t-il?

___

2. Quelle est sa fonction?

___

3. Qu'est-ce qu'il vend?

___

4. Comment va-t-il au bureau et chez ses clients?

___

5. Où Pierre est-il allé mardi passé?

___

6. Quand est-il revenu?

___

7. Quand va-t-il aller à Vancouver?

___

8. Comment va-t-il aller à Vancouver?

___

9. Pourquoi va-t-il aller à Vancouver?

___

10. Comment va-t-il aller chez son client à Vancouver?

___

AUTOÉVALUATION

	Réponses possibles			
	1 Très bien	2 Bien	3 Pas assez	4 Pas du tout
VOCABULAIRE				
Je connais des moyens de transport.				
Je connais des endroits (magasin, collège, pâtisserie,…).				
Je connais des parties de l'automobile.				
ÉLÉMENTS À L'ÉTUDE DANS LE THÈME				
Je connais les déterminants contractés avec la préposition **à.**				
Je connais les prépositions **chez** et **en.**				
Je comprends les questions avec les mots **où, comment** et **qu'est-ce que.**				
Je peux conjuguer des verbes du 1er groupe au présent, au passé composé et au futur proche (exemples: **marcher, avancer, reculer**).				
Je connais les verbes **conduire, attendre** et **prendre** au présent, au passé composé et au futur proche.				
Je comprends que des verbes se conjuguent avec l'auxiliaire **être** au passé composé (exemples: **aller, venir**).				
PARTICIPATION				
J'ai participé aux activités de communication orale.				
J'ai fait les exercices écrits.				
J'ai cherché des mots dans le dictionnaire pour mieux comprendre.				
J'ai utilisé des stratégies personnelles pour comprendre les textes.				
Quand je lis ou quand j'écoute les autres, j'accepte de ne pas tout comprendre.				
Je pratique mon français tous les jours de la semaine.				

THÈME

LE TRAVAIL 5

Vocabulaire à l'étude

- les jours de la semaine
- l'argent
- des métiers, des professions, des titres de fonctions, des lieux de travail
- des termes propres au travail
- des secteurs de travail
- des termes de formulaires gouvernementaux

Éléments grammaticaux

- les constructions **de… à** (de huit heures à cinq heures) et **du… au** (du lundi au vendredi)
- les questions avec **où, quel, combien** et **qu'est-ce que**
- les noms de métiers et de professions employés avec un déterminant (**c'est un / une**) et en position adjectivale (**il / elle est**)
- **ne… pas** avec un verbe suivi d'un infinitif
- les coordonnants **et** et **mais**

Verbes

- les verbes du 1er groupe au présent, au passé composé et au futur proche: **travailler**
- les verbes du 3e groupe au présent, au passé composé et au futur proche: **être, recevoir, devoir** (suivi d'un infinitif)

Situations de communication ciblées

- informer sur sa situation personnelle
- informer sur son travail
- s'informer sur le travail d'une autre personne
- remplir un formulaire
- répondre à une demande à partir d'une information donnée

TRAVAILLES-TU ?

— **Oui,** je travaille. J'ai un emploi.
— Je suis travailleur. Je suis actif sur le marché du travail.
— Je suis travailleuse. Je suis active sur le marché du travail.

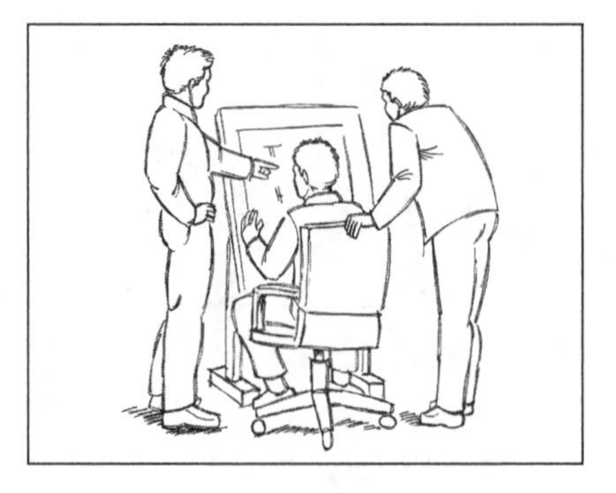

— **Non,** je **ne** travaille **pas.**
— Présentement, je cherche du travail ou je cherche un emploi.
— Je suis sans travail. Je reçois des prestations d'assurance-emploi.

Travailler

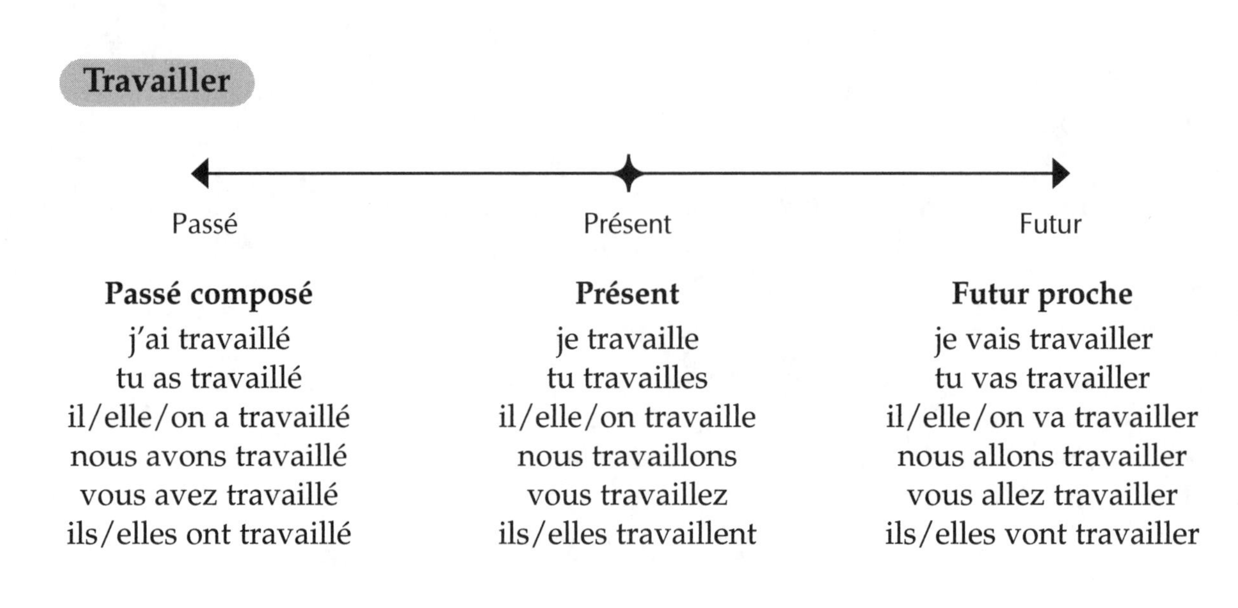

Passé composé	Présent	Futur proche
j'ai travaillé	je travaille	je vais travailler
tu as travaillé	tu travailles	tu vas travailler
il/elle/on a travaillé	il/elle/on travaille	il/elle/on va travailler
nous avons travaillé	nous travaillons	nous allons travailler
vous avez travaillé	vous travaillez	vous allez travailler
ils/elles ont travaillé	ils/elles travaillent	ils/elles vont travailler

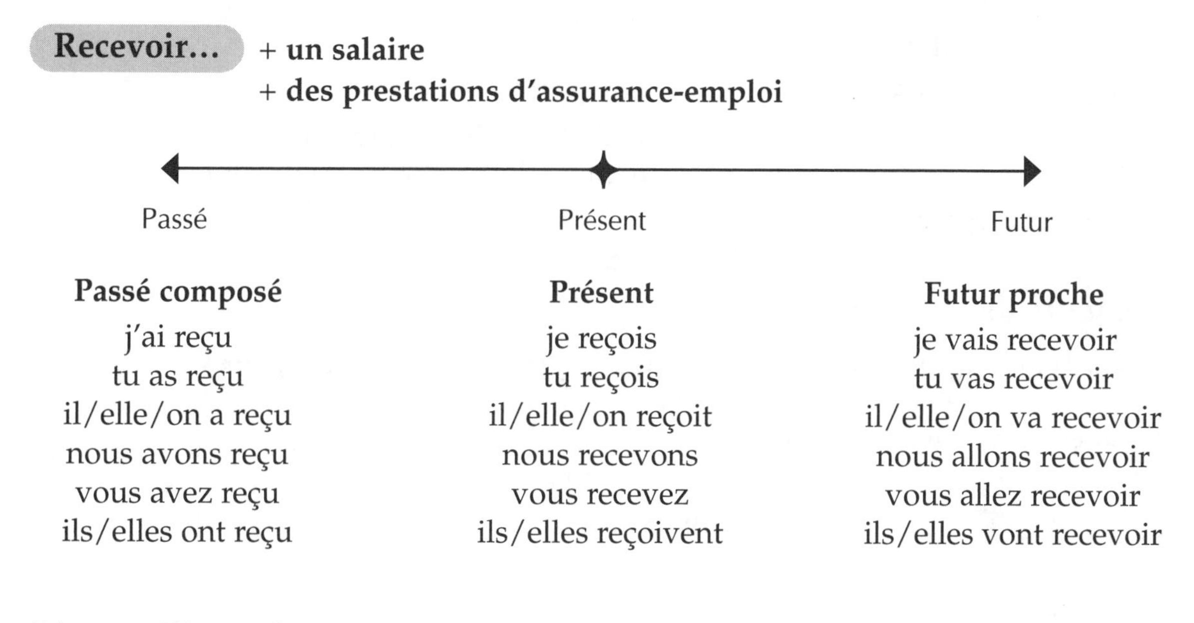

Recevoir... + un salaire
+ des prestations d'assurance-emploi

Passé — Présent — Futur

Passé composé	Présent	Futur proche
j'ai reçu	je reçois	je vais recevoir
tu as reçu	tu reçois	tu vas recevoir
il/elle/on a reçu	il/elle/on reçoit	il/elle/on va recevoir
nous avons reçu	nous recevons	nous allons recevoir
vous avez reçu	vous recevez	vous allez recevoir
ils/elles ont reçu	ils/elles reçoivent	ils/elles vont recevoir

Où travailles-tu ?

— Je travaille **dans...**
- une entreprise
- une usine
- un bureau
- la fonction publique

— Je travaille à mon compte.
— Je suis travailleur autonome.
— J'ai un bureau à la maison.

Travailles-tu à temps plein ?

— Oui, je travaille à temps plein.
— Non, je ne travaille pas à temps plein. Je travaille à temps partiel.

Combien d'heures par semaine travailles-tu ?

— Je travaille quarante (40) heures par semaine.

Quel est ton horaire de travail ?

— Je travaille **de** neuf (9) heures **à** cinq (5) heures, **du** lundi **au** vendredi.

Travailles-tu cinquante-deux (52) semaines par année ?

— Non ! J'ai congé les jours fériés et j'ai trois (3) semaines de vacances.

Quel est ton salaire?

— Mon salaire est de...
- quinze dollars (15$) l'heure
- cinq cents dollars (500$) par semaine
- cinquante mille dollars (50000$) par année

— Ça ne te regarde pas!

Les jours de la semaine

dimanche* – lundi – mardi – mercredi – jeudi – vendredi – samedi*

* samedi et dimanche: la fin de semaine

EXERCICE 1 Complétez les phrases.

1. Les sept jours de la semaine sont:

   ______________________ ______________________

   ______________________ ______________________

   ______________________ ______________________

   ____

2. Dans une entreprise, les employés travaillent du ____________ au ____________.
3. Dans une entreprise, les employés travaillent cinq ____________ par semaine, huit ____________ par jour.

EXERCICE 2 Écrivez les questions.

1. ____

   Non, je ne travaille pas.
2. ____

   Elles travaillent dans une entreprise.
3. ____

   Il travaille neuf heures par jour.
4. ____

   Nous travaillons de huit heures trente à quatre heures trente.

5. ____________________
Oui, je travaille à temps partiel.

6. ____________________
Mon salaire est de trois cents dollars par semaine.

7. ____________________
Oui, il travaille à temps plein.

8. ____________________
Ils travaillent quatre jours par semaine.

9. ____________________
Oui, je cherche un emploi.

10. ____________________
Non, je ne travaille pas les fins de semaine.

L'argent et le salaire

de la monnaie

des billets de banque

OBSERVEZ

Combien gagnes-tu l'heure?
— Je gagne vingt dollars **l'heure.**
— Je gagne 18 dollars et 25 cents **l'heure.**

Combien gagnes-tu par année?
— Je gagne trente mille dollars **par année.**

Les nombres de 100 à 1 000 000 000

(100) Cent, deux cent**s**, trois cent**s**…
(1000) Mille, deux mille, trois mille…
(1 000 000) Un million, deux million**s**, trois million**s**…
(1 000 000 000) Un milliard, deux milliard**s**, trois milliard**s**…

Note: **Mille** est invariable.
Million et **milliard** sont des noms. Ils prennent **toujours** un **-s** au pluriel.

EXERCICE 3 Répondez aux questions.

Exemple: — Combien gagnes-tu l'heure?
(12 $) — Je gagne 12 dollars l'heure.

1. Combien gagne-t-il l'heure?
   (10 $) ____________________
2. Quel est son salaire horaire?
   (15 $) ____________________
3. Combien gagnez-vous par année?
   (40 000 $) ____________________
4. Quel est le salaire offert par année?
   (55 000 $) ____________________
5. Quel est le salaire annuel offert?
   (37 000 $) ____________________
6. Combien gagnes-tu par année?
   (150 000 $) ____________________
7. Combien cette femme d'affaires gagne-t-elle par année?
   (des 1 000 000 $) ____________________
8. Gagne-t-il des millions ou des milliards de dollars?
   (des 1 000 000 000 $) ____________________

EXERCICE 4 Associez le terme approprié.

1. Un salarié reçoit... ______
2. Un vendeur reçoit... ______
3. Un serveur reçoit... ______
4. Un professionnel reçoit... ______
5. Un auteur reçoit... ______

a) des honoraires
b) un salaire
c) une commission
d) des redevances
e) un pourboire

Quel est ton titre ?

	masculin	**féminin**
— Je suis...	administrateur	administratrice
	coordonnateur	coordonnatrice
	directeur	directrice
	président	présidente
	représentant	représentante
	superviseur	superviseure
	secrétaire	secrétaire
	réceptionniste	réceptionniste

Être

Passé — Présent — Futur

Passé composé	**Présent**	**Futur proche**
j'ai été	je suis	je vais être
tu as été	tu es	tu vas être
il/elle/on a été	il/elle/on est	il/elle/on va être
nous avons été	nous sommes	nous allons être
vous avez été	vous êtes	vous allez être
ils/elles ont été	ils/elles sont	ils/elles vont être

Quelle est ta profession ?

	masculin	féminin
— Je suis…	avocat	avocate
	architecte	architecte
	comptable	comptable
	dentiste	dentiste
	enseignant	enseignante
	ingénieur	ingénieure
	juge	juge
	médecin	médecin
	notaire	notaire
	pharmacien	pharmacienne
	programmeur	programmeuse

Quel est ton métier ?

	masculin	féminin
— Je suis…	coiffeur	coiffeuse
	plombier	plombière
	électricien	électricienne
	pompier	pompière
	menuisier	menuisière
	mécanicien	mécanicienne
	policier	policière
	ambulancier	ambulancière
	serveur	serveuse
	caissier	caissière

NOTEZ

Le déterminant interrogatif **quel** s'accorde en **genre** (masculin ou féminin) et en **nombre** (singulier ou pluriel) avec le **nom.**

	masculin	féminin
singulier	quel	quelle
pluriel	quels	quelles

Exemples : **Quelle** est ta **profession** ?
↑ déterminant (fém. sing.) ← nom (fém. sing.) ↓

Quel est ton **métier** ?
↑ déterminant (masc. sing.) ← nom (masc. sing.) ↓

EXERCICE 5 Écrivez une question en utilisant le déterminant **quel.**

Exemple : Vous voulez connaître le métier d'une personne.
— **Quel** est votre métier ?

1. Vous voulez connaître le nom d'une personne.

____

2. Vous voulez connaître la profession d'une personne.

____

3. Vous voulez connaître les heures de travail d'une personne.

____

4. Vous voulez connaître le titre d'une personne.

____

5. Vous voulez connaître les coordonnées d'une personne (son nom, son adresse, son numéro de téléphone).

____

6. Vous voulez connaître les heures d'ouverture d'un bureau.

____

Quelques métiers et professions

Vos suggestions

_______________ _______________

_______________ _______________

_______________ _______________

EXERCICE 6 Le type de travail

a) Répondez aux questions. Si vous n'avez pas d'emploi présentement, imaginez un emploi que vous voulez avoir.

1. Travaillez-vous à l'intérieur, dehors ou sur la route?

____

2. Travaillez-vous assis, debout ou dans les deux positions?

____

3. Travaillez-vous seul ou avec d'autres personnes?

____

4. Travaillez-vous avec le public?

____

5. Travaillez-vous le jour, le soir ou la nuit?

____

6. Travaillez-vous la fin de semaine?

____

7. Travaillez-vous dans un environnement calme ou bruyant?

____

8. Parlez-vous au téléphone souvent?

____

9. Écrivez-vous souvent?

____

10. Votre travail est-il très stressant?

____

b) À l'aide de vos réponses en a), faites une description de votre travail.

____

____

____

____

____

____

____

____

____

OBSERVEZ

La question. Les deux formes suivantes sont possibles.

Travaillez-vous ? ↓ ↓ verbe sujet	**ou**	Est-ce que vous travaillez ? ↓ ↓ sujet verbe
Cherchez-vous un emploi ? ↓ ↓ verbe sujet	**ou**	Est-ce que vous cherchez un emploi ? ↓ ↓ sujet verbe

EXERCICE 7 Reformulez les 10 questions de l'exercice 6 en utilisant **est-ce que.**

1. ______________________________
2. ______________________________
3. ______________________________
4. ______________________________
5. ______________________________
6. ______________________________
7. ______________________________
8. ______________________________
9. ______________________________
10. ______________________________

Le travail

EXERCICE 8 De grands travailleurs !

Associez le nom de la personne à son travail.

1. Le premier à être nommé premier ministre du Québec. ______
2. Le premier à être nommé premier ministre du Canada. ______
3. Fondateur du *Journal de Montréal* et du *Journal de Québec*, deux journaux francophones. ______
4. La première infirmière laïque en Amérique du Nord et fondatrice de l'Hôtel-Dieu de Montréal. ______
5. Auteur qui a marqué l'histoire du théâtre au Québec. ______
6. Le premier cardiologue qui a réalisé une greffe cardiaque au Canada. ______
7. Chercheuse scientifique en neurologie et première astronaute canadienne. ______
8. Grande écrivaine francophone native du Manitoba. ______

Choix de réponses

a) Roberta Bondar (1945-)
b) Jeanne Mance (1606-1673)
c) Pierre-Joseph-Olivier Chauveau (1820-1890)
d) Pierre Péladeau (1925-1997)
e) Michel Tremblay (1942-)
f) Pierre Grondin (1925-2006)
g) Gabrielle Roy (1909-1983)
h) John A. MacDonald (1815-1891)

OBSERVEZ

Il est plombier.	**mais**	C'est **un** plombier.
Elle est enseignante.	**mais**	C'est **une** enseignante.
↓		↓
sujet + verbe **être** + nom de métier ou de profession		c'est + déterminant + nom de métier ou de profession

EXERCICE 9 Dans la liste ci-dessous, trouvez le métier ou la profession qui correspond à chaque définition et formulez la réponse comme dans l'exemple.

un médecin / une médecin – un coiffeur / une coiffeuse – un vendeur / une vendeuse – un plombier / une plombière – un journaliste / une journaliste – un avocat / une avocate – un fonctionnaire / une fonctionnaire – un enseignant / une enseignante – un électricien / une électricienne – un pompier / une pompière

Exemple : Il travaille dans les jardins.
Il est jardinier. **ou** C'est un jardinier.

1. Elle pratique le droit.
   Elle est ______________________. **ou** C'est ______________________.
2. Il écrit dans un journal.
   Il est ______________________. **ou** C'est ______________________.
3. Il soigne les personnes malades.
   Il est ______________________. **ou** C'est ______________________.
4. Elle travaille dans un magasin.
   Elle est ______________________. **ou** C'est ______________________.
5. Elle enseigne à l'école du quartier.
   Elle est ______________________. **ou** C'est ______________________.
6. Il travaille dans la fonction publique.
   Il est ______________________. **ou** C'est ______________________.
7. Elle coupe les cheveux.
   Elle est ______________________. **ou** C'est ______________________.
8. Il éteint les incendies.
   Il est ______________________. **ou** C'est ______________________.
9. Il travaille dans le domaine de l'électricité.
   Il est ______________________. **ou** C'est ______________________.
10. Il travaille dans le domaine de la plomberie.
   Il est ______________________. **ou** C'est ______________________.

POUR VOTRE INFORMATION...

RÉMUNÉRATION HORAIRE* MOYENNE DES SALARIÉS RÉMUNÉRÉS À L'HEURE, SELON LA BRANCHE D'ACTIVITÉ AU CANADA EN 2006**

Branche d'activité	Rémunération (en dollars)
Foresterie, exploitation et soutien	18,55
Extraction minière et extraction de pétrole et de gaz	28,40
Construction	22,96
Fabrication	20,76
Commerce de gros	18,40
Commerce de détail	15,18
Transport et entreposage	19,96
Industrie de l'information et industrie culturelle	20,84
Finance et assurances	19,35
Services immobiliers et services de location et de location à bail	17,41
Services professionnels, scientifiques et techniques	19,08
Services administratifs, services de soutien, services de gestion des déchets et services d'assainissement	14,96
Soins de santé et assistance sociale	21,92
Arts, spectacles et loisirs	13,48
Hébergement et services de restauration	10,48
Administration publique	17,98
Autres services	15,23

Notes :
* horaire → pour une heure
** Rémunérés → payés
Les données incluent les heures supplémentaires.

Source : Statistique Canada, CANSIM, dérivé du tableau 281-0030.

EXERCICE 10 À l'aide du tableau de la page précédente, répondez aux questions suivantes.

Exemple : Combien gagne, en moyenne, une personne qui travaille dans la restauration ?
Elle gagne, en moyenne, 10,48 $ l'heure. (Explication : Une personne qui travaille dans un restaurant est dans la catégorie « Hébergement et services de restauration ».)

1. Quelle est la branche d'activité qui offre le salaire horaire le plus élevé ?

   ____

2. Combien gagne, en moyenne, une personne qui travaille dans le domaine de l'administration publique ?

   ____

3. Combien gagne, en moyenne, une personne qui travaille dans la gestion des déchets ?

   ____

4. Quelle est la branche d'activité des entreprises suivantes ?

   a) Une compagnie de théâtre.

   ____

   b) Un distributeur de produits pharmaceutiques.

   ____

   c) Une entreprise de services de transport par camion.

   ____

   d) Un cabinet de comptables.

   ____

5. Dans quelle branche d'activité travaillez-vous ?

   ____

Au travail, que devez-vous faire ?

L'architecte dit :
— Je dois comprendre les besoins des clients.
— Je dois prendre des mesures.
— Je dois dessiner des plans.

L'enseignant ou l'enseignante dit :
— Je dois préparer les cours.
— Je dois corriger les examens.
— Je dois expliquer la matière aux étudiants.

Devoir + infinitif

Passé — Présent — Futur

Passé composé	Présent	Futur proche
j'ai dû	je dois	je vais devoir
tu as dû	tu dois	tu vas devoir
il/elle/on a dû	il/elle doit	il/elle/on va devoir
nous avons dû	nous devons	nous allons devoir
vous avez dû	vous devez	vous allez devoir
ils/elles ont dû	ils/elles doivent	ils/elles vont devoir

EXERCICE 11 Nommez cinq actions que vous devez faire quand vous travaillez.

____

____

____

____

____

EXERCICE 12 Dans la liste ci-dessous, trouvez l'emploi de chaque personne. Vous avez trois indices.

un camionneur / une camionneuse – un caissier / une caissière – un ouvrier / une ouvrière – un déménageur / une déménageuse – un coiffeur / une coiffeuse – un facteur / une factrice

1. 1er indice : Il / elle doit conduire un camion.
   2e indice : Il / elle doit aller chez des clients.
   3e indice : Il / elle doit transporter des meubles et d'autres objets.

   Réponse : ______________________________

2. 1er indice : Il / elle doit marcher.
   2e indice : Il / elle doit porter un gros sac.
   3e indice : Il / elle doit livrer du courrier.

   Réponse : ______________________________

3. 1er indice : Il / elle doit travailler debout.
   2e indice : Il / elle doit travailler avec des ciseaux.
   3e indice : Il / elle doit faire de belles coiffures.

   Réponse : ______________________________

4. 1er indice : Il / elle doit travailler sur la route.
   2e indice : Il / elle doit conduire de gros camions.
   3e indice : Il / elle doit livrer de la marchandise.

   Réponse : ______________________________

5. 1er indice : Il / elle doit servir les clients.
   2e indice : Il / elle doit compter de l'argent.
   3e indice : Il / elle doit utiliser une caisse enregistreuse.

   Réponse : ______________________________

6. 1er indice : Il / elle doit travailler dehors.
   2e indice : Il / elle doit être habile avec ses mains.
   3e indice : Il / elle doit construire et rénover des maisons.

   Réponse : ______________________________

EXERCICE 13 Trouvez l'action que la personne **ne doit pas** faire dans son travail.

Exemple : le dentiste ou la dentiste
a) faire des plombages
b) teindre les cheveux
c) examiner les dents

b) Le dentiste ou la dentiste ne doit pas teindre les cheveux. (C'est le coiffeur ou la coiffeuse qui teint les cheveux.)

1. l'agriculteur ou l'agricultrice
   a) cultiver des légumes
   b) arroser la terre
   c) réparer les bijoux

   ____

2. l'analyste en informatique
   a) travailler avec des ordinateurs
   b) faire des analyses de sang
   c) développer des systèmes informatiques

   ____

3. l'infirmier ou l'infirmière
   a) vendre des vêtements
   b) donner des médicaments
   c) prendre la température

   ____

4. l'agent immobilier ou l'agente immobilière
   a) vendre des maisons
   b) corriger des examens
   c) renseigner les clients

   ____

EXERCICE 14 Pour chaque réplique, nommez la personne qui vous parle : est-ce un vendeur ou une vendeuse dans une boutique de vêtements ou est-ce un serveur ou une serveuse dans un restaurant ?

	Le vendeur / la vendeuse	**Le serveur / la serveuse**
1. Êtes-vous prêt à commander ?		
2. Voulez-vous un apéritif ?		
3. Voulez-vous essayer ce pantalon ?		
4. J'ai un autre modèle de chandail rouge. Vous voulez l'essayer ?		
5. Quelle est votre taille ?		
6. Vous voulez essayer le menu du jour ? C'est du poulet chasseur.		
7. Voici l'addition. Vous pouvez payer à la caisse.		
8. S'il y a un problème, vous avez 30 jours pour échanger vos vêtements si vous avez votre facture.		

EXERCICE 15 Avez-vous votre carte d'assurance sociale?

Vous devez avoir un numéro d'assurance sociale (NAS) pour travailler au Canada ou pour recevoir des prestations et des services offerts par le gouvernement.

Remplissez le formulaire de demande de numéro d'assurance sociale.

Gouvernement du Canada / Government of Canada

PROTÉGÉ UNE FOIS REMPLI - A

DEMANDE DE NUMÉRO D'ASSURANCE

DEMANDE DE:

- ☐ PREMIÈRE CARTE DE NUMÉRO D'ASSURANCE SOCIALE
- ☐ REMPLACEMENT DE CARTE
- ☐ CHANGEMENT DE NOM(S) LÉGAL
- ☐ CHANGEMENT DE STATUT
- ☐ MISE À JOUR DU DOSSIER (aucun remplacement de carte)
- ☐ CHANGEMENT DE DATE D'EXPIRATION
- ☐ AUTRE - PRÉCISEZ ____________

N° CHERCHEUR	DATE
NE PAS ÉCRIRE ICI	

RENSEIGNEMENTS SUR LE DEMANDEUR — **VEUILLEZ ÉCRIRE LISIBLEMENT À L'ENCRE BLEUE OU NOIRE**

1 NOM DEVANT FIGURER SUR LA CARTE — Prénom | Autres prénoms (s'il faut en inscrire sur la carte) | Nom de famille

2 DATE DE NAISSANCE — Jour | Mois | Année

3 SEXE — ☐ Homme ☐ Femme — ☐ Cochez si vous êtes jumeau, jumelle, triplet, etc.

4 NOM DE LA MÈRE (à sa naissance) — Prénom(s) | Nom de famille

5 NOM DU PÈRE — Prénom(s) | Nom de famille

6 LIEU DE NAISSANCE DU DEMANDEUR — Ville ou village | Province | Pays

7 NOM DE FAMILLE DU DEMANDEUR À SA NAISSANCE

8 AUTRE(S) NOM(S) DE FAMILLE UTILISÉ(S) AUPARAVANT

9 AVEZ-VOUS DÉJÀ EU UN NUMÉRO D'ASSURANCE SOCIALE? ☐ Non ☐ Oui

10 SI « OUI », ÉCRIVEZ VOTRE NUMÉRO ICI

11 STATUT AU CANADA — Cochez une des cases suivantes : ☐ Citoyen canadien ☐ Indien inscrit ☐ Résident permanent ☐ Autre
Demeurez-vous au Canada présentement? ☐ Oui ☐ Non

12 N° de téléphone à votre domicile ( ) | N° de téléphone où vous joindre le jour ( )

13 POSTEZ À (Adresse où poster votre carte) — Aux soins de (si différent de la case 1) | Numéro et rue | N° d'appartement | Ville ou village | Province | Code postal

14 Si le demandeur a moins de 12 ans, le père, la mère ou le tuteur doit signer et indiquer le lien de parenté. Si vous êtes le tuteur, vous devez présenter un document faisant la preuve de tutelle légale. Si un « X » sert de signature, faites signer par deux témoins ici.
SIGNATURE DU DEMANDEUR | Date

Les noms auparavant utilisés demeureront dans le registre de numéro d'assurance sociale. Les données consignées sur ce formulaire sont utilisées aux fins de l'attribution de numéros d'assurance sociale et leur collecte est autorisée par la Loi sur l'assurance-emploi. *Pour de plus amples renseignements concernant l'usage fait de ces données et les droits de vérifier et de corriger les renseignements fournis, veuillez consulter la publication* Info Source, *Banque de données n° DRHC PPU 390, dans les Centres de ressources humaines du Canada et les principales bibliothèques publiques.*

QUICONQUE DEMANDE SCIEMMENT PLUS D'UN NUMÉRO D'ASSURANCE SOCIALE, ET DONNE OU PRÊTE SA CARTE DE NUMÉRO D'ASSURANCE SOCIALE À QUI QUE CE SOIT, COMMET UNE INFRACTION

N'ÉCRIVEZ PAS CI-DESSOUS - RÉSERVÉ AU BUREAU LOCAL

A TOUS LES NOMS INDIQUÉS SUR LE DOC. PRINCIPAL — Prénom(s) | Nom de famille

B DATE DE NAISSANCE INDIQUÉE SUR LE DOC. PRINCIPAL — Jour | Mois | Année

C DOCUMENT PRINCIPAL PRÉSENTÉ — Abréviation

D NUMÉRO SUR DOCUMENT

E PIÈCE JUSTIFICATIVE VUE — Abréviation

F N° TÉLÉCOPIEUR BUREAU LOCAL

TIMBRE DE CERTIFICATION

G FRAIS PAYÉS — Montant $ | N° du reçu

H OBSERVATIONS / RAISON D'UNE DEMANDE PRIORITAIRE

Code d'utilisateur

NAS-2120-(05-04) (version Internet) Canada

Source : *Gouvernement du Canada,* « Demande de numéro d'assurance » [en ligne], http://www1.servicecanada.gc.ca/eforms/forms/2006/nas2120f.pdf (page consultée le 29 janvier 2008).

EXERCICE 16 Conjuguez les verbes suivants.

Présent de l'indicatif

1. (chercher du travail) Elle ______________________.
2. (avoir un emploi) Tu ______________________.
3. (être avocats) Ils ______________________.
4. (gagner un bon salaire) Vous ______________________.
5. (devoir travailler) Je ______________________.
6. (recevoir un salaire) Nous ______________________.

Passé composé

7. (avoir une promotion) J' ______________________.
8. (être vendeuse) Elle ______________________.
9. (travailler dans une boutique) Il ______________________.
10. (recevoir des prestations d'assurance-emploi) Tu ______________________.
11. (regarder les offres d'emploi) Nous ______________________.
12. (devoir partir) Ils ______________________.

Futur proche

13. (être directrice) Tu ______________________.
14. (travailler dans un restaurant) Elles ______________________.
15. (remplir le formulaire) Je ______________________.
16. (recevoir une réponse) Vous ______________________.
17. (chercher du travail) Il ______________________.
18. (avoir un nouveau poste) Elle ______________________.

EXERCICE 17 Conjuguez les verbes au présent, au passé composé ou au futur proche, selon le contexte.

1. Lundi dernier, Lucie (recevoir) ____________ un appel de l'entreprise Beaufixe.
2. Présentement, Daniel (écrire) ____________ une lettre.
3. Ce matin, Vincent (arriver) ____________ en retard. Il (avoir) ____________ un problème avec son automobile.
4. Demain, Louis (rencontrer) ____________ un nouveau client.
5. La semaine prochaine, les employés (avoir) ____________ une réunion.
6. Maintenant, la directrice (parler) ____________ aux superviseurs.
7. Présentement, nous (discuter) ____________ du problème. Plus tard, nous (prendre) ____________ une décision.
8. L'année dernière, j'(trouver) ____________ un emploi.
9. La semaine dernière, elle (devoir) ____________ prendre congé.
10. L'année prochaine, l'entreprise (engager) ____________ de nouveaux employés.

EXERCICE 18 Complétez les phrases en choisissant une fin de phrase dans la liste.

Phrases à compléter

1. J'ai téléphoné au client...

   ____

2. Nous voulons travailler,...

   ____

3. Elle a fait une demande d'emploi,...

   ____

4. Ils sont arrivés au bureau à 8 h...

   ____

5. Tu gagnes un bon salaire...

   ____

6. Tu veux aller manger,...

   ____

Liste de fins de phrases

- **et** ils sont partis à 10 h.
- **mais** elle n'a pas eu de réponse.
- **et** j'ai laissé un message dans sa boîte vocale.
- **mais** tu n'as pas le temps.
- **et** tu aimes ton emploi.
- **mais** il y a trop de bruit.

NOTEZ

et → coordonnant qui marque une **addition.**
mais → coordonnant qui marque une **justification.**

EXERCICE 19 Complétez les phrases.

1. Je travaille la semaine, mais...

____

2. J'ai téléphoné à un client et...

____

3. Vous avez envoyé une lettre et...

____

4. Je dois travailler, mais...

____

5. Ils sont partis, mais...

____

6. Elle travaille sur la route et...

____

EXERCICE 20 Lisez attentivement.

Un directeur occupé

Pierre est directeur de l'entreprise G. D. Déchets. Il travaille pour cette entreprise depuis 16 ans. Du lundi au vendredi, Pierre arrive au bureau à huit heures et il part du bureau à six heures. Durant la journée, Pierre doit rencontrer des clients, il doit écrire des lettres et parler au téléphone. Pierre doit aussi répondre aux questions des employés et il doit prendre des décisions importantes. Pierre a beaucoup d'expérience et il travaille très bien.

L'entreprise G. D. Déchets existe depuis 20 ans. C'est une entreprise spécialisée dans la gestion des déchets.

Pierre est préoccupé par la qualité de l'environnement. Il aime son travail parce qu'il est conscient que les déchets sont une menace pour la planète. Il cherche des solutions intelligentes.

Répondez aux questions sur le texte.

1. Où Pierre travaille-t-il ?

____

2. Quelle est sa fonction ?

____

3. Depuis combien de temps travaille-t-il pour cette entreprise ?

____

4. À quelle heure arrive-t-il au bureau ?

____

5. Nommez cinq choses que Pierre doit faire.

____

6. Comment Pierre travaille-t-il ?

____

7. Quels jours travaille-t-il ?

____

8. Combien d'heures par semaine travaille-t-il ?

____

9. Depuis combien de temps l'entreprise G. D. Déchets existe-t-elle ?

____

10. Quelle est la préoccupation de Pierre ?

____

AUTOÉVALUATION

	Réponses possibles			
	1 Très bien	2 Bien	3 Pas assez	4 Pas du tout
VOCABULAIRE				
Je connais les jours de la semaine.				
Je connais des métiers et des professions.				
Je connais des termes utiles pour parler du travail.				
ÉLÉMENTS À L'ÉTUDE DANS LE THÈME				
Je connais les questions avec **où, quel, combien** et **qu'est-ce que.**				
Je sais comment utiliser **c'est un / une…**				
Je connais le verbe **devoir** suivi d'un infinitif à la forme affirmative et négative (**ne… pas**).				
Je peux conjuguer plusieurs verbes au présent, au passé composé et au futur proche.				
PARTICIPATION				
J'ai participé aux activités de communication orale.				
J'ai fait les exercices écrits.				
J'ai souvent utilisé le dictionnaire.				
J'ai utilisé des stratégies personnelles pour apprendre du vocabulaire et des phrases utiles dans mon travail.				
Quand je lis ou quand j'écoute les autres, j'accepte de ne pas tout comprendre.				
J'accepte de faire des erreurs quand je parle en français.				
Je pratique mon français tous les jours de la semaine.				
Je révise les notes que je prends pendant les cours.				

THÈME 6

LES ACTIONS QUOTIDIENNES

Vocabulaire à l'étude

- l'heure
- des objets fréquemment utilisés
- des commerces
- des termes liés au stress et à la détente

Éléments grammaticaux

- le pronom impersonnel **il** (il est…)
- les pronoms réfléchis
- la question avec **pourquoi** et la réponse avec **parce que**

Verbes

- l'utilisation appropriée du présent, du passé composé et du futur proche
- des verbes du 1er groupe à la forme pronominale au présent, au passé composé et au futur proche: **se réveiller, se brosser, se laver, se peigner, se maquiller, se raser, s'habiller, se lever, s'essuyer, se coucher**
- des verbes du 1er groupe et du 3e groupe au présent, au passé composé et au futur proche: **attendre, aller, téléphoner, déposer, promener, préparer, laver, jouer, regarder, aider, écouter, essuyer, lire, dormir**
- **avoir besoin de** au présent

Situations de communication ciblées

- se situer dans le temps
- informer sur ses activités quotidiennes
- s'informer des activités d'une autre personne
- effectuer un achat
- s'informer d'un service
- faire une demande
- informer sur des situations stressantes et relaxantes

QUELLE HEURE EST-IL ?

Le système de 12 heures

— Il est…

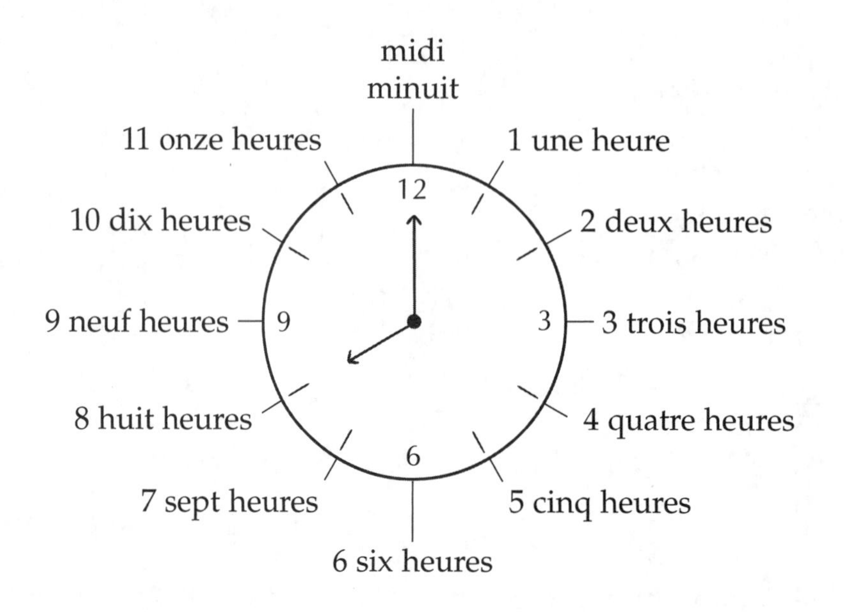

Le système de 24 heures

— Il est…

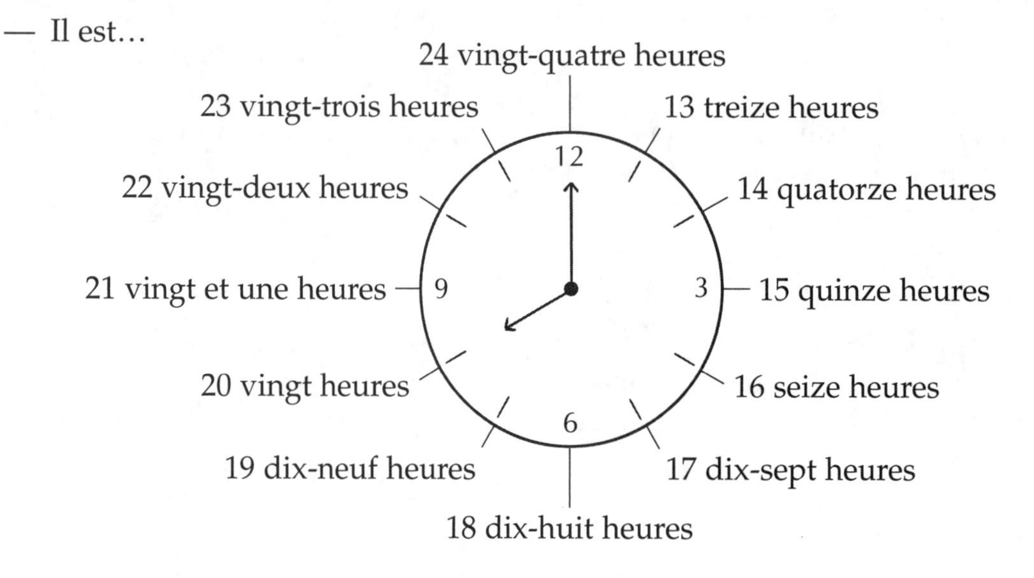

Il est neuf heures **et** cinq (du matin).

Il est sept heures **et** quart (du matin).

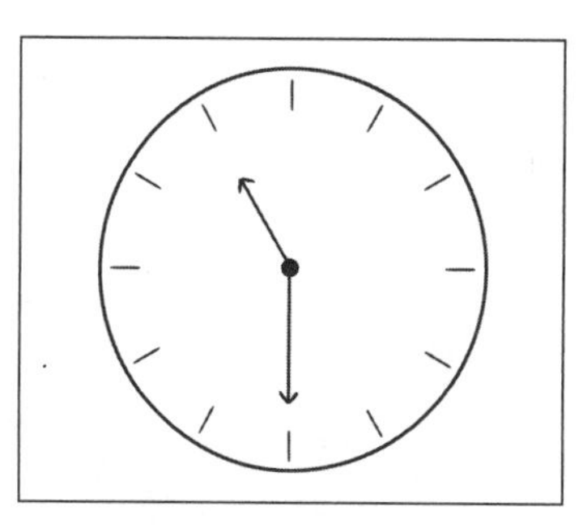

Il est onze heures **et** demie (du matin).

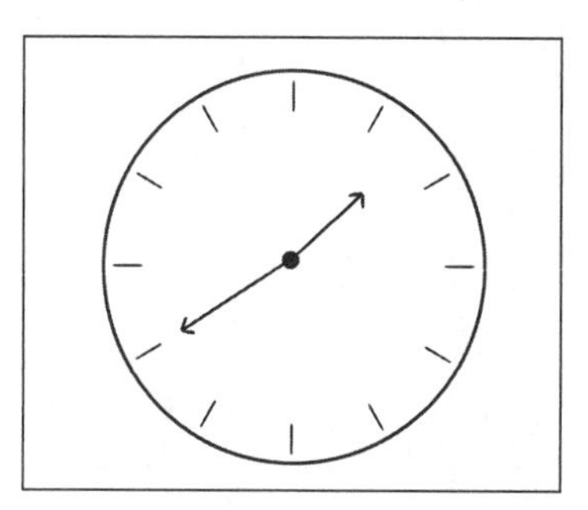

Il est deux heures **moins** vingt (de l'après-midi).

ou

Il est treize heures quarante.

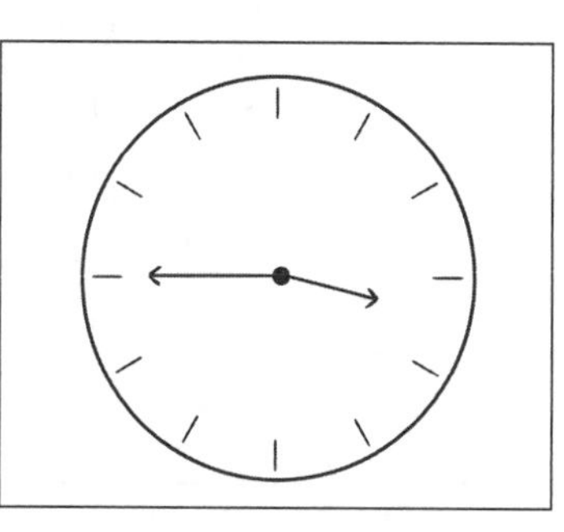

Il est quatre heures **moins** quart (de l'après-midi).

ou

Il est quinze heures quarante-cinq.

Il est une heure **moins** dix (de l'après-midi).

ou

Il est douze heures cinquante.

EXERCICE 1 Quelle heure est-il ? Répondez en utilisant le système de 12 heures.

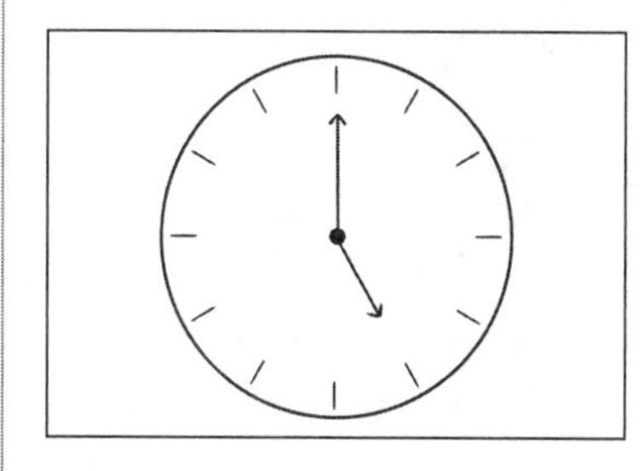

1. Il est ____________________

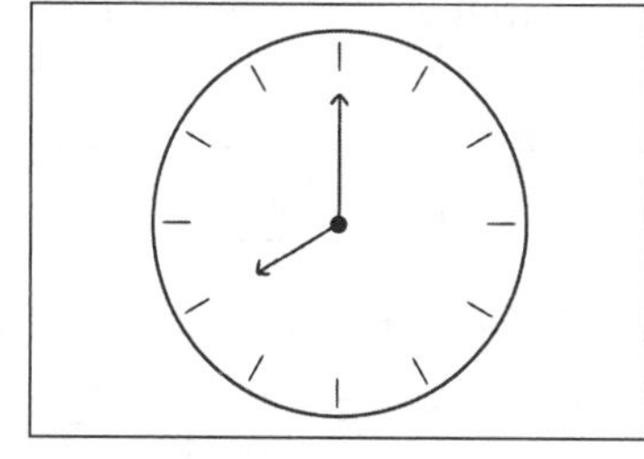

2. Il est ____________________

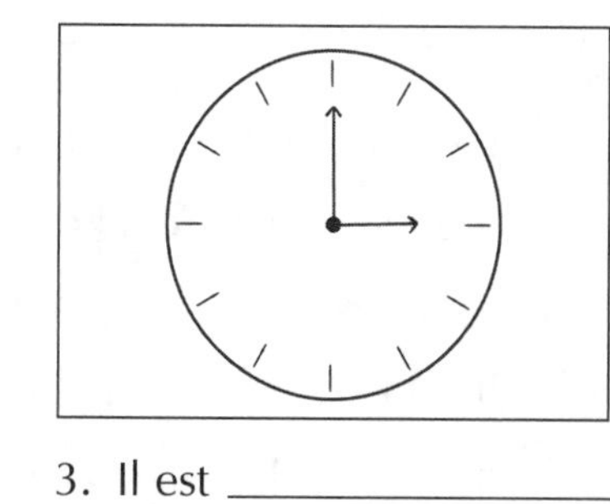

3. Il est ____________________

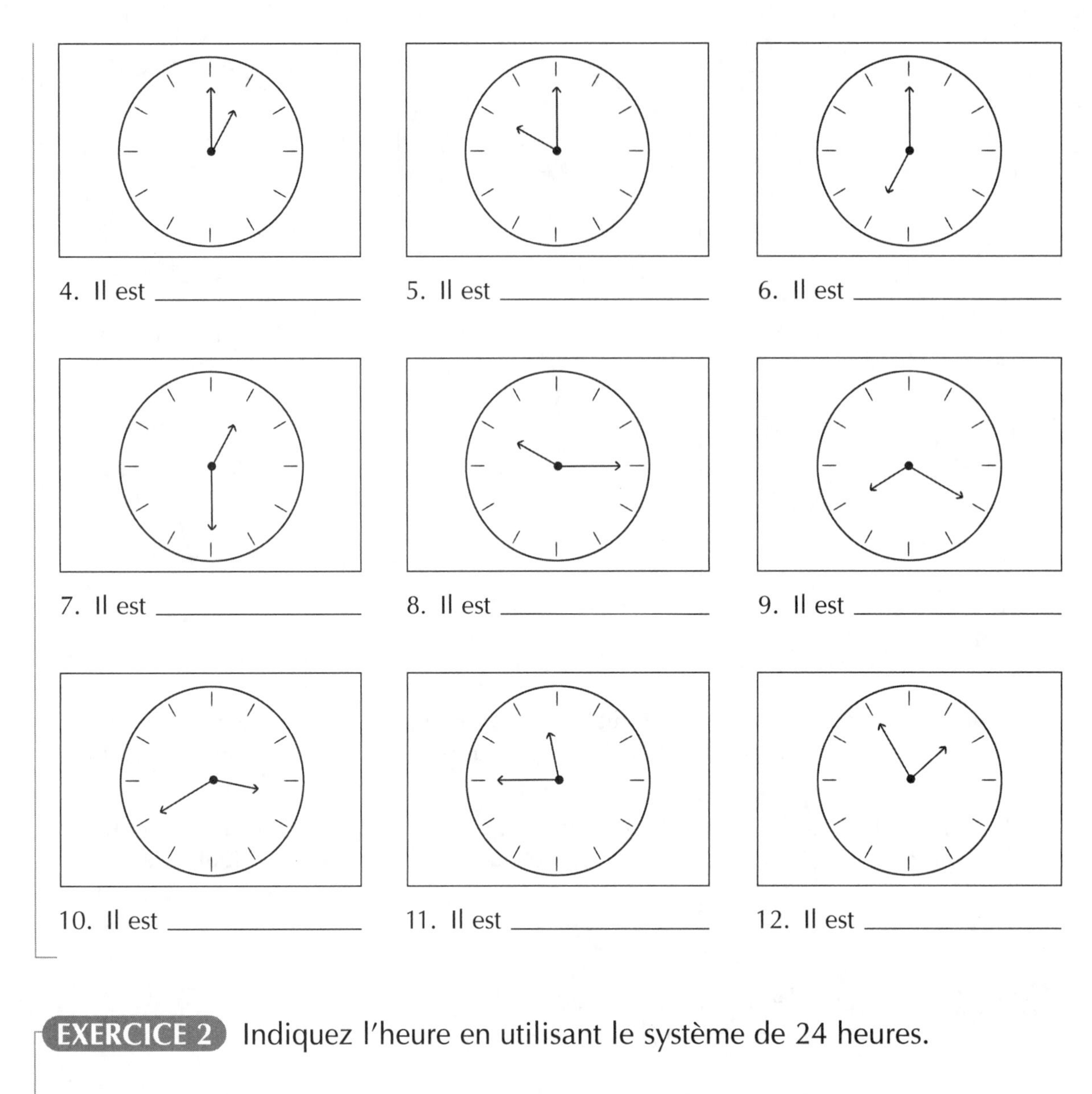

4. Il est ____________ 5. Il est ____________ 6. Il est ____________

7. Il est ____________ 8. Il est ____________ 9. Il est ____________

10. Il est ____________ 11. Il est ____________ 12. Il est ____________

EXERCICE 2 Indiquez l'heure en utilisant le système de 24 heures.

Exemple : Il est deux heures moins vingt de l'après-midi. Il est treize heures quarante.

1. Il est dix heures vingt du soir. ____________
2. Il est six heures cinq du soir. ____________
3. Il est dix heures moins quart du matin. ____________
4. Il est trois heures vingt-cinq de l'après-midi. ____________
5. Il est onze heures quinze du soir. ____________
6. Il est huit heures moins cinq du matin. ____________
7. Il est quatre heures trente de l'après-midi. ____________
8. Il est neuf heures moins vingt du matin. ____________
9. Il est sept heures et quart du soir. ____________
10. Il est six heures moins dix du matin. ____________

LE JOUR SE LÈVE...

le matin

un réveil

un lit

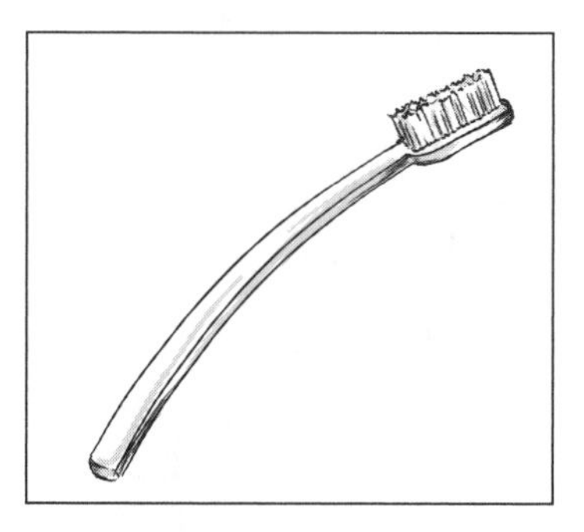
une brosse à dents

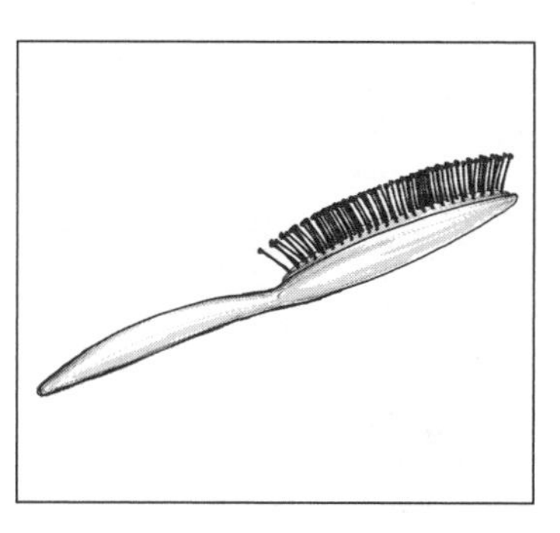
une brosse à cheveux

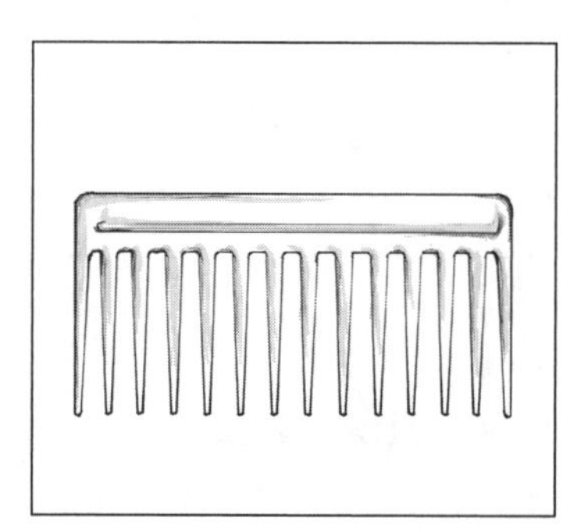
un peigne

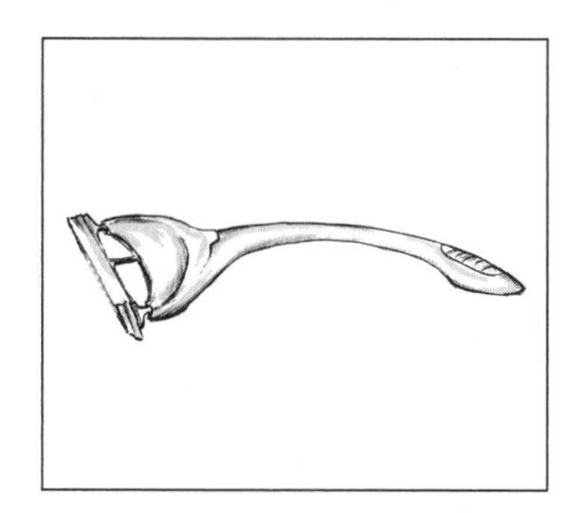
un rasoir

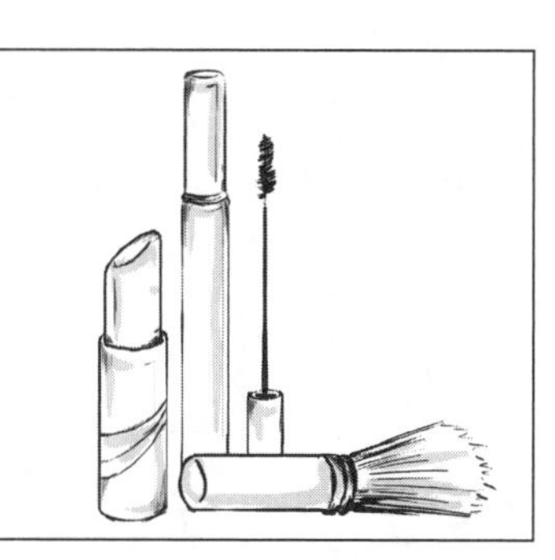
du maquillage

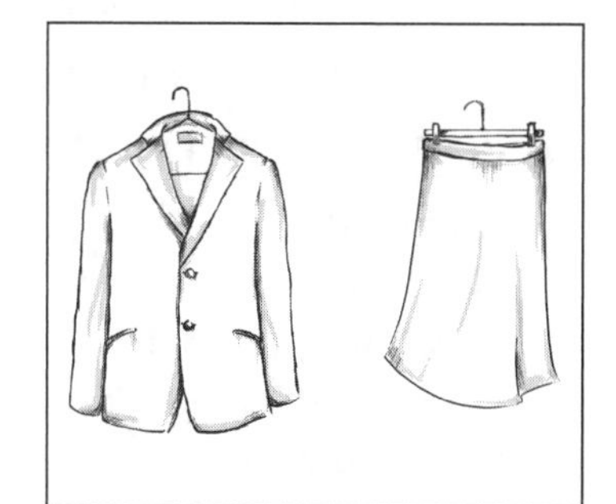
des vêtements

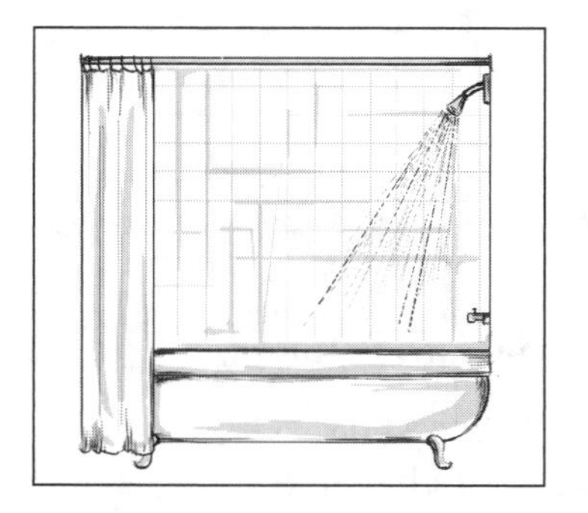
une douche

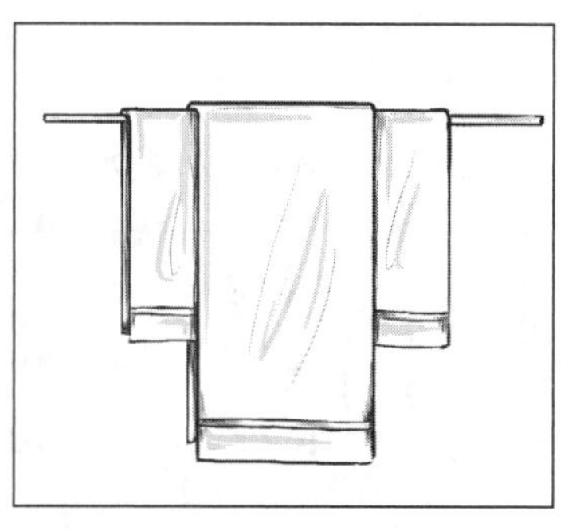
des serviettes

un miroir

Il est 6 h et le réveil sonne...

Sophie se réveille.
Elle se lève.
Elle se brosse les dents.
Elle se lave.
Elle s'essuie.
Elle se brosse les cheveux.
Elle se maquille.
Elle s'habille.

Marc se réveille.
Il se lève.
Il se brosse les dents.
Il se lave.
Il s'essuie.
Il se peigne.
Il se rase.
Il s'habille.

Les verbes à la forme pronominale

À l'infinitif: **se** + verbe

Exemple: se lever

L'action du verbe est dirigée sur le sujet.
Le verbe à la forme pronominale → utilisation de deux pronoms

Pronom personnel sujet + pronom réfléchi

je + me
tu + te
il / elle / on + se
nous + nous
vous + vous
ils / elles + se

OBSERVEZ

Laver la vaisselle.	**mais**	**Se laver.**
Je **lave** la vaisselle.	**mais**	Je **me** lave.
Regarder la télévision.	**mais**	**Se regarder.**
Je **regarde** la télévision.	**mais**	Je **me** regarde dans le miroir.
Brosser les cheveux de sa fille.	**mais**	**Se brosser** les cheveux.
Je **brosse** les cheveux de ma fille.	**mais**	Je **me** brosse les cheveux.

Pour la pratique des verbes à la forme pronominale
Voir les Références grammaticales, pages 286 à 288.

EXERCICE 3 Écrivez, dans chaque cas, le bon pronom réfléchi.

Exemple : je **me**

1. il ________
2. tu ________
3. nous ________
4. je ________
5. on ________
6. vous ________
7. elle ________
8. ils ________
9. il ________
10. nous ________
11. je ________
12. vous ________
13. elles ________
14. elle ________
15. nous ________
16. vous ________

La conjugaison des verbes pronominaux

Les verbes pronominaux se conjuguent sur le même modèle que les verbes non pronominaux.

Deux éléments importants :

- la présence du pronom réfléchi (**me, te, se, nous, vous, se**) ;
- les verbes pronominaux se conjuguent avec l'auxiliaire **être** dans les temps composés (exemple : le passé composé).

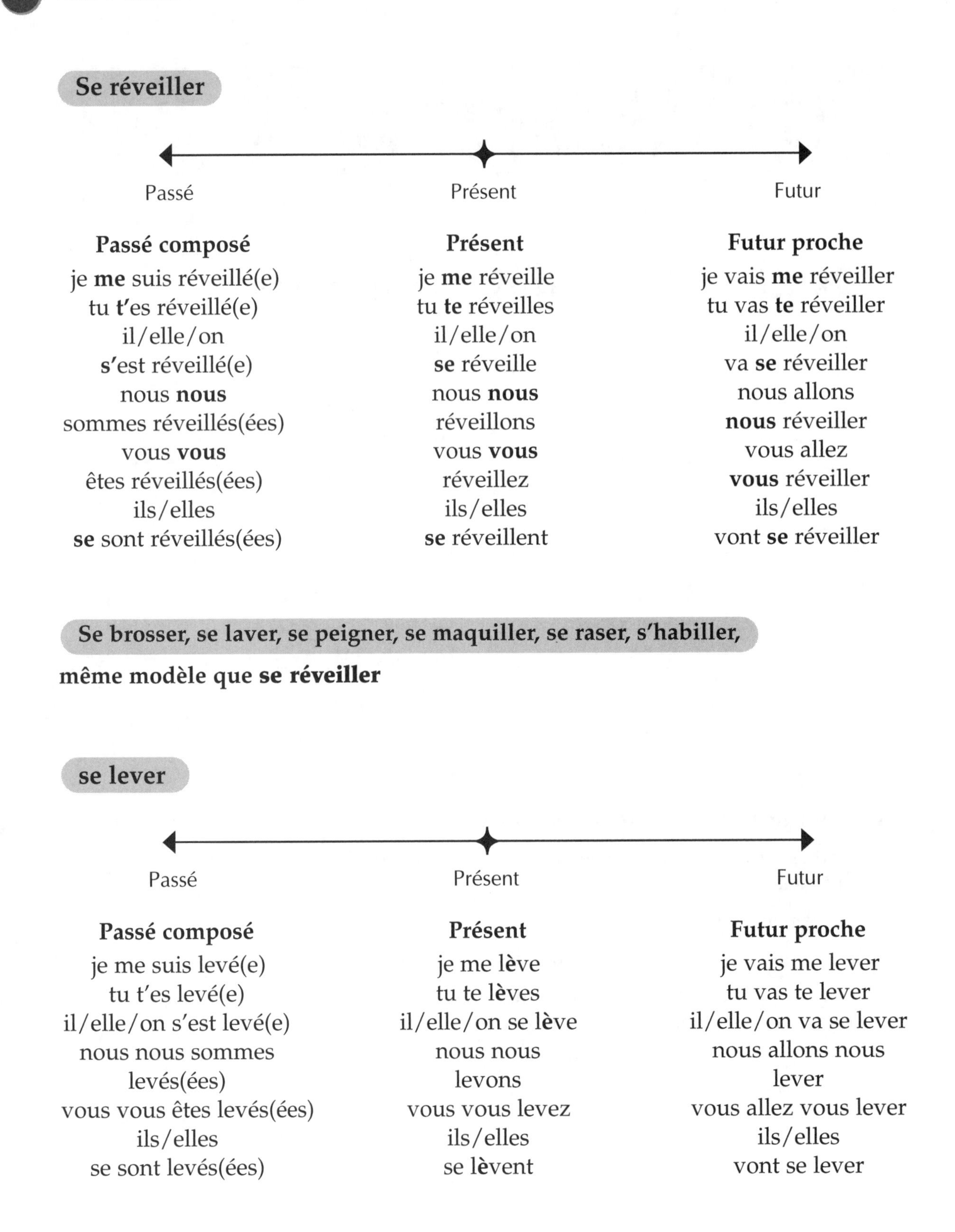

Se réveiller

Passé — Présent — Futur

Passé composé	Présent	Futur proche
je **me** suis réveillé(e)	je **me** réveille	je vais **me** réveiller
tu **t'**es réveillé(e)	tu **te** réveilles	tu vas **te** réveiller
il/elle/on **s'**est réveillé(e)	il/elle/on **se** réveille	il/elle/on va **se** réveiller
nous **nous** sommes réveillés(ées)	nous **nous** réveillons	nous allons **nous** réveiller
vous **vous** êtes réveillés(ées)	vous **vous** réveillez	vous allez **vous** réveiller
ils/elles **se** sont réveillés(ées)	ils/elles **se** réveillent	ils/elles vont **se** réveiller

Se brosser, se laver, se peigner, se maquiller, se raser, s'habiller,

même modèle que se réveiller

se lever

Passé — Présent — Futur

Passé composé	Présent	Futur proche
je me suis levé(e)	je me l**è**ve	je vais me lever
tu t'es levé(e)	tu te l**è**ves	tu vas te lever
il/elle/on s'est levé(e)	il/elle/on se l**è**ve	il/elle/on va se lever
nous nous sommes levés(ées)	nous nous levons	nous allons nous lever
vous vous êtes levés(ées)	vous vous levez	vous allez vous lever
ils/elles se sont levés(ées)	ils/elles se l**è**vent	ils/elles vont se lever

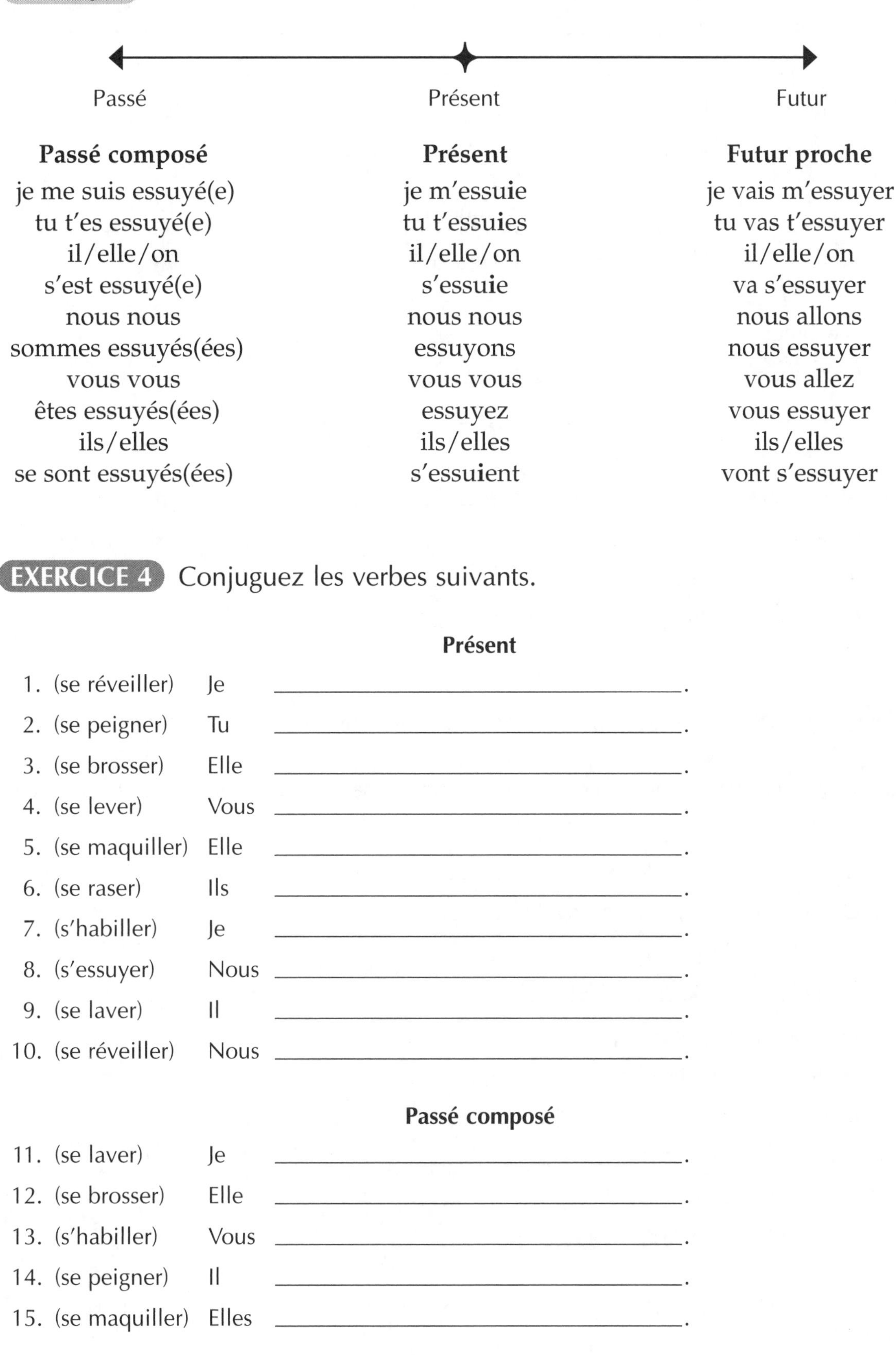

S'essuyer

Passé — Présent — Futur

Passé composé	Présent	Futur proche
je me suis essuyé(e)	je m'essuie	je vais m'essuyer
tu t'es essuyé(e)	tu t'essuies	tu vas t'essuyer
il/elle/on s'est essuyé(e)	il/elle/on s'essuie	il/elle/on va s'essuyer
nous nous sommes essuyés(ées)	nous nous essuyons	nous allons nous essuyer
vous vous êtes essuyés(ées)	vous vous essuyez	vous allez vous essuyer
ils/elles se sont essuyés(ées)	ils/elles s'essuient	ils/elles vont s'essuyer

EXERCICE 4 Conjuguez les verbes suivants.

Présent

1. (se réveiller) Je ______________________________.
2. (se peigner) Tu ______________________________.
3. (se brosser) Elle ______________________________.
4. (se lever) Vous ______________________________.
5. (se maquiller) Elle ______________________________.
6. (se raser) Ils ______________________________.
7. (s'habiller) Je ______________________________.
8. (s'essuyer) Nous ______________________________.
9. (se laver) Il ______________________________.
10. (se réveiller) Nous ______________________________.

Passé composé

11. (se laver) Je ______________________________.
12. (se brosser) Elle ______________________________.
13. (s'habiller) Vous ______________________________.
14. (se peigner) Il ______________________________.
15. (se maquiller) Elles ______________________________.

16. (se lever) Tu ______________________________.
17. (se raser) Il ______________________________.
18. (s'essuyer) Je ______________________________.
19. (se laver) Elle ______________________________.
20. (se lever) Je ______________________________.

Futur proche

21. (se peigner) Elle ______________________________.
22. (se raser) Il ______________________________.
23. (s'habiller) Je ______________________________.
24. (se brosser) Elles ______________________________.
25. (se maquiller) Elle ______________________________.
26. (se réveiller) Nous ______________________________.
27. (s'essuyer) Tu ______________________________.
28. (se lever) Je ______________________________.
29. (se laver) Vous ______________________________.
30. (se peigner) Tu ______________________________.

EXERCICE 5 Complétez les phrases avec les mots de la liste ci-dessous.

rasoir – peigne – réveil – douche – vêtements – lit – brosse à cheveux – maquillage – serviette – brosse à dents

1. Je me réveille quand le ____________________ sonne.
2. Quand je me lève, je descends du ____________________.
3. Je me brosse les dents avec une ____________________.
4. Je me lave dans la ____________________.
5. Je m'essuie avec une ____________________.
6. Je me brosse les cheveux avec une ____________________.
7. Je me peigne avec un ____________________.
8. Je me maquille avec du ____________________.
9. Je me rase avec un ____________________.
10. Je m'habille avec des ____________________.

EXERCICE 6 Répondez aux questions.

Exemple : — Habituellement, à quelle heure te réveilles-tu ?
(5 h) — Je me réveille à cinq heures.

1. Habituellement, à quelle heure se réveille-t-elle ?
   (6 h) ______________________________
2. La semaine, à quelle heure vous levez-vous ?
   (5 h 15) Nous ______________________________.
3. Habituellement, à quelle heure les enfants se lèvent-ils ?
   (7 h 15) ______________________________
4. Le dimanche, à quelle heure te réveilles-tu ?
   (8 h 45) ______________________________
5. Les jours de congé, à quelle heure les enfants se réveillent-ils ?
   (9 h 30) ______________________________

EXERCICE 7 Répondez aux questions.

Exemple : — Ce matin, à quelle heure t'es-tu réveillé ?
(8 h 30) — Je me suis réveillé à huit heures et demie.

1. Ce matin, à quelle heure s'est-il réveillé ?
   (6 h) ______________________________
2. Hier matin, à quelle heure vous êtes-vous réveillés ?
   (7 h 15) Nous ______________________________.
3. Samedi dernier, à quelle heure t'es-tu levé ?
   (6 h 45) ______________________________
4. Ce matin, à quelle heure s'est-elle réveillée ?
   (10 h) ______________________________
5. Dimanche dernier, à quelle heure se sont-ils réveillés ?
   (10 h 45) ______________________________

DURANT LA JOURNÉE

Durant la journée, Sophie travaille.

Elle doit aussi…
- attendre à l'arrêt d'autobus avec sa fille de six ans qui est en première année.
- aller à la banque pour déposer un chèque et retirer de l'argent.
- aller au bureau de poste pour envoyer une lettre par poste prioritaire.
- aller chez le nettoyeur pour faire nettoyer un manteau.
- aller chercher sa fille à l'arrêt d'autobus.
- téléphoner à une école de musique pour avoir de l'information sur des leçons de piano pour sa fille.

Durant la journée, Marc travaille.

Il doit aussi…
- déposer son fils agé de trois ans à la garderie.
- aller à l'épicerie pour acheter de la nourriture.
- aller à la station d'essence pour faire le plein.
- aller chercher son fils à la garderie.
- promener le chien.
- aller à la pharmacie pour acheter du shampooing et d'autres articles.

EXERCICE 8 Conjuguez les verbes suivants au présent, au passé composé et au futur proche.

Attendre **+ l'autobus**

Passé — Présent — Futur

Passé composé	**Présent**	**Futur proche**

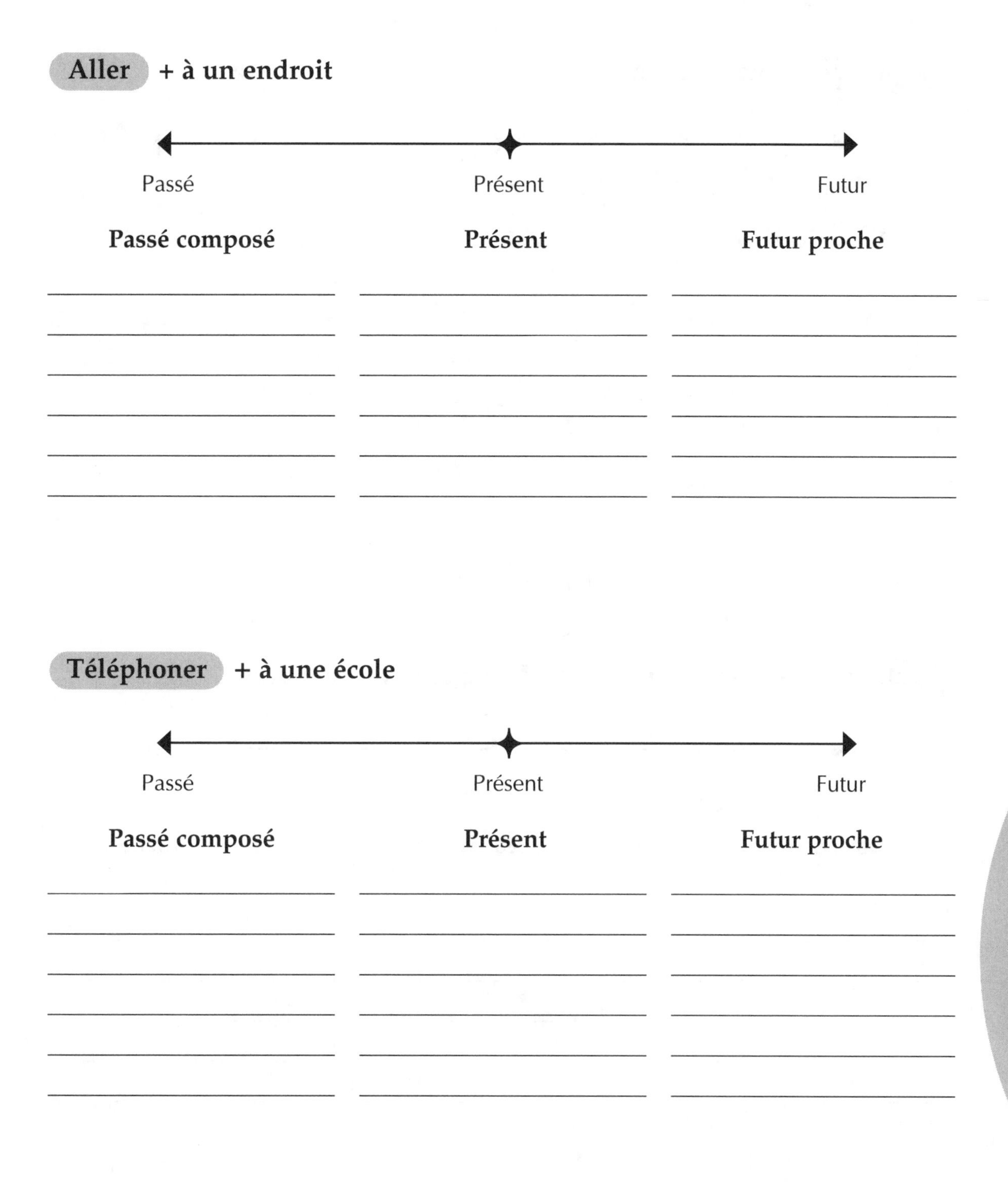
Aller + à un endroit
Passé
Présent
Futur
Passé composé
Présent
Futur proche
Téléphoner + à une école
Passé
Présent
Futur
Passé composé
Présent
Futur proche

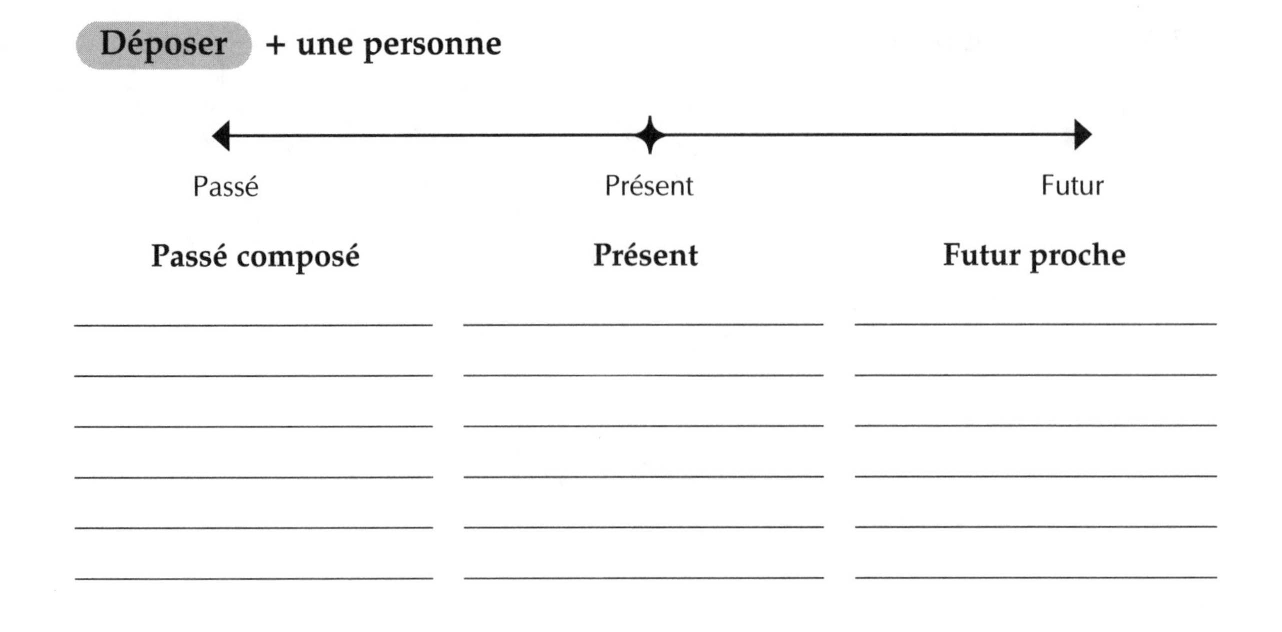
Déposer + une personne
Passé
Présent
Futur
Passé composé
Présent
Futur proche

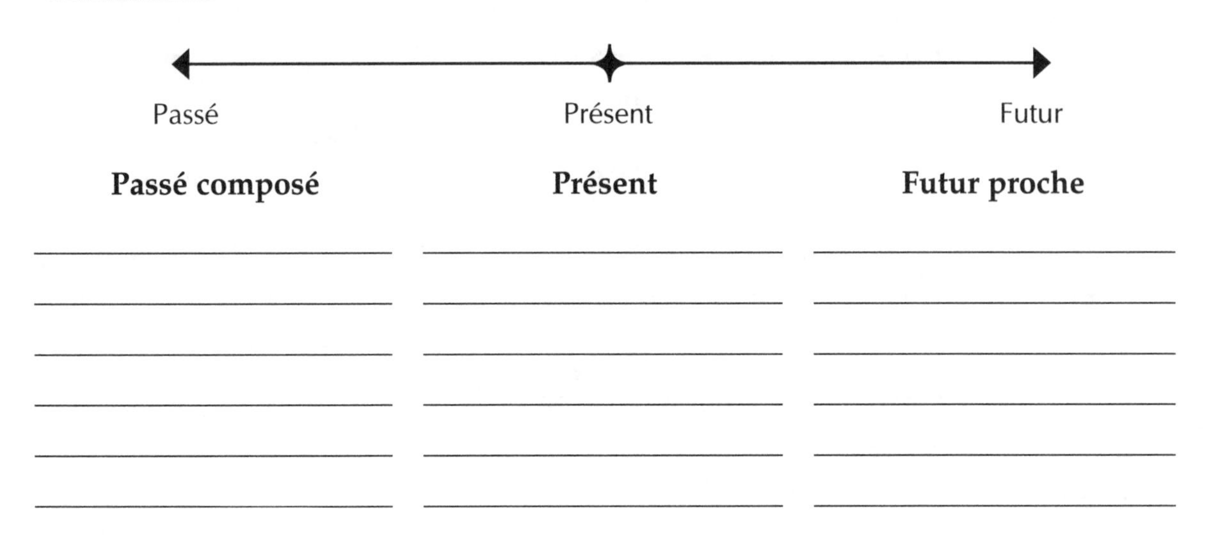
Promener + le chien (même modèle que le verbe lever)
Passé
Présent
Futur
Passé composé
Présent
Futur proche

APRÈS LA JOURNÉE DE TRAVAIL

Sophie rentre à la maison à 5 h 30 de l'après-midi.

Quand elle rentre à la maison…

- **elle prépare le souper.**
- elle **lave** la vaisselle.
- elle **joue** avec les enfants.
- elle **regarde** la télévision.
- elle **lit** une histoire aux enfants.
- elle **se déshabille.**
- elle **se démaquille.**
- elle **se brosse** les dents.
- elle **se couche.**
- elle **dort.**

Durant la journée, Marc travaille. Il rentre à la maison à 6 h du soir.

Quand il rentre à la maison…

- **il prépare le souper avec Sophie.**
- il **essuie** la vaisselle.
- il **aide** sa fille à faire ses devoirs.
- il **écoute** de la musique.
- il **se déshabille.**
- il **se brosse** les dents.
- il **se couche.**
- il **dort.**

Préparer + **le souper**

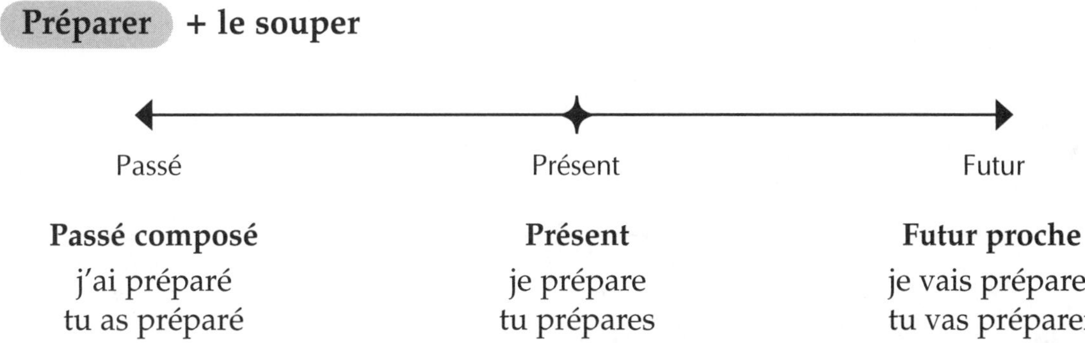

Passé composé	Présent	Futur proche
j'ai préparé	je prépare	je vais préparer
tu as préparé	tu prépares	tu vas préparer
il/elle/on a préparé	il/elle/on prépare	il/elle/on va préparer
nous avons préparé	nous préparons	nous allons préparer
vous avez préparé	vous préparez	vous allez préparer
ils/elles ont préparé	ils/elles préparent	ils/elles vont préparer

Laver + la vaisselle, **jouer** + avec les enfants, **regarder** + la télévision, **aider** + les enfants, **écouter** + de la musique, même modèle que **préparer**

Essuyer + la vaisselle

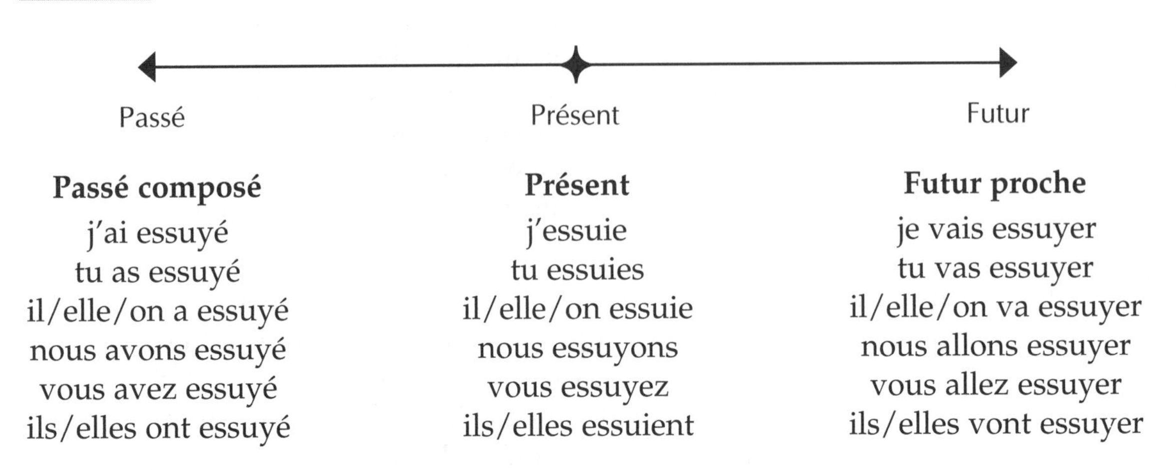

Passé	Présent	Futur
Passé composé	**Présent**	**Futur proche**
j'ai essuyé	j'essuie	je vais essuyer
tu as essuyé	tu essuies	tu vas essuyer
il/elle/on a essuyé	il/elle/on essuie	il/elle/on va essuyer
nous avons essuyé	nous essuyons	nous allons essuyer
vous avez essuyé	vous essuyez	vous allez essuyer
ils/elles ont essuyé	ils/elles essuient	ils/elles vont essuyer

NOTEZ

Au présent, quand la désinence est muette, on remplace **y** par **i.**

Exemple : J'essui**e** (désinence muette).

Lire + un livre

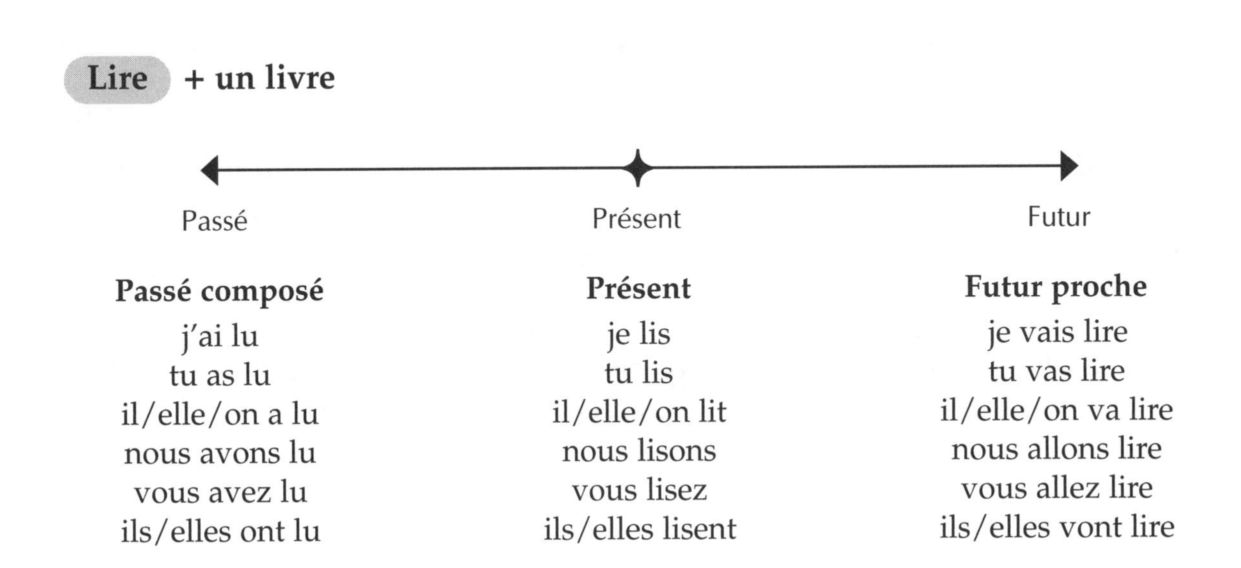

Passé	Présent	Futur
Passé composé	**Présent**	**Futur proche**
j'ai lu	je lis	je vais lire
tu as lu	tu lis	tu vas lire
il/elle/on a lu	il/elle/on lit	il/elle/on va lire
nous avons lu	nous lisons	nous allons lire
vous avez lu	vous lisez	vous allez lire
ils/elles ont lu	ils/elles lisent	ils/elles vont lire

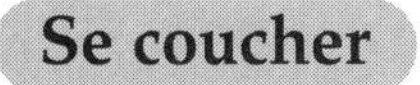

Se coucher

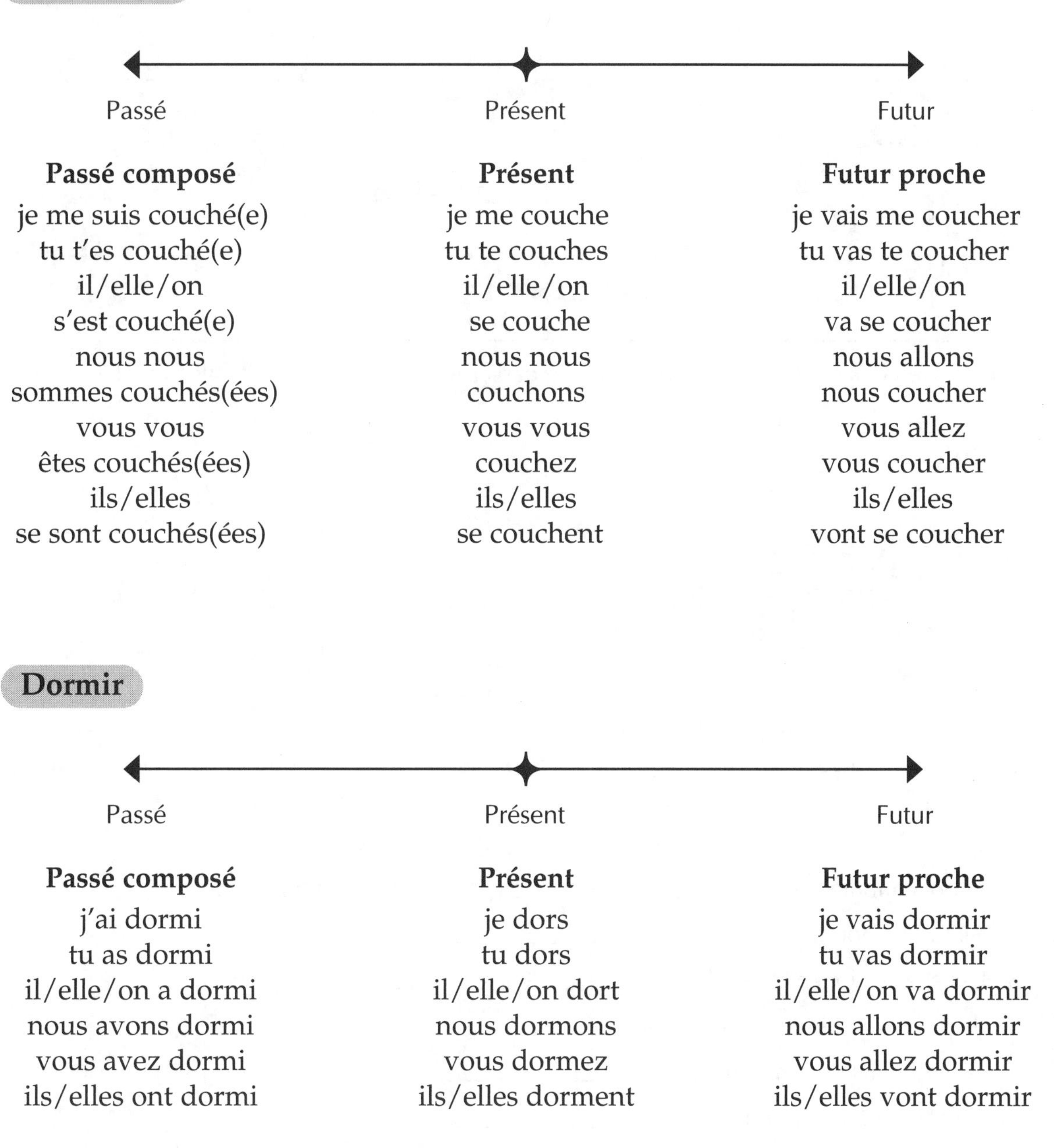

Passé — Présent — Futur

Passé composé	Présent	Futur proche
je me suis couché(e)	je me couche	je vais me coucher
tu t'es couché(e)	tu te couches	tu vas te coucher
il/elle/on s'est couché(e)	il/elle/on se couche	il/elle/on va se coucher
nous nous sommes couchés(ées)	nous nous couchons	nous allons nous coucher
vous vous êtes couchés(ées)	vous vous couchez	vous allez vous coucher
ils/elles se sont couchés(ées)	ils/elles se couchent	ils/elles vont se coucher

Dormir

Passé — Présent — Futur

Passé composé	Présent	Futur proche
j'ai dormi	je dors	je vais dormir
tu as dormi	tu dors	tu vas dormir
il/elle/on a dormi	il/elle/on dort	il/elle/on va dormir
nous avons dormi	nous dormons	nous allons dormir
vous avez dormi	vous dormez	vous allez dormir
ils/elles ont dormi	ils/elles dorment	ils/elles vont dormir

EXERCICE 9 Complétez les phrases avec les mots sous les illustrations.

de la vaisselle

une casserole

des jouets

un livre

un téléviseur

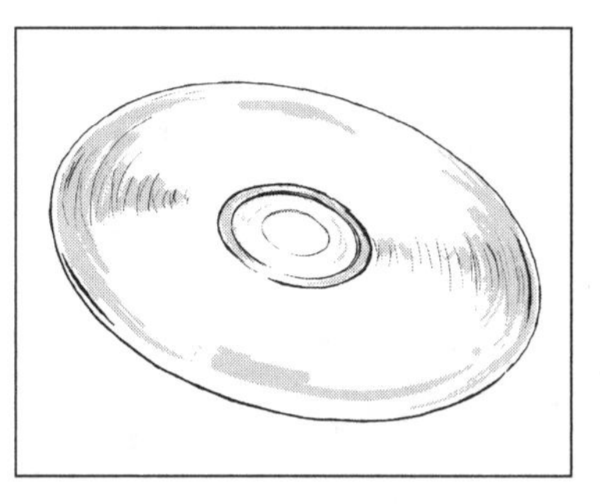

un CD (disque compact)

1. Je dois allumer le ____________________ pour regarder la télévision.
2. As-tu lavé toute la ____________________ ?
3. Les enfants jouent avec des ____________________.
4. Ils préparent le souper avec des ____________________.
5. Hier, j'ai acheté un bon ____________________.
6. Ce soir, elle va lire un ____________________.

EXERCICE 10 Conjuguez les verbes suivants et essayez de former de courtes phrases.

Exemple: (jouer) Je joue avec les enfants.

Présent

1. (préparer) Je ______________________________.
2. (lire) Elle ______________________________.
3. (essuyer) Il ______________________________.
4. (dormir) Elles ______________________________.
5. (laver) Nous ______________________________.
6. (regarder) Tu ______________________________.
7. (aider) Il ______________________________.
8. (écouter) J' ______________________________.
9. (jouer) Vous ______________________________.
10. (lire) Ils ______________________________.

Passé composé

11. (laver) J' ______________________________.
12. (aider) Il ______________________________.
13. (écouter) Nous ______________________________.
14. (essuyer) Elle ______________________________.
15. (préparer) Vous ______________________________.
16. (lire) J' ______________________________.
17. (dormir) Tu ______________________________.
18. (jouer) Ils ______________________________.
19. (regarder) Elle ______________________________.
20. (lire) Il ______________________________.

Futur proche

21. (préparer) Je ______________________________.
22. (écouter) Nous ______________________________.
23. (jouer) Elles ______________________________.
24. (lire) Tu ______________________________.
25. (regarder) Il ______________________________.

EXERCICE 11 Complétez les dialogues comme dans l'exemple ci-dessous.

Exemple : — Est-ce que tu écoutes de la musique ?
— Non, je n'écoute pas de musique.
— Qu'est-ce que tu fais ?
(lire) — Je lis.

1. — Est-ce qu'il joue sur l'ordinateur ?
   — Non, ______________________________
   ______________________________.
   (étudier) — ______________________________
2. — Est-ce que vous regardez un film ?
   — Non, nous ______________________________
   ______________________________.
   (jouer aux cartes) — ______________________________
3. — Est-ce qu'elle fait la vaisselle ?
   — Non, ______________________________
   ______________________________.
   (regarder la télévision) — ______________________________
4. — Est-ce que tu dors ?
   — Non, ______________________________
   ______________________________.
   (réfléchir) — ______________________________
5. — Est-ce qu'elle aide sa mère ?
   — Non, ______________________________
   ______________________________.
   (jouer à un jeu vidéo) — ______________________________
6. — Est-ce qu'il joue avec les enfants ?
   — Non, ______________________________
   ______________________________.
   (parler au téléphone) — ______________________________

EXERCICE 12 Lisez attentivement.

Les achats de Marc à la pharmacie

Marc a choisi ses articles et il est à la caisse.

La caissière. — Bonjour, Monsieur ! Vous allez bien ?
Marc. — Très bien, merci.
La caissière. — Avez-vous votre carte de points Super ?
Marc. — Pardon ?
La caissière. — Je vous demande si vous avez une carte de points Super. Cette carte vous permet d'accumuler des points et d'avoir des rabais sur certains articles.
Marc. — Non, je n'ai pas cette carte.
La caissière. — Êtes-vous intéressé à avoir cette carte ?
Marc. — Non, merci. Pas aujourd'hui. Je suis pressé.
La caissière. — D'accord. Alors, le total de votre facture est de 26,75 $. Vous payez comptant, par carte de crédit ou par carte de débit ?
Marc. — Je vais payer comptant.
La caissière. — Bien. Je mets votre facture dans le sac ?
Marc. — Oui, merci.
La caissière. — Bonne journée !
Marc. — Vous aussi.

Cochez la case appropriée.

	vrai	faux	non mentionné
1. Marc est avec son fils.	☐	☐	☐
2. Marc n'a pas de carte de points Super.	☐	☐	☐
3. La caissière donne une carte de points Super à Marc.	☐	☐	☐
4. Marc veut partir rapidement.	☐	☐	☐
5. Marc n'a pas de carte de débit.	☐	☐	☐
6. La caissière met la facture dans le sac.	☐	☐	☐

EXERCICE 13 Lisez attentivement.

L'appel de Sophie à l'école de musique

Sophie désire avoir de l'information sur des leçons de piano pour sa fille. Elle téléphone à l'école de musique.

La réceptionniste. — Bonjour, ici l'École La musique enchantée.
Sophie. — Bonjour. Je veux de l'information pour des leçons de piano.
La réceptionniste. — Bien sûr. C'est pour qui ?
Sophie. — C'est pour ma fille.
La réceptionniste. — Elle a quel âge ?
Sophie. — Elle a six ans.
La réceptionniste. — Pour les jeunes enfants, nous offrons des leçons de 30 minutes, une fois par semaine.
Sophie. — Et ça coûte combien ?
La réceptionniste. — Chaque leçon de 30 minutes coûte 25 $.
Sophie. — Est-ce que c'est possible de suivre les cours à la fin de l'après-midi ?
La réceptionniste. — Si vous voulez patienter, je vais vérifier les horaires de nos professeurs. Un instant, s'il vous plaît…

Après quelques secondes d'attente…

La réceptionniste. — Madame, vous êtes toujours là ?
Sophie. — Oui.
La réceptionniste. — Nous pouvons vous offrir le jeudi à 16 h 30.
Sophie. — D'accord. Je vais parler à ma fille et si elle est intéressée, je vais rappeler. Merci.
La réceptionniste. — C'est très bien. Merci d'avoir appelé. Au revoir !

Cochez la case appropriée.

	vrai	faux	non mentionné
1. Sophie veut apprendre le piano.	☐	☐	☐
2. L'École La musique enchantée offre des leçons de guitare.	☐	☐	☐
3. Chaque leçon de piano coûte 25 $.	☐	☐	☐
4. Sophie trouve que les leçons coûtent cher.	☐	☐	☐
5. La réceptionniste demande à Sophie de patienter au téléphone.	☐	☐	☐
6. L'école ne peut pas accepter de nouveaux étudiants présentement.	☐	☐	☐
7. La réceptionniste va rappeler Sophie.	☐	☐	☐

EXERCICE 14 Trouvez une phrase appropriée. Vous pouvez chercher des idées dans les dialogues *Les achats de Marc à la pharmacie* et *L'appel de Sophie à l'école de musique.*

1. Vous voulez connaître le prix d'un article. Quelle question pouvez-vous poser?

____

2. On vous offre une carte de points et vous ne voulez pas avoir cette carte. Que pouvez-vous dire?

____

3. Vous voulez des renseignements sur un service (un cours de yoga, par exemple). Que pouvez-vous dire?

____

4. Une caissière vous pose une question, mais vous ne comprenez pas la question. Qu'est-ce que vous pouvez dire?

____

5. Vous parlez à une personne au téléphone et vous recevez un autre appel sur une autre ligne. Qu'est-ce que vous pouvez dire à la personne?

____

EXERCICE 15 Des inventeurs canadiens qui ont facilité notre vie

Cherchez la bonne invention dans la liste ci-dessous.

le fauteuil roulant électrique – le rouleau à peinture – le téléphone – la cuisinière électrique – le tapis Sauve-pantalon

a) André Dupont, Paul Laurent et Bernard Beaujardin ont inventé, en 1980, ______________________ qui assure une protection durant l'hiver contre les accumulations d'eau, de neige et de sel.

b) George Klein, en 1954, a inventé ______________________ muni d'une manette de commande facile à utiliser. Son invention a été très utile aux anciens combattants. Encore aujourd'hui, cette invention permet à des millions de personnes d'être plus autonomes.

Les actions quotidiennes

c) En 1882, Thomas Ahearn invente la première unité de cuisson chauffante, qu'on appelle ______________________________. La même année, cette invention est installée dans les cuisines de l'Hôtel Windsor, un grand hôtel de Montréal à cette époque.

d) Norman Breaky a inventé ______________________________ en 1940. Cette invention a révolutionné la décoration.

e) Alexander Graham Bell est très connu parce qu'il a inventé ______________________________ en 1876. Cet enseignant a aussi inventé une méthode pour parler aux enfants sourds.

Les courses au magasin

Marc. — Sophie, je vais à l'épicerie. Est-ce que **tu as besoin de** quelque chose?
Sophie. — Oui, **j'ai besoin de** jus, de lait, de pain…
ou
— Non, merci. **Je n'ai besoin de rien.**
Sophie. — Marc, je vais au dépanneur.
Marc. — Pourquoi?
Sophie. — Parce que **j'ai besoin d'acheter** du lait.
Marc. — **Tu n'as pas besoin d'acheter** de lait. J'ai acheté du lait cet après-midi.

Avoir besoin de

Avoir + besoin de

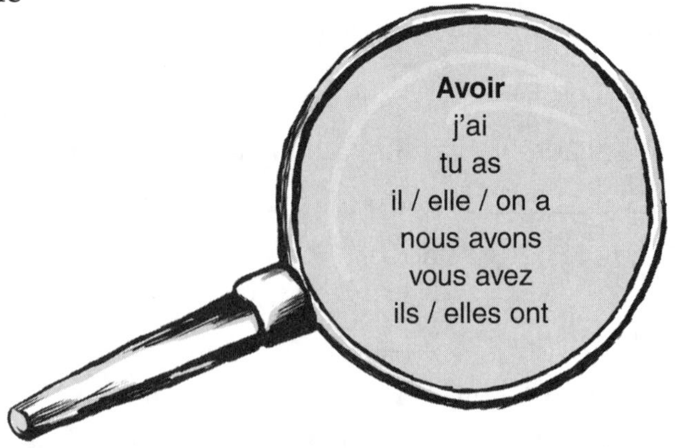

EXERCICE 16 Complétez les dialogues.

Exemple : — Je vais à l'épicerie.
— Pourquoi ?
(pain) — Parce que j'ai besoin d'acheter du pain.

1. — Je vais chez le nettoyeur.
   — Pourquoi ?
   (pantalon) — ______________________________

2. — Je vais au magasin.
   — Pourquoi ?
   (bottes) — ______________________________

3. — Je vais à la pharmacie. As-tu besoin de quelque chose ?
   (dentifrice) — Oui, ______________________________.

4. — Je vais à l'épicerie. As-tu besoin de quelque chose ?
   (céréales et lait) — Oui, ______________________________.

5. — Je vais au centre commercial. As-tu besoin de quelque chose ?
   (rien) — Non, ______________________________.

EXERCICE 17 Conjuguez les verbes au présent, au passé composé ou au futur proche.

a) Une journée dans la vie de Caroline

Présentement, il (être) ______________ 14 h. Ce matin, Caroline (se réveiller) ______________ à 6 h 30. Elle (se lever) ______________, elle (se maquiller) ______________, elle (s'habiller) ______________ et elle (partir) ______________ au bureau. Présentement, Caroline (être) ______________ au bureau.

Elle (travailler) ______________. À 17 h, Caroline (rencontrer) ______________ une amie au restaurant.

Les actions quotidiennes

Elles (souper) ________________ ensemble. Après le souper, Caroline (rentrer) ________________ chez elle. Elle (travailler) ________________ à la maison. Elle (étudier) ________________ un dossier important. Caroline (être) ________________ avocate et elle (rencontrer) ________________ des clients importants demain. Elle (devoir) ________________ connaître le dossier.

b) Une journée dans la vie de Philippe

Philippe (être) ________________ très fatigué. Il (être) ________________ 23 h présentement. Il (avoir) ________________ une grosse journée. Ce matin, Philippe (se lever) ________________ à 5 h 15. Il (aller) ________________ faire du jogging et il (revenir) ________________ à la maison vers 6 h 20. Il (se laver) ________________, il (s'habiller) ________________ et il (déjeuner) ________________. Il (quitter) ________________ la maison à 7 h 30. Il (travailler) ________________ jusqu'à 18 h 30. Il (rentrer) ________________ à la maison à 19 h. Il (souper) ________________ et il (laver) ________________ la vaisselle. Il (faire) ________________ du ménage et il (lire) ________________ le journal. Il (payer) ________________ les factures d'électricité et de téléphone. Il (faire) ________________ des chèques. Il (poster) ________________ les chèques demain matin. Dans quelques minutes, Philippe (se brosser) ________________ les dents et il (se coucher) ________________.

Quelques métiers et professions

Cherchez des métiers ou des professions qui sont utiles dans votre vie personnelle. Expliquez votre idée.

Exemples : Votre boucher ou bouchère parce que vous aimez cuisiner des viandes.

Votre garagiste parce que vous avez souvent des problèmes avec votre voiture.

Vos suggestions

________________________________ ________________________________

________________________________ ________________________________

________________________________ ________________________________

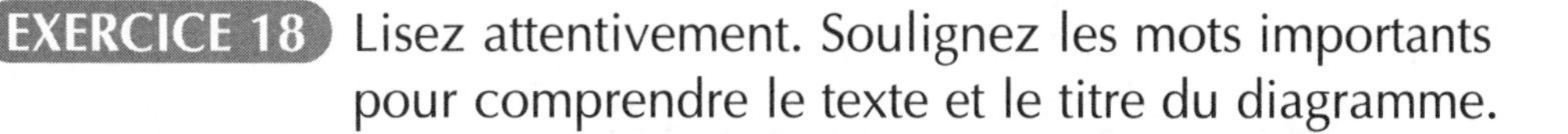

EXERCICE 18 Lisez attentivement. Soulignez les mots importants pour comprendre le texte et le titre du diagramme.

La vie quotidienne et le stress

Le Centre d'études sur le stress humain de l'Institut universitaire en santé mentale Douglas définit quatre facteurs importants qui causent le stress :

- une perte de contrôle de la situation ;
- des évènements imprévus ;
- une nouvelle situation ;
- une menace à votre personne.

Voici un diagramme de Statistique Canada qui a mené une enquête sur la santé mentale dans les collectivités canadiennes :

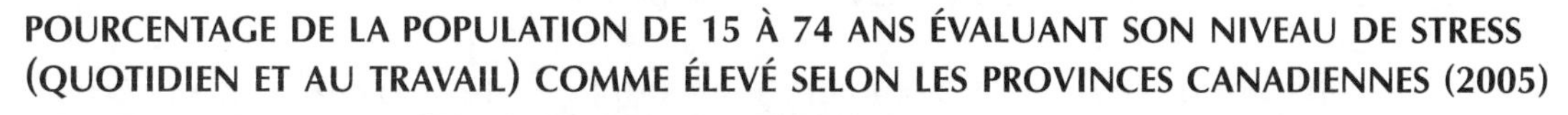

POURCENTAGE DE LA POPULATION DE 15 À 74 ANS ÉVALUANT SON NIVEAU DE STRESS (QUOTIDIEN ET AU TRAVAIL) COMME ÉLEVÉ SELON LES PROVINCES CANADIENNES (2005)

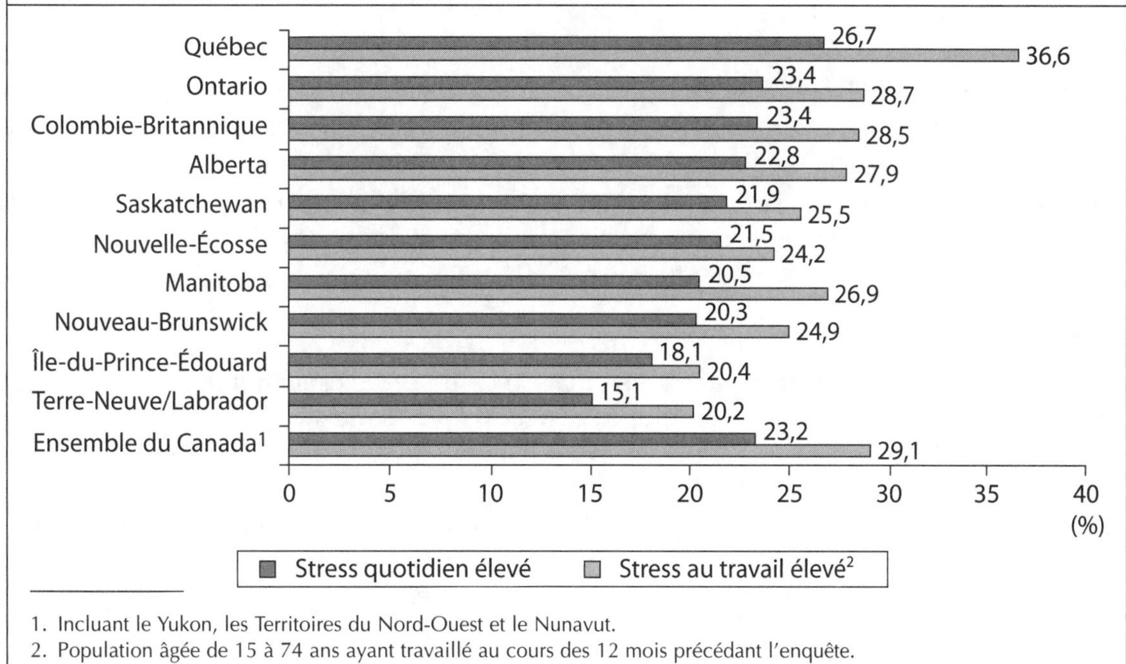

1. Incluant le Yukon, les Territoires du Nord-Ouest et le Nunavut.
2. Population âgée de 15 à 74 ans ayant travaillé au cours des 12 mois précédant l'enquête.

Source : Statistique Canada, *Enquête sur la santé dans les collectivités canadiennes,* cycle 3.1, fichier de microdonnées à grande diffusion. Compilation : Institut de la statistique du Québec.

EXERCICE 19 Êtes-vous victime de stress ?

a) Quelles sont les activités quotidiennes qui vous stressent ?

____

____

____

____

Les actions quotidiennes

b) Qu'est-ce que vous faites pour relaxer?

____

____

____

____

____

EXERCICE 20 Lisez attentivement.

Une maison anti-stress

Le stress envahit votre vie? Voyez comment transformer votre maison pour vivre dans le calme.

Choisissez des couleurs apaisantes

Les couleurs de notre environnement exercent un effet psychologique sur nous. Certaines couleurs ont un effet stimulant, d'autres couleurs ont un effet calmant.

Le bleu a un effet de paix et de tranquillité. Le vert est une couleur reposante. Les tons de lilas diminuent l'anxiété. Les couleurs neutres donnent une sensation de sécurité. Elles rappellent le bois, la terre et la pierre.

Ayez une maison ordonnée

Le désordre élève le niveau de stress. Une maison en désordre est déprimante. Débarrassez-vous des objets inutiles. Rangez les choses et nettoyez votre maison.

Choisissez des accessoires apaisants

Les accessoires peuvent aider à réduire le niveau de stress. Choisissez des photos et des illustrations qui donnent un sentiment de calme. Mettez des plantes vertes et des fleurs. Vous pouvez mettre un aquarium parce que l'eau est calmante.

Aménagez une zone de relaxation

Aménagez une zone réservée aux activités de relaxation comme la lecture, la musique ou le cinéma. Si vous n'avez pas une pièce entière, installez un paravent pour vous isoler du reste de la maison.

Pensez à l'aromathérapie

Les parfums agréables créent une sensation de bien-être. Les huiles essentielles qui peuvent réduire le stress sont la lavande, la mandarine, la mélisse, la verveine et le romarin.

Source: Texte adapté d'un article de Marie-Christine Tremblay, « Décoration: une maison anti-stress », *Décormag.com,* [en ligne], http://www.decormag.com/decormag/client/fr/Accueil/DetailNouvelle.asp?idNews=233849&bSearch=True (page consultée le 7 janvier 2008).

Répondez aux questions sur le texte.

1. D'après l'article, quels sont les deux effets possibles des couleurs?

____

2. a) Quel est l'effet du bleu? _______________

   b) Quel est l'effet du vert? _______________

   c) Quel est l'effet des tons de lilas? _______________

   d) Quel est l'effet des couleurs neutres? _______________

3. Qu'est-ce que le désordre peut faire?

____

4. Pourquoi un aquarium peut-il avoir un effet calmant?

____

5. Nommez trois activités de relaxation mentionnées dans l'article.

____

____

____

6. D'après l'article, quelles sont les huiles essentielles qui peuvent réduire le stress?

____

7. Dans l'article, trouvez des antonymes aux mots suivants.

   a) calmant: _______________

   b) ordre: _______________

   c) élever: _______________

   d) utile: _______________

   e) salir: _______________

8. Selon vous, l'aromathérapie est-elle vraiment efficace pour réduire le stress? Expliquez votre réponse.

____

____

AUTOÉVALUATION

	Réponses possibles			
	1 Très bien	2 Bien	3 Pas assez	4 Pas du tout
VOCABULAIRE				
Je connais les termes pour dire l'heure.				
Je connais des objets utiles dans la maison.				
Je connais des noms de commerces.				
Je connais des termes liés au stress et à la détente.				
ÉLÉMENTS À L'ÉTUDE DANS LE THÈME				
Je connais des verbes à la forme pronominale: – au présent, – au passé composé, – au futur proche.				
Je peux conjuguer plusieurs verbes du 1er groupe au présent, au passé composé et au futur proche.				
Je peux conjuguer les verbes **lire, dormir, attendre** et **aller** au présent, au passé composé et au futur proche.				
Je comprends comment utiliser l'expression **avoir besoin de** à la forme affirmative, à la forme négative et à la forme interrogative.				
Je peux poser plusieurs questions avec les mots **quel, qu'est-ce que, est-ce que, combien** et **pourquoi.**				
PARTICIPATION				
J'ai participé aux activités de communication orale.				
J'ai fait les exercices écrits.				
Je pose des questions et je suis intéressé(e).				
Je prends des notes.				
Quand je lis ou quand j'écoute les autres, j'utilise mes connaissances pour comprendre.				
Quand je parle, je prends des risques.				
Je fais des efforts pour corriger mes erreurs.				
Je pratique mon français tous les jours et j'essaie de comprendre quand les francophones parlent.				
J'ai une attitude positive et j'apprécie mes progrès.				

THÈME

LE BUREAU

Vocabulaire à l'étude

- les articles de bureau
- l'ordinateur
- le téléphone

Éléments grammaticaux

- la question **qu'est-ce que c'est?**
- **c'est** et **ce sont**
- le **vous** de politesse
- la question avec **où**
- les prépositions **sur, dans, sous** et **entre**
- le pronom **en** à la forme affirmative et à la forme négative au présent
- la question avec **pourquoi**

Verbes

- conjugaison de verbes des trois groupes au présent, au passé composé et au futur proche
- les verbes à radical court au singulier et à radical long au pluriel
- le verbe **ouvrir** au présent, au passé composé et au futur proche

Situations de communication ciblées

- demander un article à une personne
- passer une commande
- décrire un emplacement
- informer sur des tâches à accomplir
- converser au téléphone
- rédiger une courte lettre

QU'EST-CE QUE C'EST ?

C'est un bureau.

C'est une chaise à roulettes.

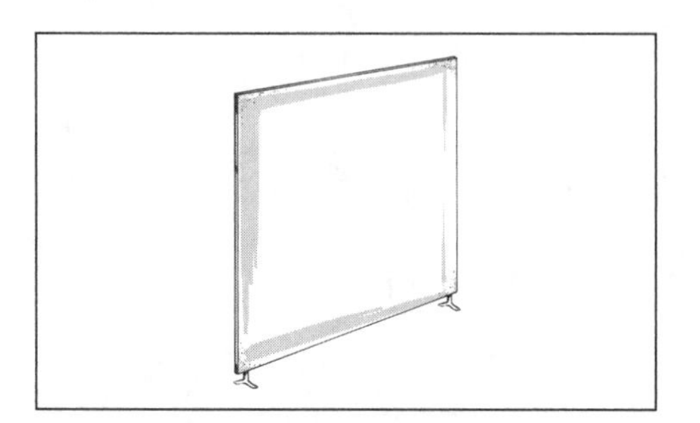

C'est une cloison.

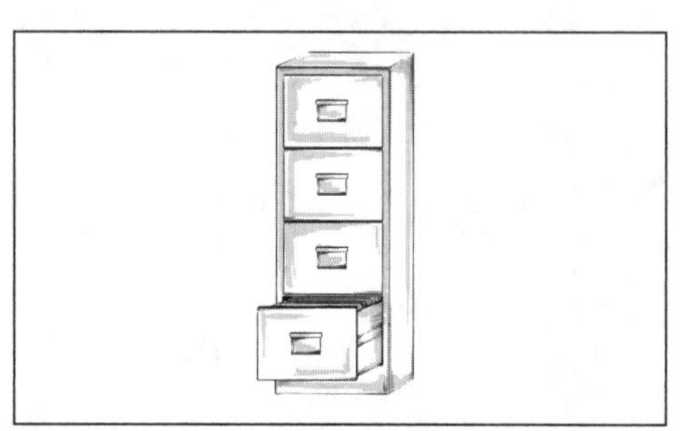

C'est un classeur.

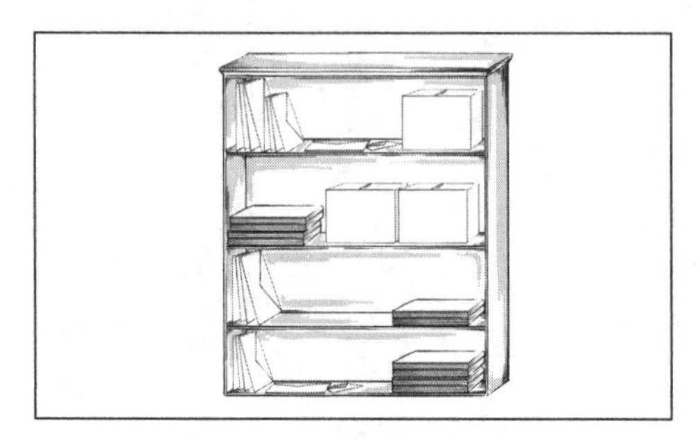

C'est une étagère.

C'est un téléphone.

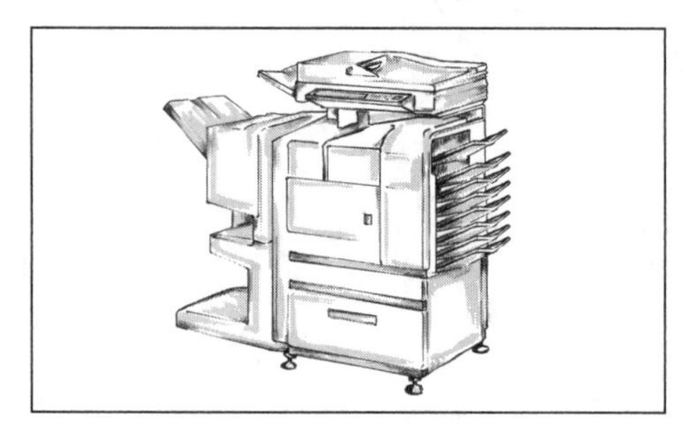

C'est un copieur
ou un photocopieur.

C'est un télécopieur.

L'ORDINATEUR ET SES PÉRIPHÉRIQUES

Qu'est-ce que c'est ?

C'est un ordinateur.

C'est un écran.

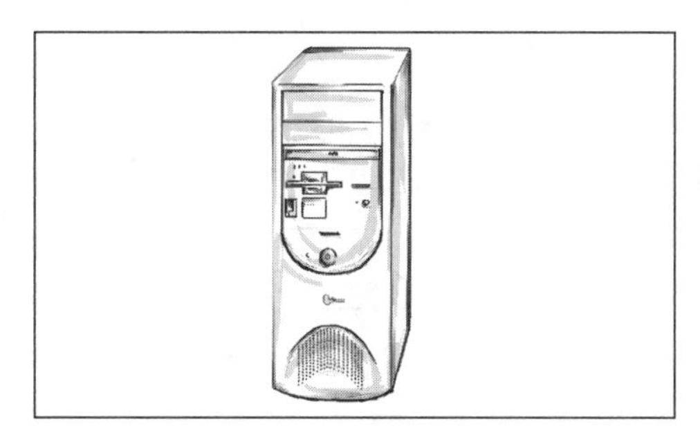

C'est une unité centrale.

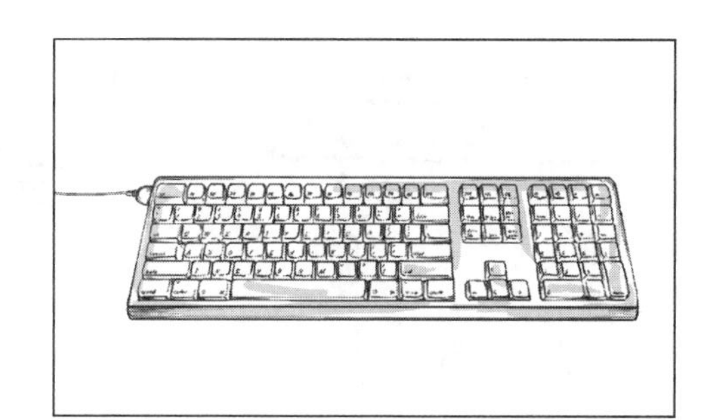

C'est un clavier.

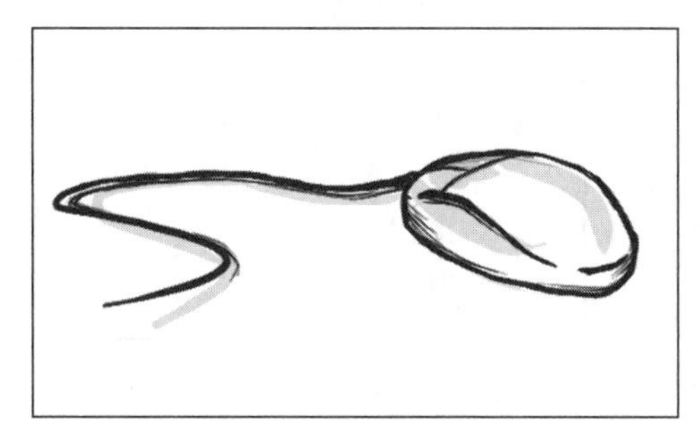

C'est une souris.

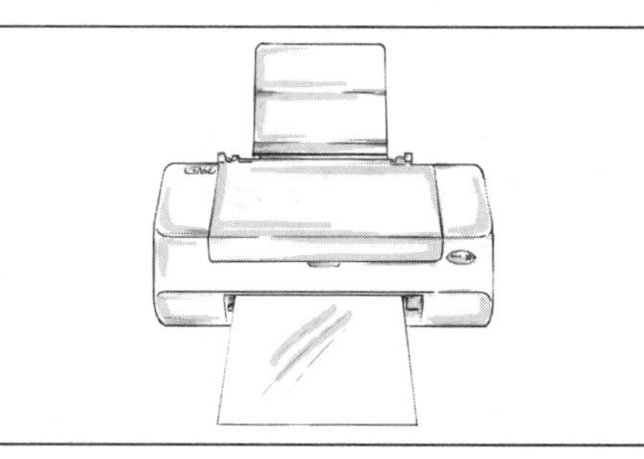

C'est une imprimante.

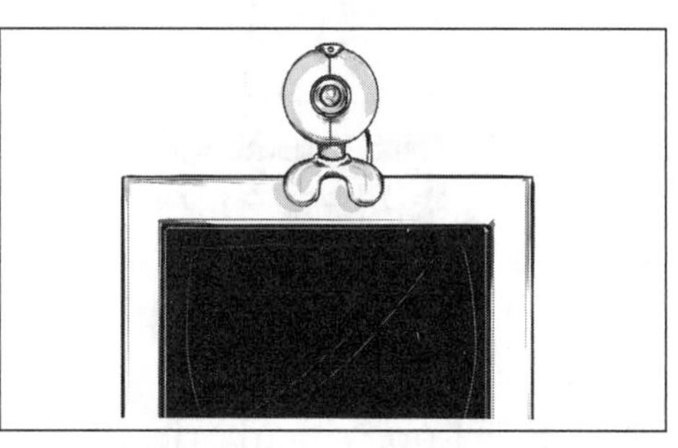

C'est une caméra vidéo.

QU'EST-CE QUE C'EST ?

C'est un stylo.

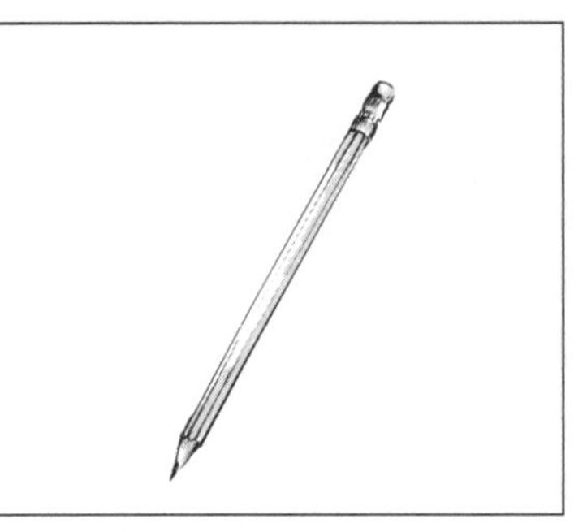

C'est un crayon à mine.

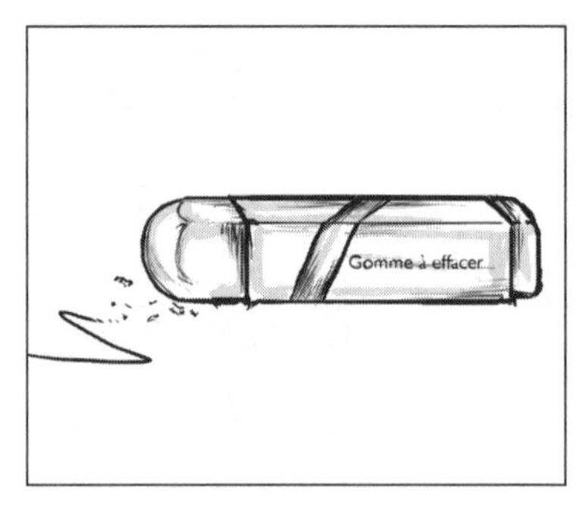

C'est une gomme à effacer.

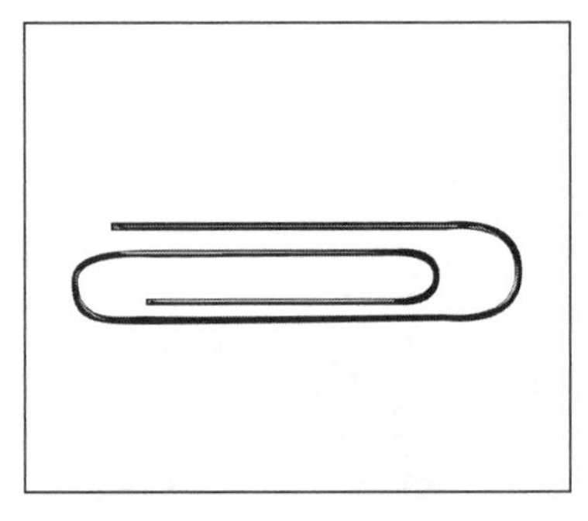

C'est un trombone.

C'est un pince-notes.

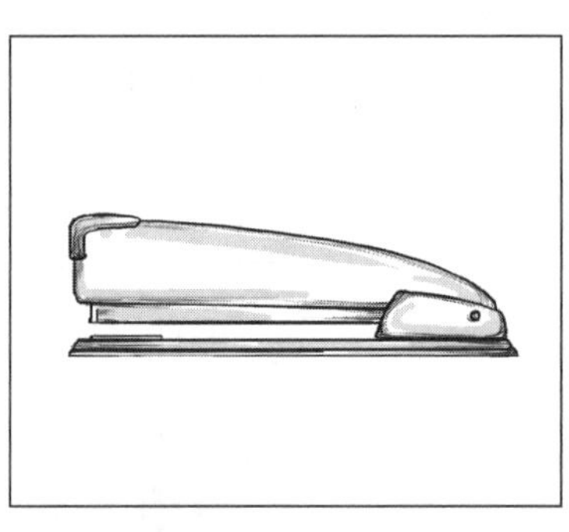

C'est une agrafeuse.

Ce sont des ciseaux.

C'est du ruban adhésif.

C'est un porte-crayons.

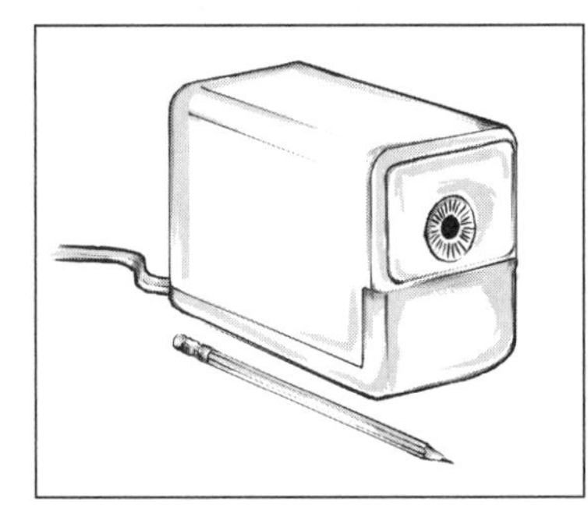

C'est un taille-crayon.

C'est une calculatrice.

C'est une corbeille
(à déchets).

QU'EST-CE QUE C'EST ?

C'est du papier.

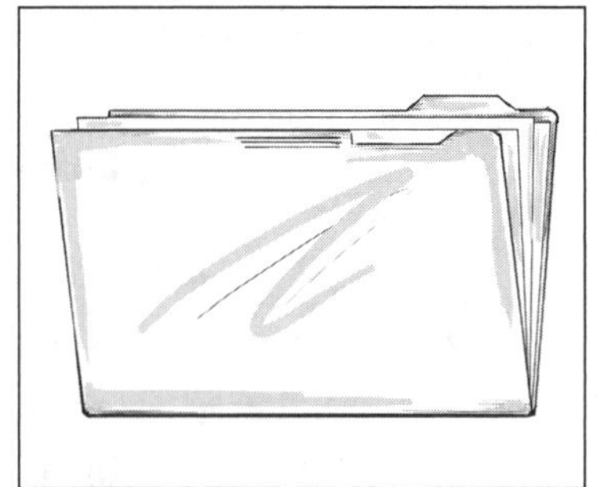

C'est une chemise.

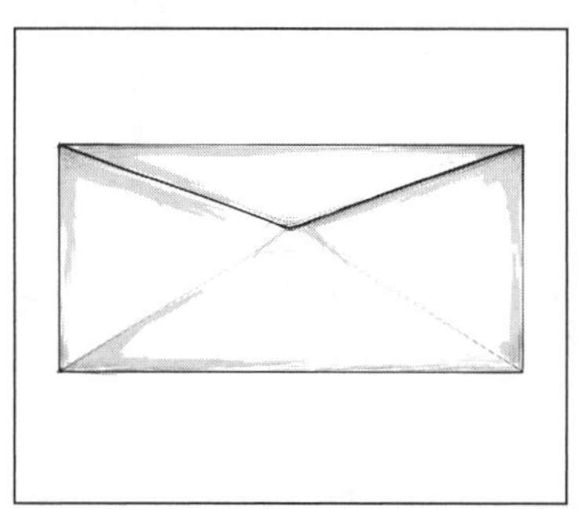

C'est une enveloppe.

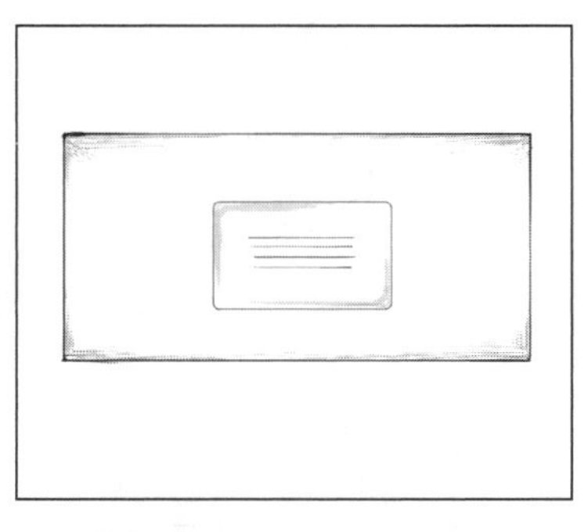

C'est une étiquette.

C'est une déchiqueteuse.

C'est un porte-documents.

EXERCICE 1 Écrivez le déterminant indéfini **un** ou **une.**

1. _________ classeur
2. _________ porte-crayons
3. _________ chaise
4. _________ trombone
5. _________ stylo
6. _________ caméra vidéo
7. _________ souris
8. _________ écran
9. _________ gomme à effacer
10. _________ lampe
11. _________ calculatrice
12. _________ déchiqueteuse
13. _________ photocopieur
14. _________ agrafeuse
15. _________ porte-documents
16. _________ crayon

OBSERVEZ

— Qu'est-ce que c'est?
— C'est un crayon.
↑ ↓
singulier

— Qu'est-ce que c'est?
— C'est une enveloppe.
↑ ↓
singulier

— Qu'est-ce que c'est?
— Ce sont des crayons.
↑ ↓
pluriel

— Qu'est-ce que c'est?
— Ce sont des enveloppes.
↑ ↓
pluriel

EXERCICE 2 Répondez aux questions.

Exemple: Qu'est-ce que c'est?
(une enveloppe) C'est une enveloppe.

Qu'est-ce que c'est?

1. (un crayon) ____________________
2. (des stylos) ____________________
3. (des trombones) ____________________
4. (des ciseaux) ____________________
5. (une agrafeuse) ____________________
6. (un photocopieur) ____________________
7. (des étiquettes) ____________________
8. (un porte-documents) ____________________
9. (une calculatrice) ____________________
10. (un classeur) ____________________

EXERCICE 3 Passer une commande.

Vous devez commander des articles de bureau. Vous faites votre commande par téléphone. Imaginez une conversation téléphonique entre le commis ou la commise et vous.

Vous devez préciser:
- la quantité,
- l'article,
- le numéro de l'article.

Le commis ou la commise doit:
- répéter la commande;
- donner le prix total de la commande;
- préciser la date de livraison.

Articles à acheter
- 2 boîtes de trombones, article n° 45856
- 6 boîtes d'agrafes, article n° 77862
- 1 boîte de papier, article n° 92940
- 4 boîtes de stylos, article n° 4882

La conversation

____

____

____

____

____

____

____

____

____

____

____

____

____

La question et la réponse

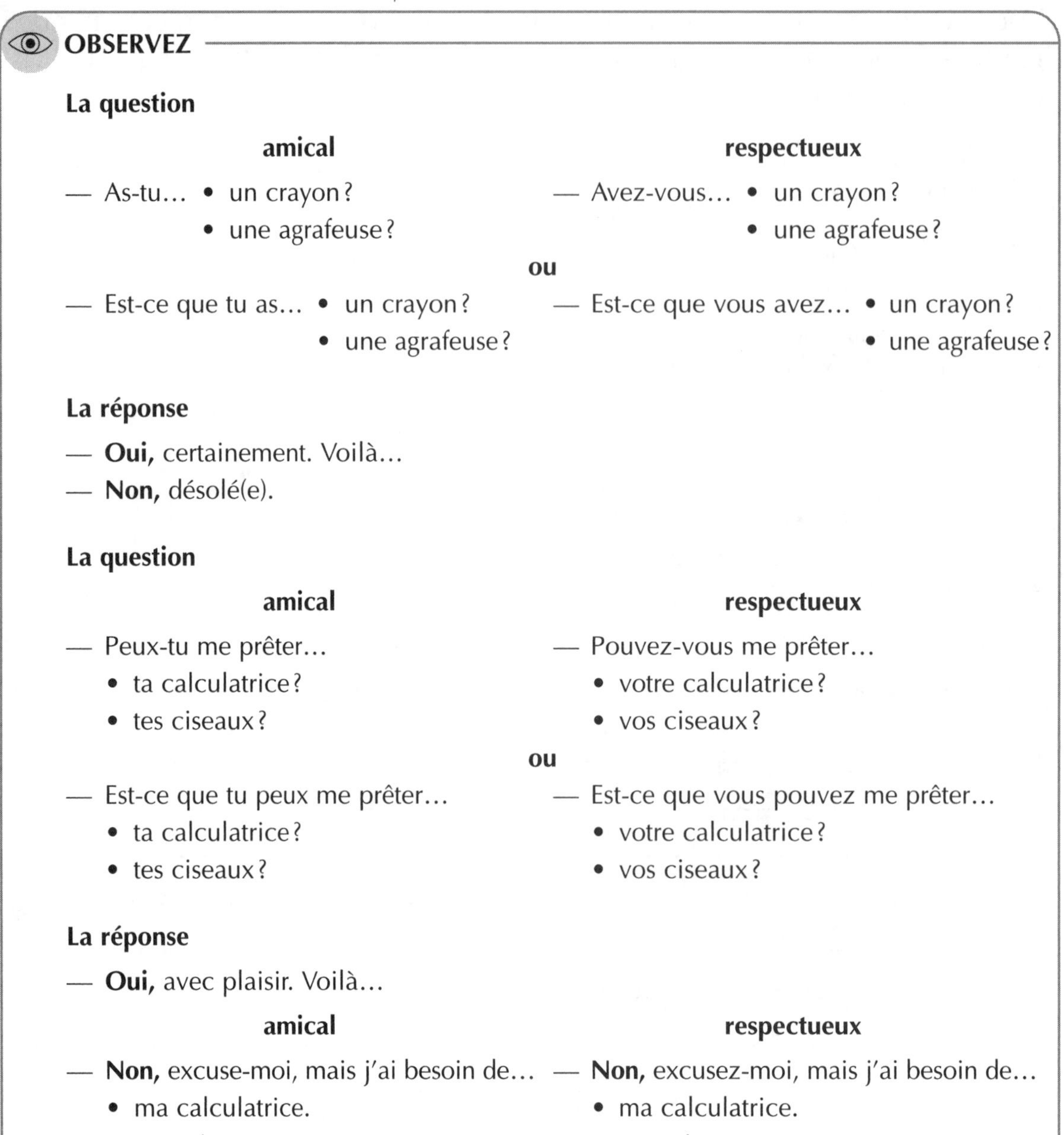

OBSERVEZ

La question

amical

— As-tu... • un crayon?
• une agrafeuse?

— Est-ce que tu as... • un crayon?
• une agrafeuse?

ou

respectueux

— Avez-vous... • un crayon?
• une agrafeuse?

— Est-ce que vous avez... • un crayon?
• une agrafeuse?

La réponse

— **Oui,** certainement. Voilà...
— **Non,** désolé(e).

La question

amical

— Peux-tu me prêter...
- ta calculatrice?
- tes ciseaux?

— Est-ce que tu peux me prêter...
- ta calculatrice?
- tes ciseaux?

ou

respectueux

— Pouvez-vous me prêter...
- votre calculatrice?
- vos ciseaux?

— Est-ce que vous pouvez me prêter...
- votre calculatrice?
- vos ciseaux?

La réponse

— **Oui,** avec plaisir. Voilà...

amical

— **Non,** excuse-moi, mais j'ai besoin de...
- ma calculatrice.
- mes ciseaux.

respectueux

— **Non,** excusez-moi, mais j'ai besoin de...
- ma calculatrice.
- mes ciseaux.

EXERCICE 4 Répondez aux questions.

Exemple : As-tu besoin de tes ciseaux ?
Oui, j'ai besoin de mes ciseaux.

1. As-tu besoin de ton stylo ?
   Oui, j' ______________________________.
2. A-t-elle besoin de son agrafeuse ?
   Non, ______________________________.
3. Ont-ils besoin de l'imprimante ?
   Oui, ______________________________.
4. Avons-nous besoin d'enveloppes ?
   Oui, ______________________________.
5. Avez-vous besoin de la déchiqueteuse ?
   Non, ______________________________.

OBSERVEZ

— As-tu un crayon ?
— Oui, j'ai un crayon. **ou** Oui, j'**en** ai un.
— Non, je n'ai pas de crayon. **ou** Non, je n'**en** ai pas.

— As-tu une agrafeuse ?
— Oui, j'ai une agrafeuse. **ou** Oui, j'**en** ai une.
— Non, je n'ai pas d'agrafeuse. **ou** Non, je n'**en** ai pas.

— As-tu du papier ?
— Oui, j'ai du papier. **ou** Oui, j'**en** ai.
— Non, je n'ai pas de papier. **ou** Non, je n'**en** ai pas.

— As-tu des trombones ?
— Oui, j'ai des trombones. **ou** Oui, j'**en** ai.
— Non, je n'ai pas de trombone. **ou** Non, je n'**en** ai pas.

Le pronom complément **en** peut remplacer un nom précédé d'un déterminant **indéfini.**

La place du pronom complément **en** dans une phrase avec un verbe au présent :

- **phrase affirmative**
  sujet + **en** + verbe
- **phrase négative**
  sujet + ne + **en** + verbe + pas

Le pronom complément en

Voir les Références grammaticales, pages 266 à 268.

EXERCICE 5 Répondez aux questions en utilisant le pronom complément **en.**

1. Est-ce que tu as un ordinateur?
   Oui, ____________________.
2. Est-ce que vous avez une déchiqueteuse?
   Oui, nous ____________________.
3. Est-ce qu'il a une calculatrice?
   Oui, ____________________.
4. Est-ce qu'elle a des enveloppes?
   Oui, ____________________.
5. Est-ce qu'elle écrit une lettre?
   Oui, ____________________.
6. Est-ce qu'elle fait des photocopies?
   Oui, ____________________.

EXERCICE 6 Répondez aux questions en utilisant le pronom complément **en.**

1. Est-ce que vous avez un télécopieur?
   Non, nous ____________________.
2. Est-ce que tu as des étiquettes?
   Non, ____________________.
3. Est-ce qu'elle a un téléphone cellulaire?
   Non, ____________________.
4. Est-ce que vous avez une gomme à effacer?
   Non, je ____________________.

5. Est-ce que tu as un stylo?

   Non, ______________________________.

6. Est-ce que vous voulez du papier?

   Non, nous ______________________________.

La question avec **où**

Où est...
- l'agrafeuse?
- le dossier?
- la calculatrice?
- le papier?
- mon crayon?
- mon porte-documents?
- ma gomme à effacer?

Où sont...
- les enveloppes?
- les trombones?
- les chemises?
- les dossiers?
- mes stylos?

Où est l'agrafeuse?

Elle est **sur** le bureau.

Où est mon crayon?

Il est **dans** le porte-crayons.

Où est le porte-documents?

Il est **entre** l'agrafeuse et le porte-crayons.

Où est la corbeille à déchets?

Elle est **sous** le bureau.

EXERCICE 7 Répondez aux questions en utilisant les prépositions **sur, sous, entre** ou **dans.**

Où est le crayon ?

1. ______________________________

____

2. ______________________________

____

3. ______________________________

____

4. ______________________________

____

Où sont les enveloppes ?

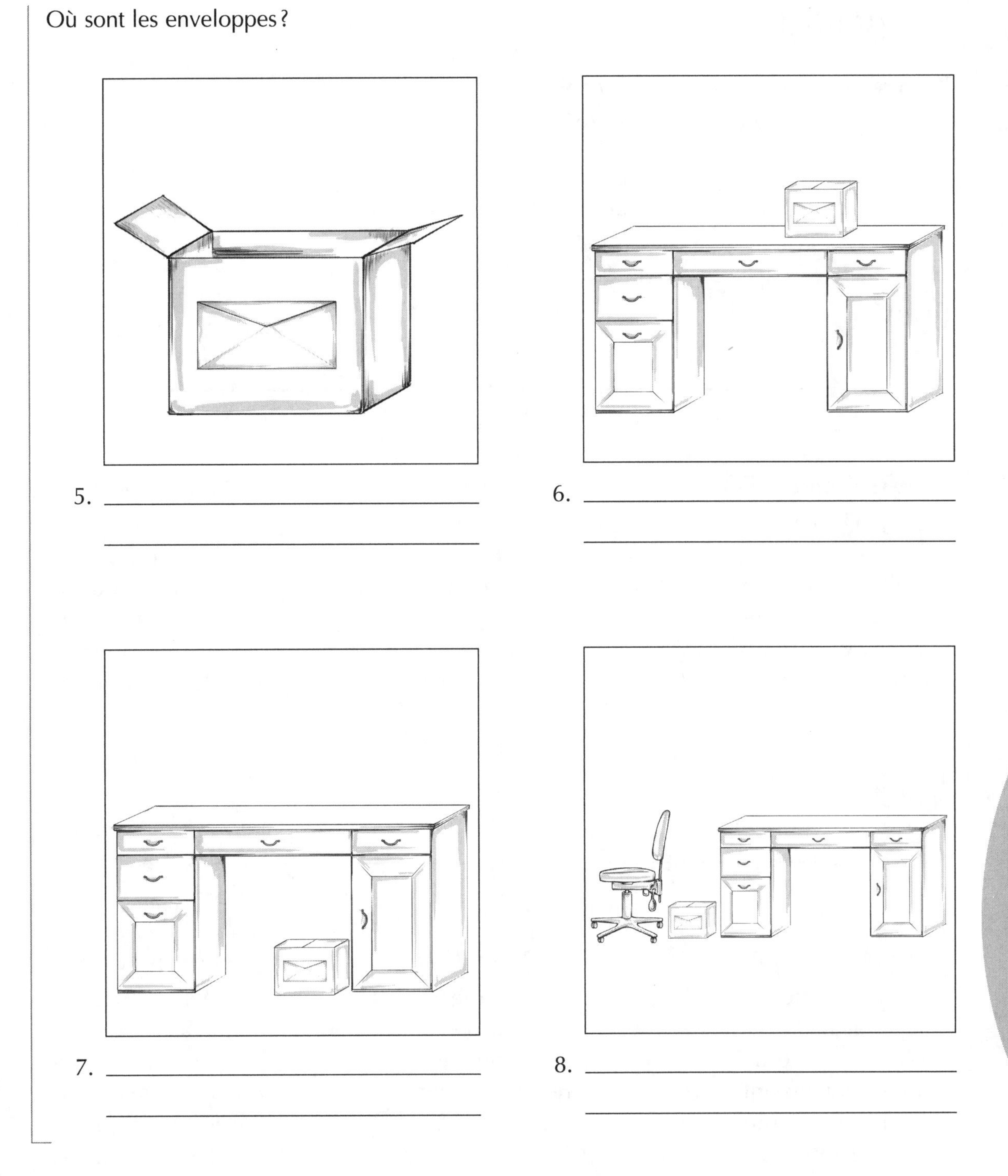

5. ______________________________

6. ______________________________

7. ______________________________

8. ______________________________

AU BUREAU...

J'ouvre et je ferme...

- des tiroirs
- des portes
- des fenêtres
- l'ordinateur
- le projecteur

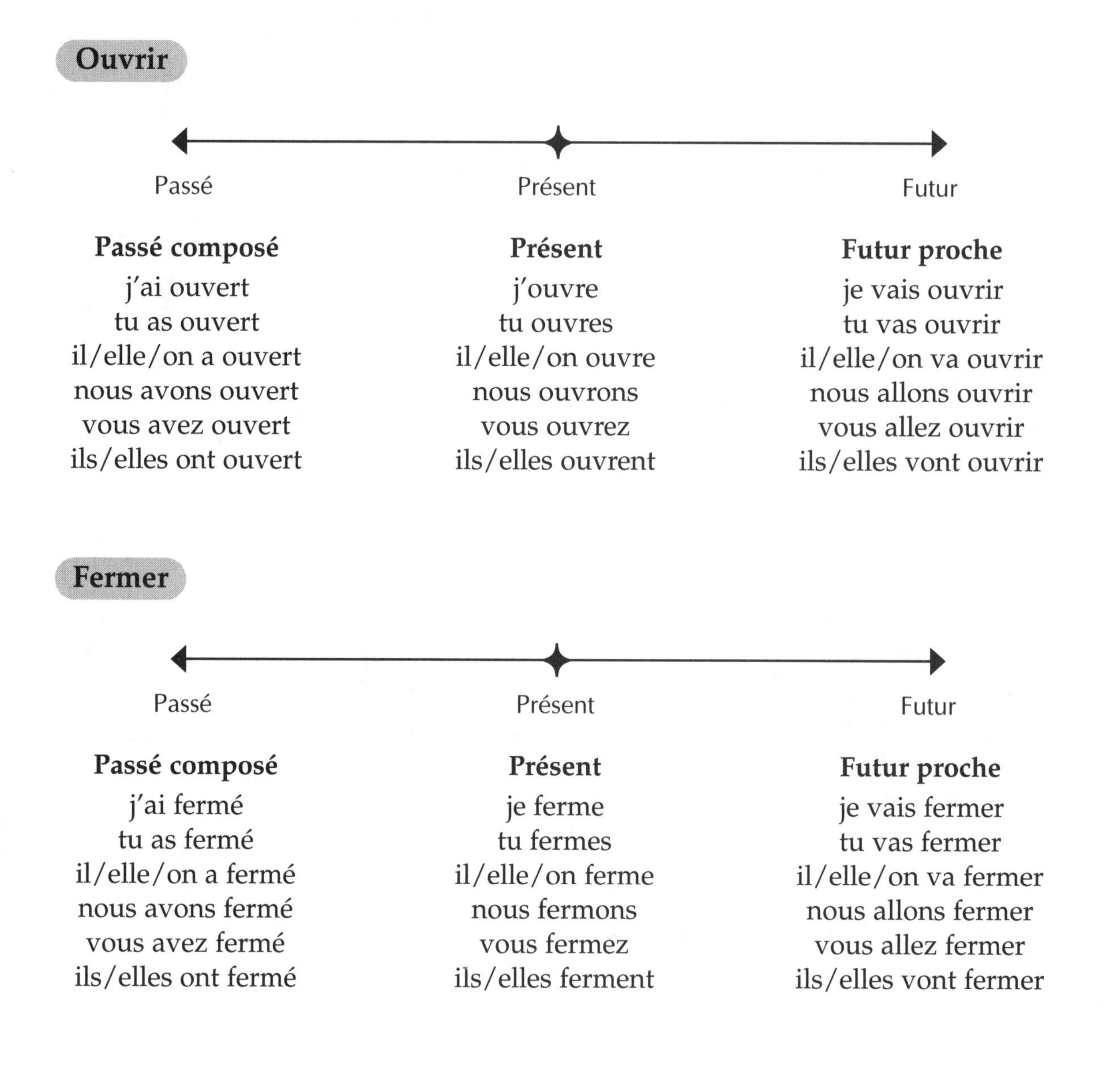

Ouvrir

Passé — Présent — Futur

Passé composé	Présent	Futur proche
j'ai ouvert	j'ouvre	je vais ouvrir
tu as ouvert	tu ouvres	tu vas ouvrir
il/elle/on a ouvert	il/elle/on ouvre	il/elle/on va ouvrir
nous avons ouvert	nous ouvrons	nous allons ouvrir
vous avez ouvert	vous ouvrez	vous allez ouvrir
ils/elles ont ouvert	ils/elles ouvrent	ils/elles vont ouvrir

Fermer

Passé — Présent — Futur

Passé composé	Présent	Futur proche
j'ai fermé	je ferme	je vais fermer
tu as fermé	tu fermes	tu vas fermer
il/elle/on a fermé	il/elle/on ferme	il/elle/on va fermer
nous avons fermé	nous fermons	nous allons fermer
vous avez fermé	vous fermez	vous allez fermer
ils/elles ont fermé	ils/elles ferment	ils/elles vont fermer

Pourquoi l'imprimante ne fonctionne-t-elle pas ?*

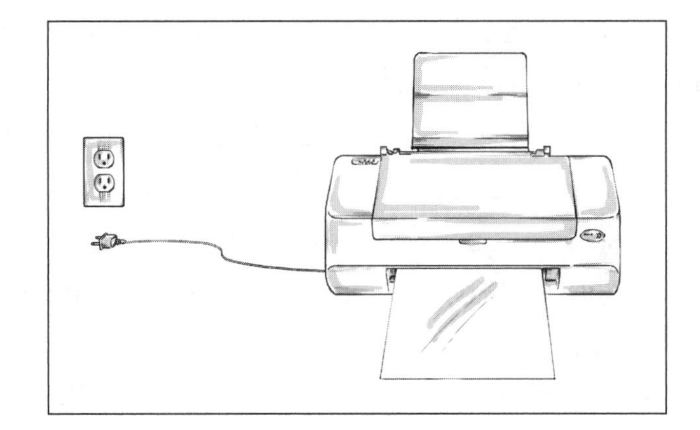

Parce que le cordon d'alimentation n'est pas branché.
Il est débranché.

Où branche-t-on le cordon d'alimentation ?

On branche le cordon d'alimentation sur une prise de courant.

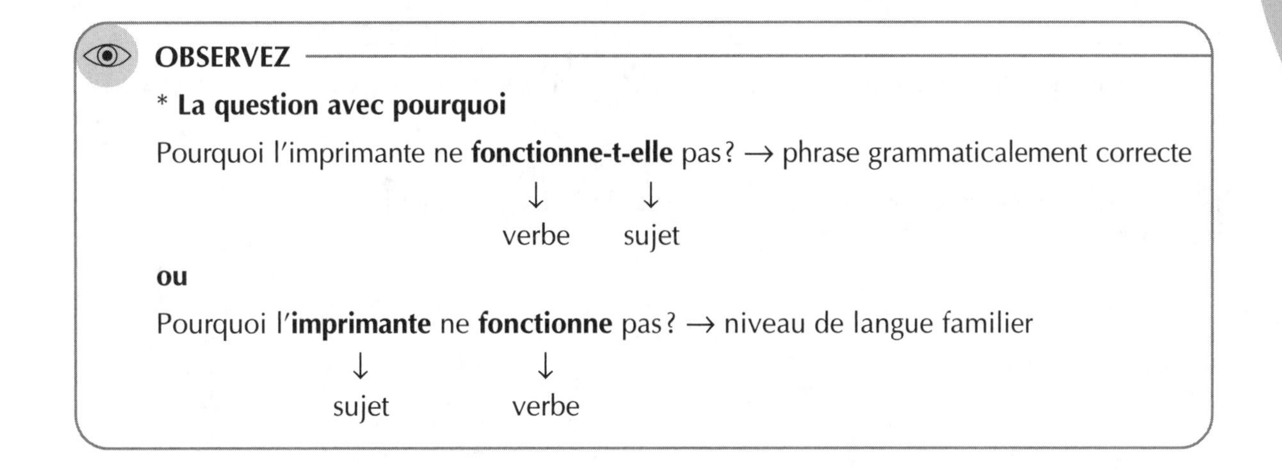

OBSERVEZ

*** La question avec pourquoi**

Pourquoi l'imprimante ne **fonctionne-t-elle** pas? → phrase grammaticalement correcte

(fonctionne ↓ verbe ; elle ↓ sujet)

ou

Pourquoi l'**imprimante** ne **fonctionne** pas? → niveau de langue familier

(imprimante ↓ sujet ; fonctionne ↓ verbe)

EXERCICE 8 Conjuguez les verbes.

1. Il (avoir besoin de / prés.) ______________________ papier pour le photocopieur.
2. (Brancher / passé comp.) Est-ce que tu ______________________ la lampe ?
3. Ce soir, elle (fermer / fut. proche) ______________________ le bureau.
4. Nous (ouvrir / passé comp.) ______________________ la porte.
5. Ils (débrancher / prés.) ______________________ le télécopieur.
6. Je (avoir besoin de / fut. proche) ______________________ chemises.
7. Vous (ouvrir / prés.) ______________________ le tiroir du classeur.
8. Est-ce qu'elle (fermer / passé comp.) ______________________ la porte ?
9. Il n'(débrancher / passé comp.) ________ pas ______________________ l'ordinateur.
10. Elle (avoir besoin de / prés.) ______________________ enveloppes.
11. Je (fermer / fut. proche) ______________________ l'ordinateur.
12. Il (ouvrir / passé comp.) ______________________ la fenêtre.

EXERCICE 9 Écrivez des questions en utilisant **pourquoi.**

1. ____

   J'ai mis le papier sur une tablette de l'étagère parce que je n'en ai pas besoin maintenant.

2. ____

   M. Martel a annulé son rendez-vous parce qu'il doit aller chez le dentiste.

3. ____

   Je dois partir à 4 h parce que j'ai un rendez-vous chez l'optométriste.

4. ____

   Elle n'a pas lu la documentation parce qu'elle n'a pas eu le temps.

5. ____

   Il a appelé parce qu'il a besoin de notre numéro de télécopieur.

EXERCICE 10 Lisez attentivement.

Les tâches au bureau

Je m'appelle Anne-Marie Lemire et je suis préposée à la clientèle pour une compagnie d'assurances. Je travaille du lundi au vendredi. J'arrive au bureau à 8 h et je pars du bureau à 5 h. Parfois, je dois faire des heures supplémentaires parce que j'ai beaucoup de travail.

Voici quelques tâches que je dois faire :

- Je dois faire des appels.
- Je dois écouter les messages dans ma boîte vocale.
- Je dois répondre au téléphone.
- Je dois écouter les clients.
- Je dois réfléchir et trouver des solutions pour aider les clients.
- Je dois lire mon courrier électronique **ou** mes courriels.
- Je dois taper des lettres à l'ordinateur.
- Je dois remplir des formulaires.
- Je dois classer des dossiers.
- Je dois faire des photocopies.
- Je dois envoyer des documents par télécopieur.

Ma superviseure, Mme Dupré, est très aimable. Elle est dynamique et elle est toujours de bonne humeur. Je travaille dans ce bureau depuis quatre ans. Je dois travailler très fort, mais j'aime beaucoup mon emploi. Je parle avec la clientèle et j'ai de très bons collègues de travail. J'aime l'atmosphère de mon bureau.

Répondez aux questions sur le texte.

1. Anne-Marie travaille-t-elle à temps plein ou à temps partiel ?

___

2. Anne-Marie dit qu'elle doit faire des heures supplémentaires. Qu'est-ce que cela veut dire ?

___

3. D'après le texte, combien d'appareils Anne-Marie utilise-t-elle dans son travail ?

___

4. Selon Anne-Marie, quelles sont les qualités de sa superviseure ?

___

5. Selon vous, qu'est-ce qu'une bonne atmosphère de bureau ?

___

OBSERVEZ

Présent de l'indicatif

Réfléchir		Remplir
Je **réfléchi**s Tu **réfléchi**s Il / elle / on **réfléchi**t	Radical court	Je **rempli**s Tu **rempli**s Il / elle / on **rempli**t
Nous **réfléchiss**ons Vous **réfléchiss**ez Ils / elles **réfléchiss**ent	Radical long	Nous **rempliss**ons Vous **rempliss**ez Ils / elles **rempliss**ent

La plupart des verbes ont un **radical court** au singulier **et** au pluriel.

Certains verbes, dont les verbes du 2e groupe, ont un **radical court** au **singulier** et un **radical long** au **pluriel.**

Pour d'autres verbes du 2e goupe et du 3e groupe

Voir les Références grammaticales, pages 273 à 288.

EXERCICE 11 Conjuguez le verbe au présent, aux personnes demandées. Cochez la case appropriée.

	radical court	radical long
1. parler		
je ______________________	☐	☐
nous ______________________	☐	☐
2. finir		
je ______________________	☐	☐
nous ______________________	☐	☐
3. téléphoner		
je ______________________	☐	☐
nous ______________________	☐	☐
4. bâtir		
je ______________________	☐	☐
nous ______________________	☐	☐

		radical court	radical long
5. courir			
je	______________________	☐	☐
nous	______________________	☐	☐
6. connaître			
je	______________________	☐	☐
nous	______________________	☐	☐

EXERCICE 12 Répondez aux questions.

Exemple : — Qu'est-ce que tu as fait ?
(faire des appels) — J'ai fait des appels.

1. Qu'est-ce qu'elle fait ?
   (classer des dossiers) ______________________
2. Qu'est-ce que vous faites ?
   (réfléchir) Nous ______________________
3. Qu'est-ce qu'il a fait ?
   (parler à un client) ______________________
4. Qu'est-ce que tu vas faire ?
   (lire mes courriels) ______________________
5. Qu'est-ce qu'elle a fait ?
   (répondre au téléphone) Elle ______________________
6. Qu'est-ce que vous allez faire ?
   (envoyer une télécopie) Nous ______________________
7. Qu'est-ce que tu as fait ?
   (faire des photocopies) ______________________
8. Qu'est-ce qu'ils font ?
   (remplir un formulaire) ______________________

EXERCICE 13 Répondez aux questions comme dans l'exemple ci-dessous.

Exemple : — Peux-tu répondre au téléphone ?
(faire des photocopies) — Non, je ne peux pas. Je dois faire des photocopies.

1. Peux-tu envoyer une télécopie ?
   (écrire une lettre) ________________
2. Est-ce qu'elle peut classer les dossiers ?
   (répondre au téléphone) ________________
3. Est-ce que nous pouvons faire une réunion vendredi matin ?
   (préparer un document) ________________
4. As-tu appelé le client ?
   (lire les courriels) ________________
5. Est-ce que vous pouvez répondre au téléphone ?
   (rencontrer un client) ________________

Le téléphone

EXERCICE 14 Trouvez le nom approprié dans la liste à la page 199.

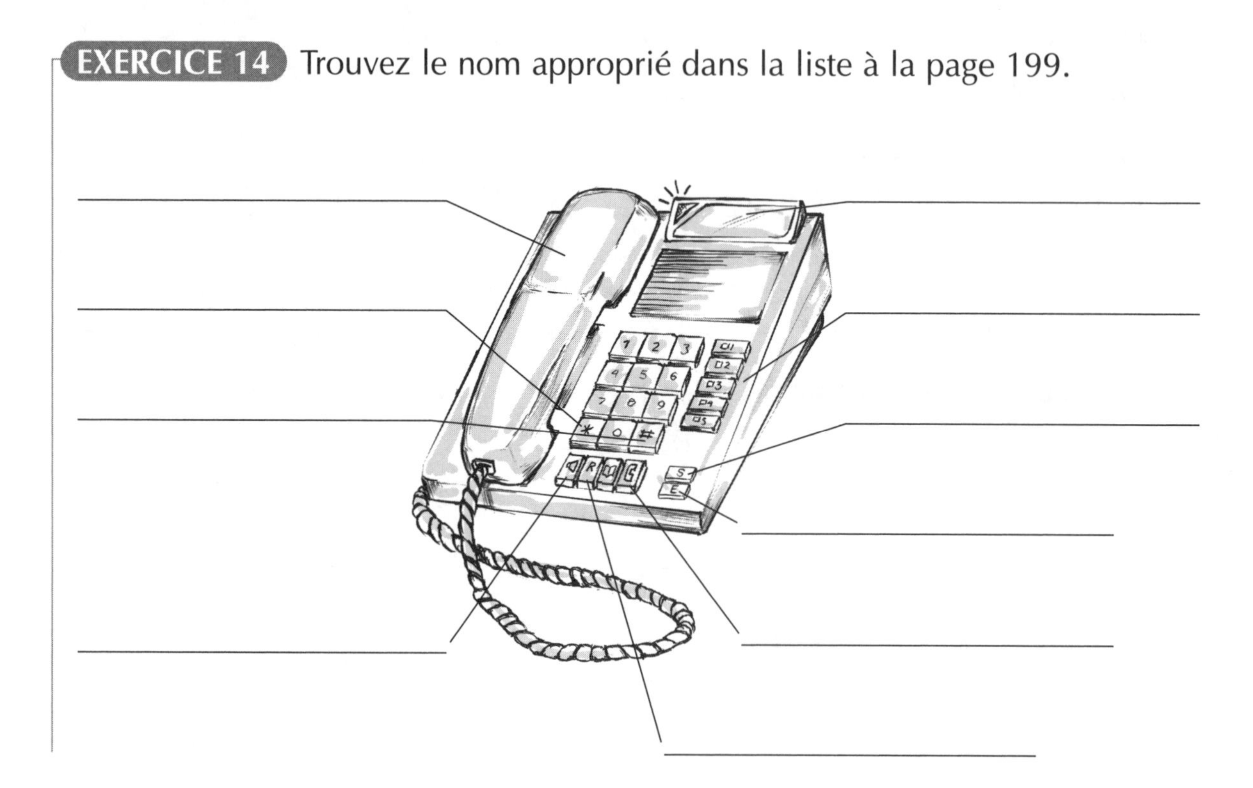

- le combiné
- le voyant clignotant pour les messages dans la boîte vocale
- la touche de mise en attente
- la touche de recomposition automatique
- les touches de composition abrégée
- la touche de sauvegarde du message
- la touche pour effacer le message
- la touche de réglage du volume
- l'afficheur
- l'étoile
- le dièse **ou** le carré

EXERCICE 15 Trouvez une réplique appropriée dans la liste ci-dessous.

Les répliques suggérées

— Vous avez un appel. Pouvez-vous répondre?

— Votre nom (exemple: Nancy Legrand) ou le nom de l'entreprise (exemple: Deslaurier et associés)

— Pouvez-vous épeler votre nom, s'il vous plaît?

— (Monsieur X, Madame Y), excusez-moi de vous avoir fait attendre.

— Oui, certainement. Un instant, s'il vous plaît.

— Bonjour, c'est (votre nom). S'il vous plaît, rappelez-moi au (votre numéro de téléphone), poste (votre numéro de poste). Merci.

— Pouvez-vous patienter un instant?

Au bureau

Qu'est-ce que vous pouvez dire dans les circonstances suivantes?

a) Le téléphone sonne à votre bureau. Qu'est-ce que vous pouvez répondre?

____

b) Le téléphone sonne. L'interlocuteur veut parler à un de vos collègues.

____

c) Vous êtes au téléphone. Vous avez un autre appel. Que pouvez-vous dire à la personne qui est en ligne?

____

d) Vous répondez au téléphone. La personne veut parler à un collègue. Que pouvez-vous dire à ce collègue?

____

e) Vous téléphonez à un bureau. Vous devez laisser un message à une personne dans sa boîte vocale. Vous voulez que la personne rappelle à votre bureau.

___

f) Vous répondez au téléphone. La personne veut laisser un message. Quand elle dit son nom, vous ne savez pas comment écrire son nom.

___

g) Vous parlez au téléphone. Vous devez demander à l'interlocuteur de patienter quelques secondes. Quand vous reparlez au premier interlocuteur, que pouvez-vous dire ?

___

La lettre

Le 12 mars 2010	Le mois est un nom commun. → **minuscule** **Ne pas** mettre de virgule entre le mois et l'année.
Madame Louise Doris	Madame ou Monsieur au complet (pas d'abréviation)
Directrice	le titre de fonction (pas d'abréviation)
Collège Émeraude	le nom de l'entreprise ou de l'établissement
320, avenue Lanthier Ouest	le numéro civique, la rue (l'avenue, le boulevard, etc.) et le point cardinal (Est, Ouest, Nord ou Sud)
Bureau 300	le bureau (Le mot **suite** est un **anglicisme.**)
Saint-Damien (Québec)	la ville, et la province entre parenthèses
H3Y 9M6	le code postal
Objet: Offre de service	souligné ou en caractères gras
Madame,	Madame ou Monsieur suivi d'une virgule
Pour faire suite à votre appel de service, vous trouverez ci-joint de l'information sur notre entreprise. Nous desservons des écoles depuis 20 ans et notre clientèle est très satisfaite.	
Je vous prie de recevoir mes salutations distinguées.	formule de salutation
Sonia Labranche	nom
Représentante commerciale	titre
Pièce jointe: Information sur Les services alimentaires Gourmandise	

EXERCICE 16 Vous voulez envoyer de la documentation à une entreprise. Écrivez une courte lettre de présentation. Suivez le modèle de lettre présenté à la page 200. Le contenu de votre lettre doit être différent.

Quelques métiers et professions

Des personnes qui travaillent dans un bureau.

un…	**une…**
courtier d'assurance	courtière d'assurance
acheteur	acheteuse
conseiller juridique	conseillère juridique
comptable	comptable
notaire	notaire

Vos suggestions

______________________	______________________
______________________	______________________
______________________	______________________
______________________	______________________
______________________	______________________

EXERCICE 17 Vous êtes au bureau. Vous avez un petit problème technique. Vous parlez à un collègue. Complétez les phrases avec des idées réalistes.

a) Je ne sais pas où… ______________________

b) Je ne sais pas quand… ______________________

c) Je ne sais pas comment… ______________________

d) Je ne sais pas pourquoi… ______________________

EXERCICE 18 Lisez attentivement.

Quand tout va mal!

Il est 8 h 30. M. Legault, le directeur, arrive au bureau. Il est très fatigué. Il demande à la secrétaire administrative, Mme Beaumont: « Madame Beaumont, avez-vous fait les photocopies pour la présidente, Mme Delorme? »

La secrétaire. — Non, Monsieur.

Le directeur. — Ah non? Pourquoi?

La secrétaire. — Parce que le photocopieur ne fonctionne pas.

Le directeur. — Bon! Avez-vous télécopié la lettre à madame Duvernay?

La secrétaire. — Non, Monsieur.

Le directeur. — Et pourquoi?

La secrétaire. — Parce que le télécopieur ne fonctionne pas.

Le directeur. — Mais tout va mal, ce matin! Écoutez, Madame Beaumont, j'ai un client qui va arriver bientôt. Pouvez-vous taper cette lettre, s'il vous plaît?

La secrétaire. — Non, Monsieur.

Le directeur. — Mais pourquoi?

La secrétaire. — Parce que l'ordinateur ne fonctionne pas.

Le directeur. (très fâché) — Est-ce que le téléphone fonctionne?

La secrétaire. — L'afficheur ne fonctionne pas, mais la ligne fonctionne.

Le directeur. — Bon! Enfin une chose qui fonctionne! Pouvez-vous appeler immédiatement un réparateur pour le photocopieur, le télécopieur, l'ordinateur et l'afficheur du téléphone?

La secrétaire. — C'est inutile, Monsieur.

Le directeur. — Pardon?

La secrétaire. — C'est inutile, Monsieur.

Le directeur. — Pourquoi dites-vous que c'est inutile?

La secrétaire. — Parce qu'il y a une panne d'électricité, Monsieur.

Répondez aux questions sur le texte.

1. Quel est le nom du directeur ?

   ____

2. À quelle heure arrive-t-il au bureau ?

   ____

3. Comment est-il ?

   ____

4. Qui est Mme Beaumont ?

   ____

5. Quel est l'appareil qui fait des photocopies ?

   ____

6. Quel est l'appareil qui envoie des télécopies ?

   ____

7. Qui va arriver bientôt au bureau ?

   ____

8. Dans l'histoire, quel est l'appareil qui fonctionne ?

   ____

9. Le directeur veut que Mme Beaumont appelle un…

   ____

10. Pourquoi les appareils électriques ne fonctionnent-ils pas ?

    ____

AUTOÉVALUATION

	Réponses possibles			
	1 Très bien	2 Bien	3 Pas assez	4 Pas du tout
VOCABULAIRE				
Je connais des articles de bureau.				
Je connais les principaux périphériques d'un ordinateur.				
Je connais les principales touches et fonctions d'un clavier téléphonique.				
ÉLÉMENTS À L'ÉTUDE DANS LE THÈME				
Je connais la question **qu'est-ce que c'est?.**				
Je comprends la différence entre **c'est** et **ce sont.**				
Je comprends le **vous** de politesse.				
Je peux poser des questions avec **où** et **pourquoi.**				
Je connais les prépositions **sur, dans, sous** et **entre.**				
Je peux utiliser le pronom **en.**				
Je sais que certains verbes ont un radical court au singulier et un radical long au pluriel.				
PARTICIPATION				
J'ai participé aux activités de communication orale.				
J'ai fait les exercices écrits.				
Je mémorise des phrases et des répliques que je peux utiliser dans la vie quotidienne.				
Je ne cherche pas à comprendre tous les mots quand je lis. Je cherche à comprendre le sens.				
Je ne fais pas de traduction. Je comprends que le français ne fonctionne pas exactement comme ma langue maternelle.				
Je suis satisfait ou satisfaite de mes progrès.				

THÈME

LES VOYAGES

Vocabulaire à l'étude

- les lieux de vacances
- les continents
- des pays et des villes du monde
- des nationalités
- des noms de langues
- des unités monétaires
- les provinces et les territoires du Canada
- le contenu d'une valise
- les documents importants à l'étranger

Éléments grammaticaux

- **ne… pas** avec un verbe suivi d'un infinitif
- les prépositions de lieu **au, en** et **à**
- les noms et les adjectifs de nationalités
- le pronom **y** à la forme affirmative et à la forme négative au présent
- **il y a, dans, pendant, depuis**

Verbes

- les verbes suivis d'un infinitif:
  vouloir, aimer, préférer
- des verbes du 1er groupe au présent, au passé composé et au futur proche
- des verbes qui se conjuguent avec **être** au passé composé:
  partir, aller
- des verbes du 3e groupe au présent, au passé composé et au futur proche:
  faire, mettre

Situations de communication ciblées

- informer sur ses préférences (pour des lieux de vacances)
- informer sur ses déplacements (pour le plaisir et pour le travail)
- faire une demande de documents officiels

VOYAGER

Marc. — Je veux partir en voyage !
Daniel. — Où veux-tu aller ?
Marc. — Je ne sais pas. J'aime tous les voyages.

J'aime aller au bord de la mer.

J'aime aller à la montagne.

J'aime aller dans les grandes villes.

J'aime aller à la campagne.

Daniel. — Tu es un grand voyageur !
Marc. — Oui ! J'aime beaucoup voyager ! Et toi ?
Daniel. — Moi ? Je n'aime pas beaucoup voyager. Je préfère rester à la maison.

Vouloir, Aimer, Préférer + infinitif

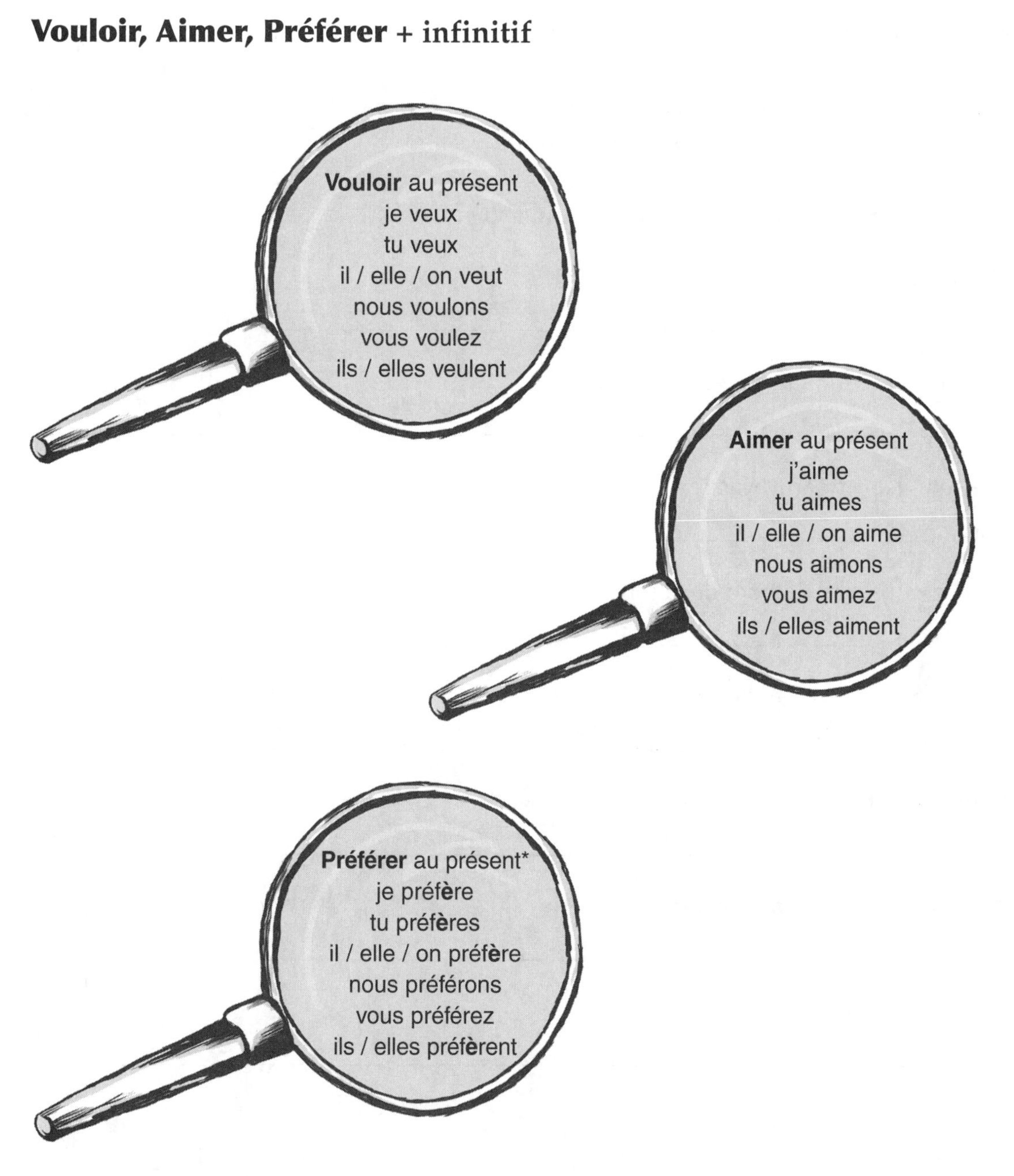

* Au présent, quand la désinence est muette → on change le **é** qui précède pour le **è.**

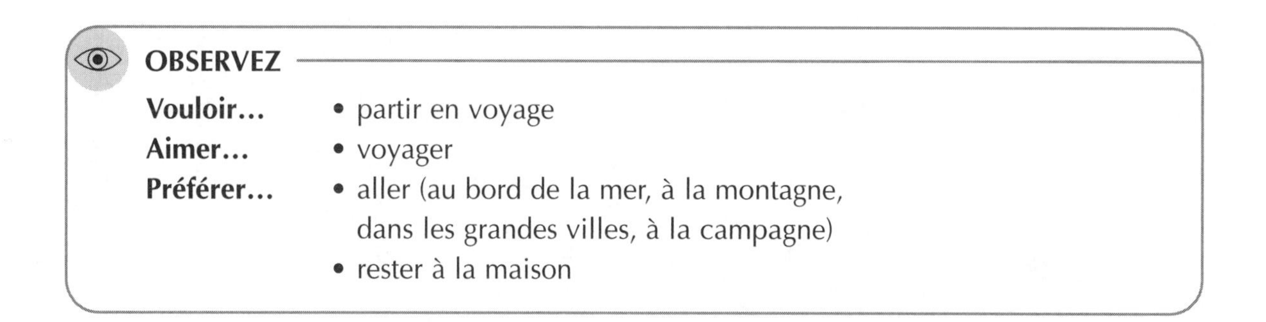

OBSERVEZ

Vouloir...
Aimer...
Préférer...

- partir en voyage
- voyager
- aller (au bord de la mer, à la montagne, dans les grandes villes, à la campagne)
- rester à la maison

EXERCICE 1 Répondez aux questions.

Exemple : — Veux-tu aller à la montagne ?
— Oui, je veux aller à la montagne.
ou
— Non, je ne veux pas aller à la montagne

1. Aimes-tu voyager ?
   Oui, ______________________________.
2. Préfère-t-il rester à la maison ?
   Oui, ______________________________.
3. Veulent-ils partir en voyage ?
   Oui, ______________________________.
4. Aimez-vous aller au bord de la mer ?
   Oui, nous ______________________________.
5. Préférez-vous voyager l'été ?
   Oui, je ______________________________.
6. Préfèrent-elles partir demain ?
   Non, ______________________________.
7. Veux-tu rester à la campagne ?
   Non, ______________________________.
8. Aime-t-il voyager seul ?
   Non, ______________________________.

Les continents

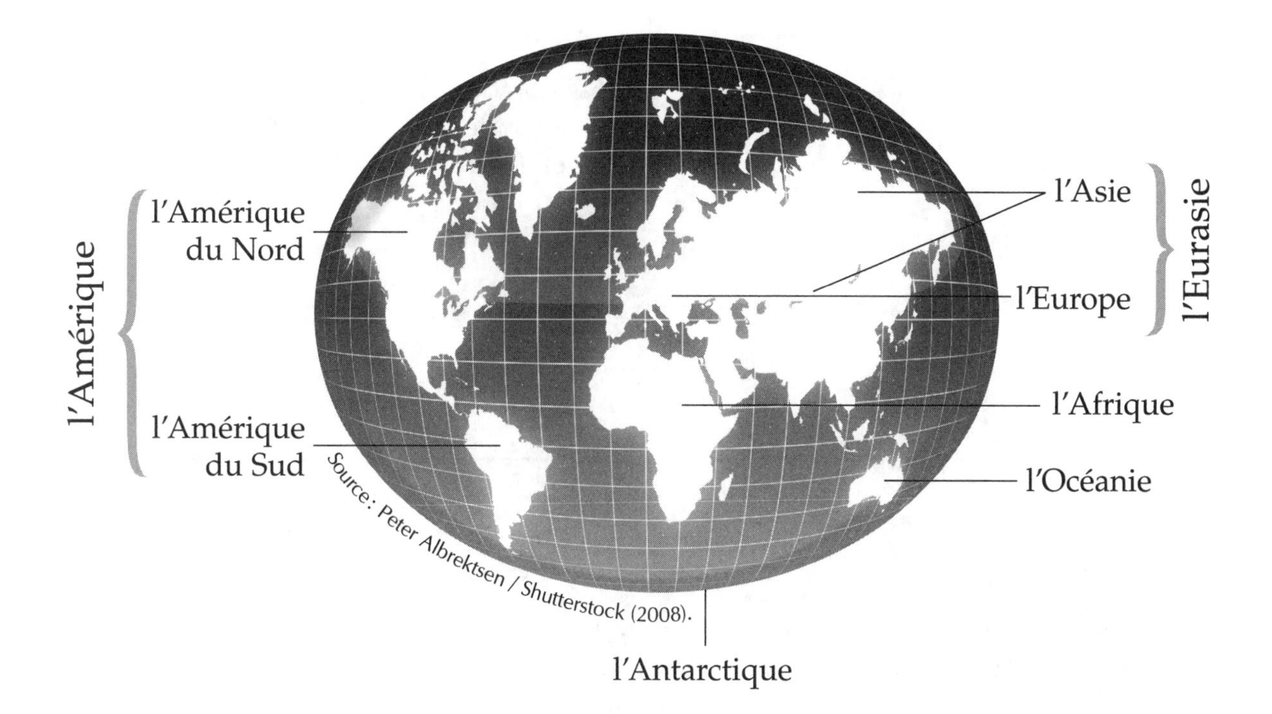

La grande voyageuse

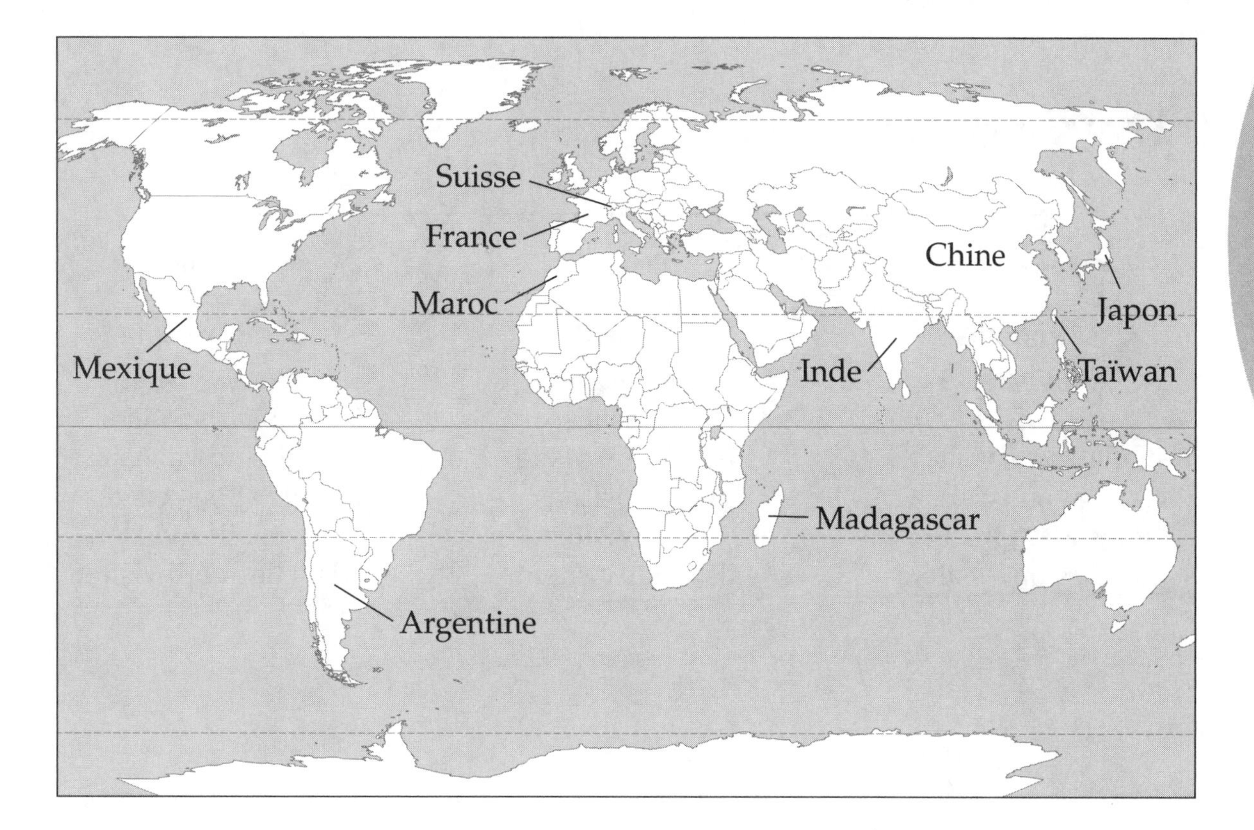

Isabelle est une grande voyageuse. Chaque été, elle part en voyage. Isabelle a visité beaucoup de pays.

Elle est allée…

1. **au** Mexique
2. **en** Argentine
3. **en** France
4. **en** Suisse
5. **au** Maroc
6. **à** Madagascar
7. **en** Inde
8. **en** Chine
9. **au** Japon
10. **à** Taïwan

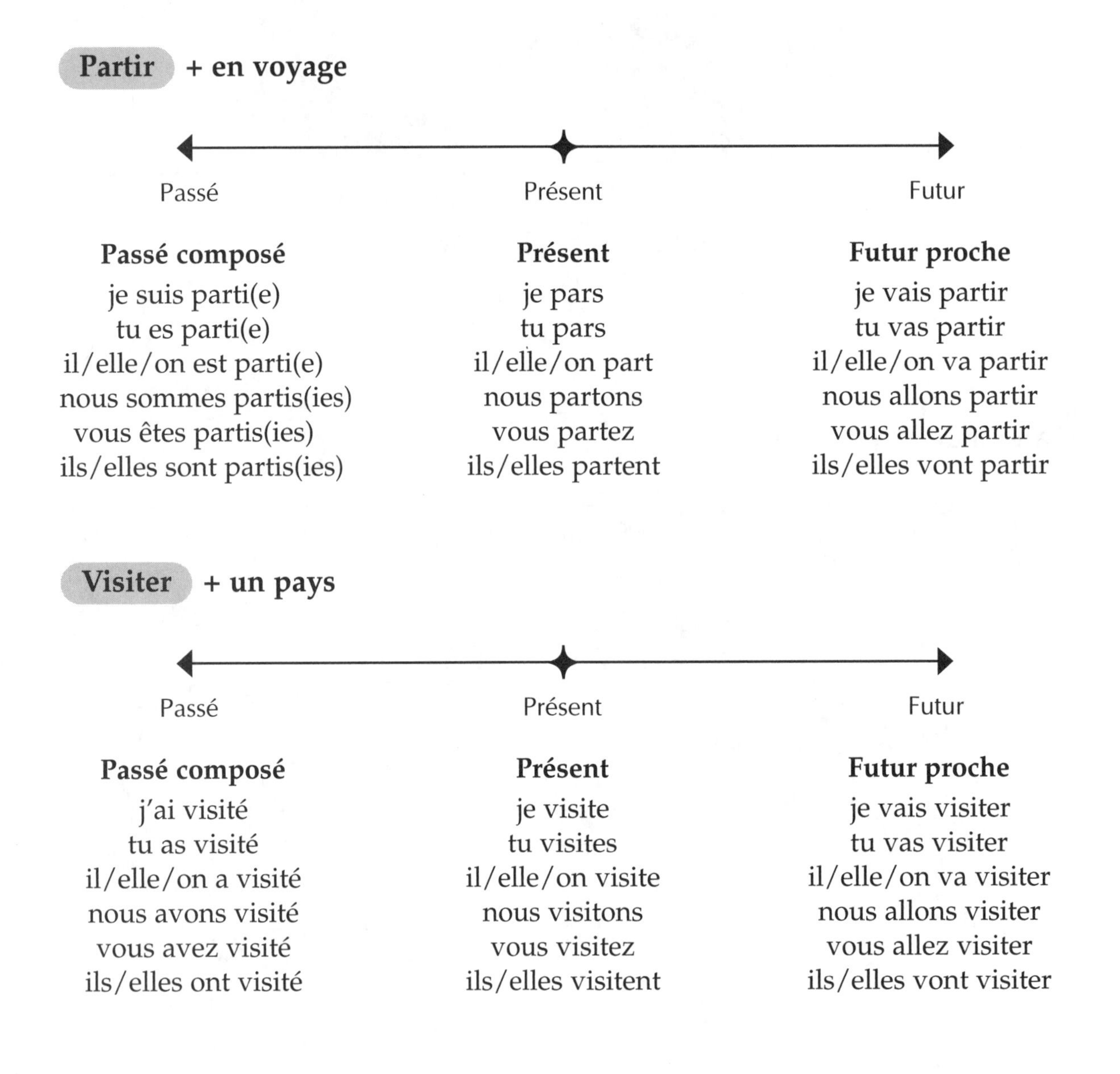

Partir **+ en voyage**

Passé composé	**Présent**	**Futur proche**
je suis parti(e)	je pars	je vais partir
tu es parti(e)	tu pars	tu vas partir
il/elle/on est parti(e)	il/elle/on part	il/elle/on va partir
nous sommes partis(ies)	nous partons	nous allons partir
vous êtes partis(ies)	vous partez	vous allez partir
ils/elles sont partis(ies)	ils/elles partent	ils/elles vont partir

Visiter **+ un pays**

Passé composé	**Présent**	**Futur proche**
j'ai visité	je visite	je vais visiter
tu as visité	tu visites	tu vas visiter
il/elle/on a visité	il/elle/on visite	il/elle/on va visiter
nous avons visité	nous visitons	nous allons visiter
vous avez visité	vous visitez	vous allez visiter
ils/elles ont visité	ils/elles visitent	ils/elles vont visiter

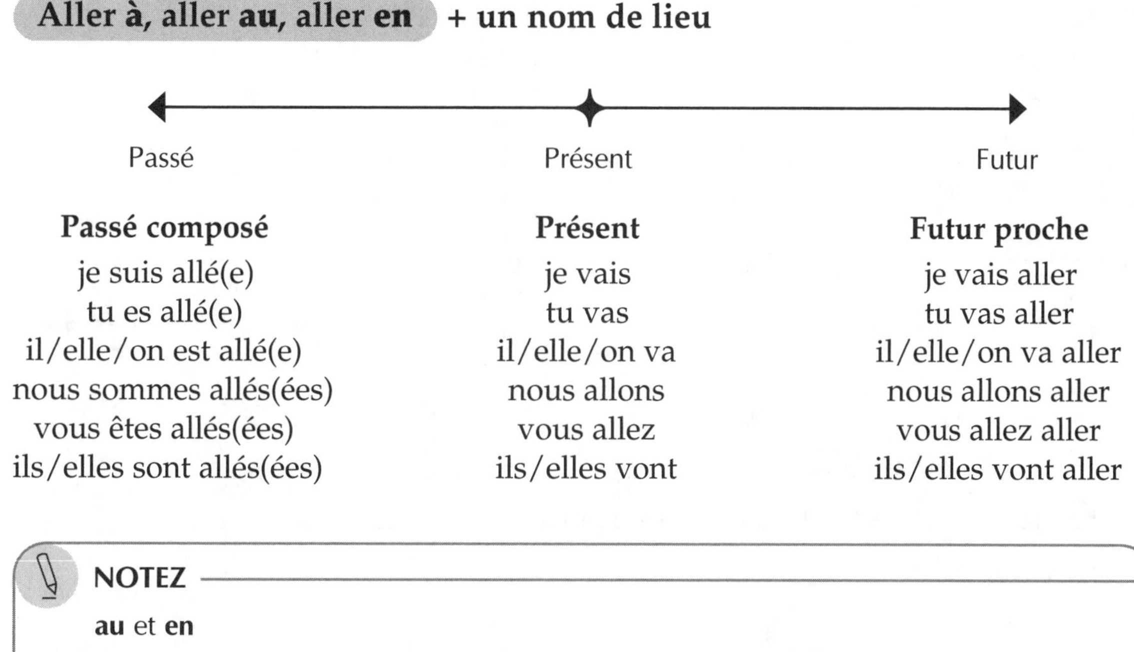

Aller à, aller au, aller en + un nom de lieu

Passé composé	Présent	Futur proche
je suis allé(e)	je vais	je vais aller
tu es allé(e)	tu vas	tu vas aller
il/elle/on est allé(e)	il/elle/on va	il/elle/on va aller
nous sommes allés(ées)	nous allons	nous allons aller
vous êtes allés(ées)	vous allez	vous allez aller
ils/elles sont allés(ées)	ils/elles vont	ils/elles vont aller

NOTEZ

au et **en**

au → les pays et les régions du genre masculin
→ La majorité des pays qui se terminent par une consonne.
au Maroc **au** Japon

en → les pays et les régions du genre féminin
→ La majorité des pays qui se terminent par **e**.
en France **en** Suisse

à → devant le nom d'une ville ou d'une île
à Paris **à** Montréal

EXERCICE 2 Complétez les phrases à l'aide des renseignements qui suivent.

les capitales
Tokyo
New Delhi
Paris
Berne
Mexico
Antananarivo
Taipei
Pékin (Beijing)
Rabat
Buenos Aires

les habitants et habitantes
les Français et les Françaises
les Malgaches
les Marocains et les Marocaines
les Indiens et les Indiennes
les Chinois et les Chinoises
les Japonais et les Japonaises
les Argentins et les Argentines
les Mexicains et les Mexicaines
les Taïwanais et les Taïwanaises
les Suisses

les langues officielles	**les monnaies**
le mandarin	l'ariayry
le français	le yen
l'espagnol	le franc
l'allemand, le français, l'italien, le romanche	le nouveau dollar
le hindi, l'anglais	l'yuan (renminbi)
le japonais	le peso
le malgache, le français, l'anglais	l'euro
l'arabe	le rupee
	le dirham

1. Le Mexique

   La capitale du Mexique est ______________________.

   Les habitants et les habitantes du Mexique sont ______________________.

   La langue officielle est ______________________.

   ou

   Les langues officielles sont ______________________.

   La monnaie est ______________________.

2. L'Argentine

   La capitale de l'Argentine est ______________________.

   Les habitants et les habitantes de l'Argentine sont ______________________.

   La langue officielle est ______________________.

   ou

   Les langues officielles sont ______________________.

   La monnaie est ______________________.

3. La France

   La capitale de la France est ______________________.

   Les habitants et les habitantes de la France sont ______________________.

   La langue officielle est ______________________.

   ou

   Les langues officielles sont ______________________.

   La monnaie est ______________________.

4. La Suisse

   La capitale de la Suisse est ______________________________.

   Les habitants et les habitantes de la Suisse sont ______________________________.

   La langue officielle est ______________________________.

   ou

   Les langues officielles sont ______________________________.

   La monnaie est ______________________________.

5. Le Maroc

   La capitale du Maroc est ______________________________.

   Les habitants et les habitantes du Maroc sont ______________________________.

   La langue officielle est ______________________________.

   ou

   Les langues officielles sont ______________________________.

   La monnaie est ______________________________.

6. Madagascar

   La capitale de Madagascar est ______________________________.

   Les habitants et les habitantes de Madagascar sont ______________________________.

   La langue officielle est ______________________________.

   ou

   Les langues officielles sont ______________________________.

   La monnaie est ______________________________.

7. L'Inde

   La capitale de l'Inde est ______________________________.

   Les habitants et les habitantes de l'Inde sont ______________________________.

   La langue officielle est ______________________________.

   ou

   Les langues officielles sont ______________________________.

   La monnaie est ______________________________.

8. La Chine

La capitale de la Chine est ____________________.

Les habitants et les habitantes de la Chine sont ____________________.

La langue officielle est ____________________.

ou

Les langues officielles sont ____________________.

La monnaie est ____________________.

9. Le Japon

La capitale du Japon est ____________________.

Les habitants et les habitantes du Japon sont ____________________.

La langue officielle est ____________________.

ou

Les langues officielles sont ____________________.

La monnaie est ____________________.

10. Taïwan

La capitale de Taïwan est ____________________.

Les habitants et les habitantes de Taïwan sont ____________________.

La langue officielle est ____________________.

ou

Les langues officielles sont ____________________.

La monnaie est ____________________.

EXERCICE 3 Voici une liste de pays dont le français est la langue officielle ou une des langues officielles. Complétez la phrase **On parle français…** en ajoutant **au, en** ou **à** et le nom du pays.

Exemple : On parle français **au Canada.**

En Amérique	**On parle français…**
1. le Canada	____________________
2. Haïti	____________________

En Europe	**On parle français…**
3. la Belgique	____________
4. la France	____________
5. le Luxembourg	____________
6. (la principauté de) Monaco	____________
7. la Suisse	____________
8. le Vatican	____________

En Afrique	**On parle français…**
9. le Bénin	____________
10. le Burkina Faso	____________
11. le Burundi	____________
12. le Cameroun	____________
13. la Centrafrique	____________
14. les Comores	____________
15. le Congo	____________
16. la République démocratique du Congo	____________
17. la Côte d'Ivoire	____________
18. le Djibouti	____________
19. le Gabon	____________
20. la Guinée	____________
21. la Guinée équatoriale	____________
22. Madagascar	____________
23. le Mali	____________
24. le Niger	____________
25. le Sénégal	____________
26. le Tchad	____________
27. le Togo	____________
28. le Rwanda	____________

POUR VOTRE INFORMATION...

ESTIMATION DU NOMBRE DE FRANCOPHONES DANS LES PAYS MEMBRES DE L'ORGANISATION INTERNATIONALE DE LA FRANCOPHONIE (OIF)

régions	francophones*	francophones partiels**
L'Afrique subsaharienne	43 565 000	
Le Maghreb	15 700 000	
L'océan Indien	919 000	3 490 000
L'Amérique du Nord	7 500 000	3 060 000
Les Caraïbes	1 805 000	951 000
L'Extrême-Orient	192 000	225 000
Le Proche-Orient et le Moyen-Orient	1 818 000	763 000
L'Europe centrale et orientale	1 423 000	5 173 000
L'Europe de l'Ouest	65 005 000	5 170 000
L'Océanie	423 000	48 000

* francophones : dont le français est la langue première, seconde ou d'adoption.
** francophones partiels : dont la maîtrise du français est limitée.

Source : Radio France internationale, Sommet de la francophonie : Ouagadougou 2004 – *Les francophones dans le monde,* [en ligne], http://www.rfi.fr/actufr/articles/059/article_31819.asp (page consultée le 16 janvier 2008).

EXERCICE 4 Conjuguez les verbes entre parenthèses au présent de l'indicatif et écrivez le bon déterminant ou la bonne préposition dans les espaces libres.

Choix possibles

le, la, l', du des, en, au

1. On (compter) ________________ 43 565 000 francophones _____ Afrique subsaharienne.
2. Il y a 15 700 000 francophones qui (vivre) ________________ _____ Maghreb.
3. Si on (compter) ________________ les francophones et les francophones partiels, on (trouver) ________________ 4 409 000 personnes qui (parler) ________________ français dans _____ région de _____ océan Indien.
4. _____ Amérique du Nord, il y a, au total, 10 560 000 personnes qui (savoir) ________________ parler français.

5. Dans ____ région ____ Caraïbes, on (trouver) ______________ 1 805 000 francophones, c'est-à-dire ____ personnes dont ____ français est ____ langue première, ____ langue seconde ou ____ langue d'adoption.

6. ____ Extrême-Orient, ____ total ____ francophones et ____ francophones partiels (se chiffrer) ________________ à 417 000 personnes.

7. Il y a 1 818 000 francophones et 763 000 francophones partiels qui (habiter) __________ dans ____ région ____ Proche-Orient et ____ Moyen-Orient.

8. On (trouver) ________________ 6 596 000 francophones dans ____ région de ____ Europe centrale et orientale.

9. ____ total de francophones dans ____ région de ____ Europe de l'Ouest (s'élever) ________________ à 70 175 000 personnes.

10. ____ Océanie, il y a 423 000 personnes qui (être) ________________ ____ francophones et 48 000 personnes qui (être) ________________ ____ francophones partiels.

EXERCICE 5 Demande de documents officiels

Avant de partir en voyage à l'étranger, vous devez faire plusieurs demandes pour obtenir des documents officiels. Les directives pour obtenir les documents officiels sont souvent difficiles à comprendre. Pour faciliter votre compréhension, soulignez les informations importantes. Ensuite, remplissez le tableau.

La demande de passeport

Le demandeur peut soumettre une demande en personne à un bureau de Passeport Canada ou soumettre une demande par la poste ou par un service de messagerie. Le demandeur doit fournir un formulaire de demande de passeport dûment rempli et accompagné des documents suivants: une preuve de citoyenneté, telle qu'un certificat de naissance ou une carte de citoyenneté, une preuve de son identité avec photo, et des droits exigibles pour la demande.

La demande de visa

Le demandeur doit s'adresser au consulat ou au Service consulaire de l'ambassade du pays où il souhaite se rendre afin d'obtenir la liste des pièces à fournir et les modalités de la demande. Dans tous les cas, le demandeur doit être en possession d'un passeport valide. Il doit aussi fournir une photo d'identité récente, une preuve d'assurance voyage et des pièces justificatives relatives à son voyage.

La demande d'assurance voyage

En cas de problèmes à l'étranger, certains consulats peuvent vous aider, mais ils ne peuvent pas offrir la couverture de votre assurance. Lorsque vous souscrivez un contrat d'assurance voyage, il faut vérifier les éléments suivants: les personnes qui sont assurées, les pays où votre assurance est valable, les prestations que vous pouvez recevoir et la liste des prestations qui ne sont pas comprises dans votre contrat. Durant votre séjour, vous devez apporter avec vous votre numéro d'assuré et le numéro de téléphone et l'adresse de votre assureur. Si vous avez un problème durant votre séjour, vous devez demander des pièces justificatives: des certificats médicaux, des factures, des photos, etc. Pour souscrire une assurance voyage, vous pouvez vous adresser, entre autres, à votre agence de voyages, à votre compagnie d'assurance ou à votre banque.

La vaccination

Le ministère des Affaires étrangères et Commerce international fournit des renseignements sur certains aspects de la santé et de la sécurité en voyage.

Avant de partir en voyage à l'étranger, consultez un médecin ou une clinique santé-voyage de six à huit semaines avant votre départ, car la protection immunitaire peut prendre plusieurs semaines avant d'être efficace. Selon votre destination, un professionnel ou une professionnelle de la santé peut vous aider à déterminer l'immunisation à prévoir. En voyage, vous devez faire attention aux insectes et surveiller ce que vous mangez et buvez.

Préparatifs de départ	**Où s'adresser**	**Documents importants**	**Autres faits importants**
La demande de passeport	________ ________ ________	________ ________ ________	________ ________ ________
La demande de visa	________ ________ ________	________ ________ ________	________ ________ ________
La demande d'assurance voyage	________ ________ ________	________ ________ ________	________ ________ ________
La vaccination	________ ________ ________	________ ________ ________	________ ________ ________

LES VOYAGES D'AFFAIRES

Lise est directrice commerciale pour une grande entreprise. Elle fait régulièrement des voyages d'affaires au Canada.

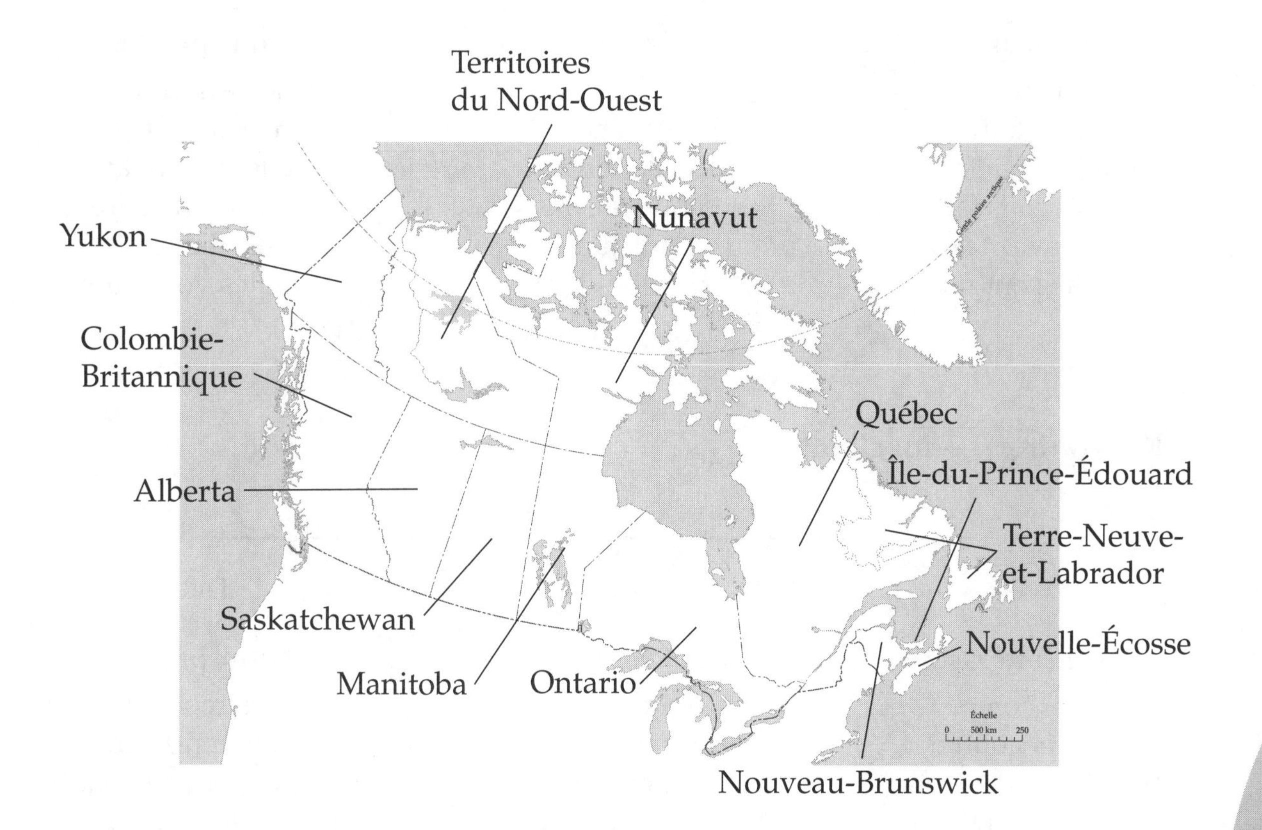

Elle rencontre des clients…

- **au** Québec
- **au** Nouveau-Brunswick
- **au** Manitoba
- **en** Ontario
- **en** Nouvelle-Écosse
- **en** Alberta
- **en** Colombie-Britannique
- **en** Saskatchewan
- **à** l'Île-du-Prince-Édouard
- **à** Terre-Neuve-et-Labrador
- **au** Nunavut
- **au** Yukon
- **dans** les Territoires du Nord-Ouest

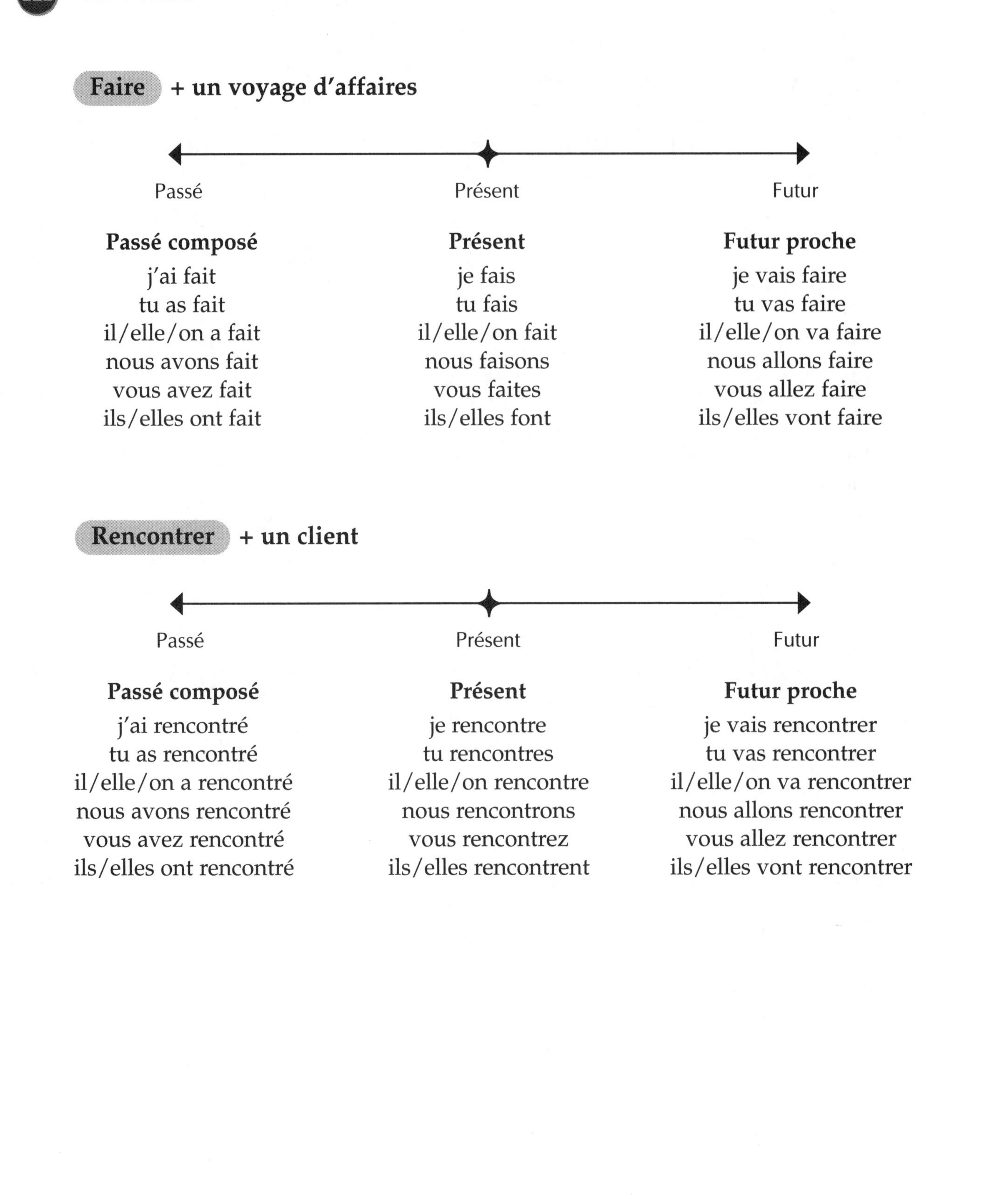

Faire + un voyage d'affaires

Passé composé	Présent	Futur proche
j'ai fait	je fais	je vais faire
tu as fait	tu fais	tu vas faire
il/elle/on a fait	il/elle/on fait	il/elle/on va faire
nous avons fait	nous faisons	nous allons faire
vous avez fait	vous faites	vous allez faire
ils/elles ont fait	ils/elles font	ils/elles vont faire

Rencontrer + un client

Passé composé	Présent	Futur proche
j'ai rencontré	je rencontre	je vais rencontrer
tu as rencontré	tu rencontres	tu vas rencontrer
il/elle/on a rencontré	il/elle/on rencontre	il/elle/on va rencontrer
nous avons rencontré	nous rencontrons	nous allons rencontrer
vous avez rencontré	vous rencontrez	vous allez rencontrer
ils/elles ont rencontré	ils/elles rencontrent	ils/elles vont rencontrer

EXERCICE 6 Associez chaque ville à une province canadienne.

Exemple : Où est la ville de Trois-Rivières ?
La ville de Trois-Rivières est au Québec.

1. Où est la ville d'Ottawa ?

___

2. Où est la ville de Winnipeg ?

___

3. Où est la ville de Fredericton ?

___

4. Où est la ville de Regina ?

___

5. Où est la ville de Vancouver ?

___

6. Où est la ville de Montréal ?

___

7. Où est la ville d'Halifax ?

___

8. Où est la ville de St. John's ?

___

9. Où est la ville d'Edmonton ?

___

10. Où est la ville de Charlottetown ?

___

Les préparatifs de voyage

Jean-Louis est représentant commercial et il fait souvent des voyages d'affaires aux États-Unis. Il a visité plusieurs grandes villes des États-Unis.

Il est allé…

- à Washington
- à New York
- à Chicago
- à Boston
- à Los Angeles

Avant de partir en voyage, Jean-Louis fait une liste des vêtements et des articles qu'il doit apporter.

EXERCICE 7 À l'aide de la liste de Jean-Louis, indiquez les vêtements et les articles qu'il met dans sa valise.

une ceinture – des chaussures – des chemises – une cravate – un chandail – un complet – des bas – des sous-vêtements – du fil et une aiguille – du dentifrice – une brosse à dents – un rasoir – du shampooing – un sèche-cheveux

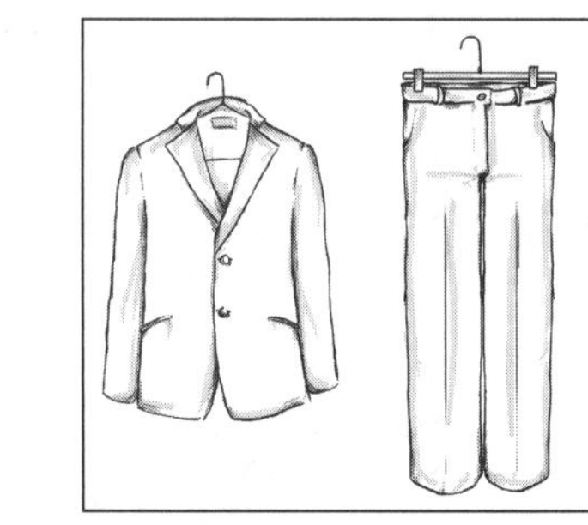

1. ______________________

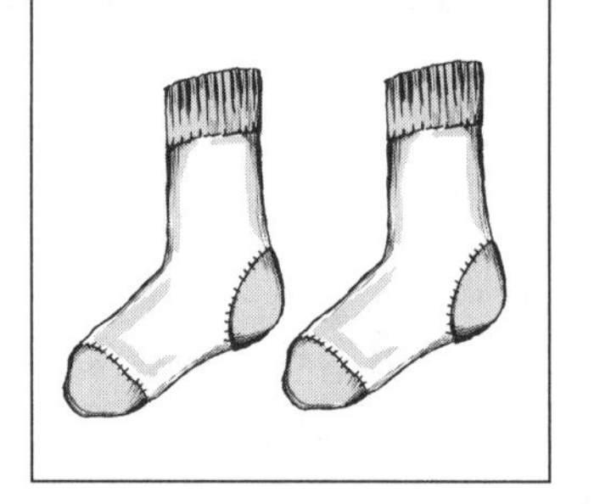

2. ______________________

3. ______________________

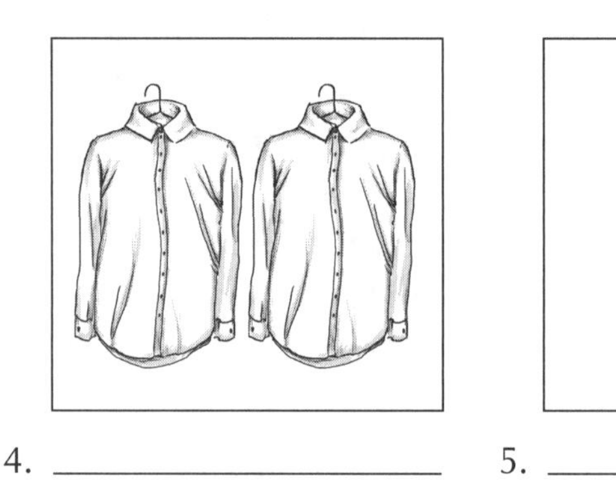

4. ______________________

5. ______________________

6. ______________________

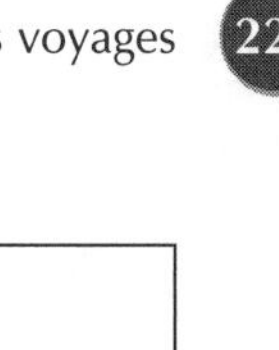

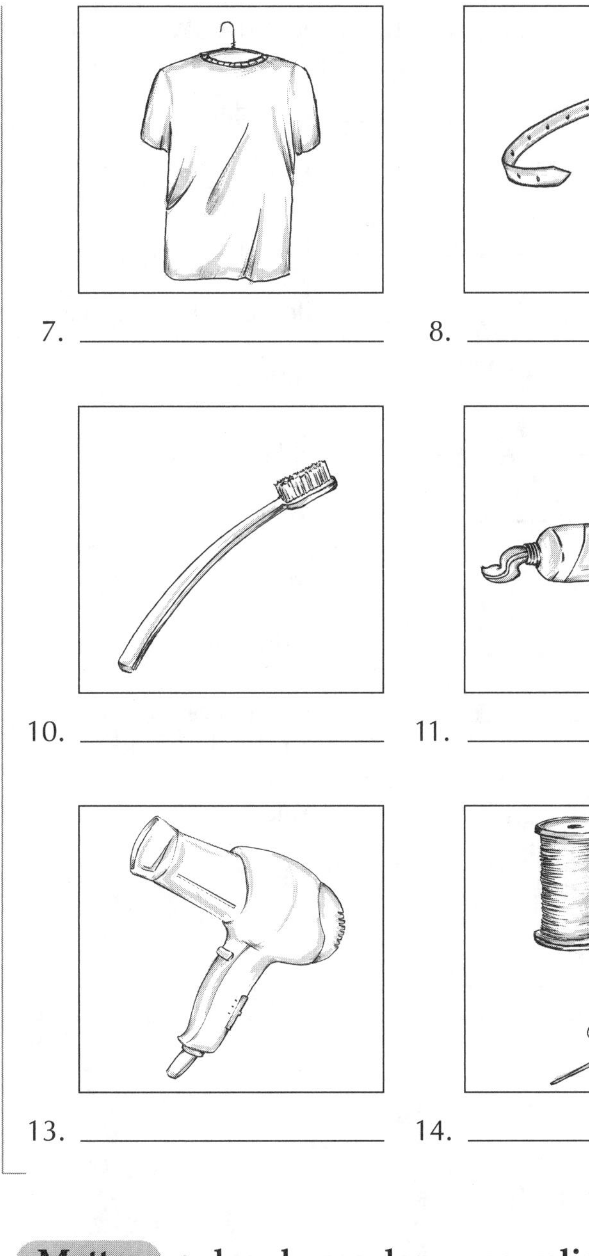

7. ____________ 8. ____________ 9. ____________

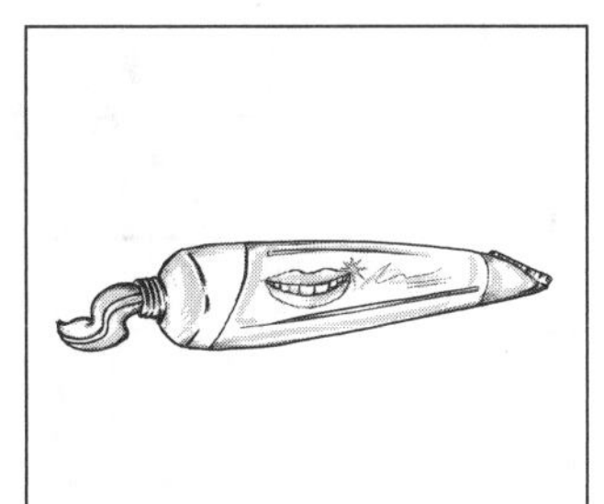

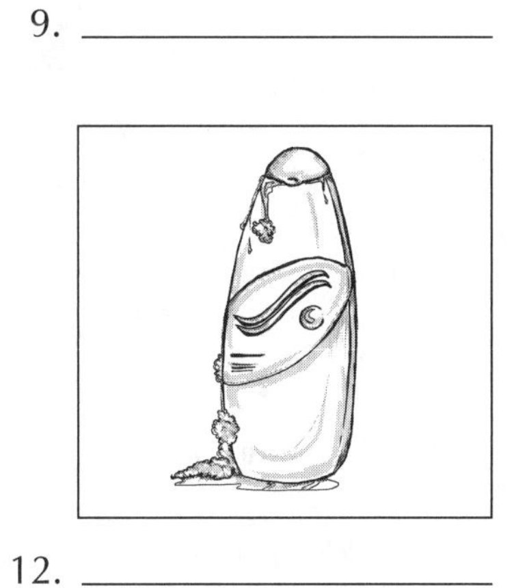

10. ____________ 11. ____________ 12. ____________

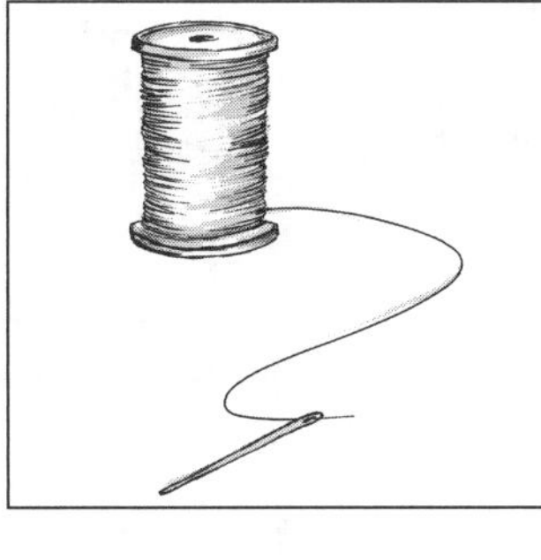

13. ____________ 14. ____________

Les voyages

Mettre + des choses dans une valise

Passé — Présent — Futur

Passé composé	Présent	Futur proche
j'ai mis	je mets	je vais mettre
tu as mis	tu mets	tu vas mettre
il/elle/on a mis	il/elle/on met	il/elle/on va mettre
nous avons mis	nous mettons	nous allons mettre
vous avez mis	vous mettez	vous allez mettre
ils/elles ont mis	ils/elles mettent	ils/elles vont mettre

EXERCICE 8 Conjuguez le verbe **aller** et ajoutez **à, au, en** ou **dans.**

1. (aller / prés.) Je ________________ ______ Canada.
2. (aller / passé comp.) Elle ________________ ______ Nouveau-Brunswick.
3. (aller / fut. proche) Il ________________ ______ Halifax.
4. (aller / passé comp.) Vous ________________ ______ Île-du-Prince-Édouard.
5. (aller / passé comp.) Nous ________________ ______ Alberta.
6. (aller / prés.) Ils ________________ ______ Toronto.
7. (aller / fut. proche) Tu ________________ ______ Vancouver.
8. (aller / prés.) Elles ________________ ______ Manitoba.
9. (aller / fut. proche) Je ________________ ______ Nunavut.
10. (aller / prés.) Vous ________________ ______ les Territoires du Nord-Ouest.
11. (aller / passé comp.) Ils ________________ ______ Yukon.
12. (aller / passé comp.) Nous ________________ ______ Ontario.

OBSERVEZ

— Vas-tu **au** bord de la mer?
— Oui, j'**y** vais. — Non, je n'**y** vais pas.

— Va-t-il **à** Rome?
— Oui, il **y** va. — Non, il n'**y** va pas.

— Allez-vous **en** Grèce?
— Oui, nous **y** allons. — Non, nous n'**y** allons pas.

— Vont-elles **au** Nouveau-Brunswick?
— Oui, elles **y** vont. — Non, elles n'**y** vont pas.

Y

Le **pronom y** peut remplacer un endroit.

Au **présent** et au **passé composé, y** est placé devant le verbe.

Exemples: J'**y** vais. **ou** Je n'**y** vais pas.
J'**y** suis allé. **ou** Je n'**y** suis pas allé.

Au **futur proche, y** est placé devant l'infinitif.

Exemple: Je vais **y** aller. **ou** Je ne vais pas **y** aller.

EXERCICE 9 Répondez aux questions en utilisant le pronom **y.**

1. Vas-tu souvent à Montréal?
   Oui, ______________________________.
   Non, ______________________________.
2. Va-t-elle souvent à Chicago?
   Oui, ______________________________.
   Non, ______________________________.
3. Vas-tu au Portugal cet été?
   Oui, ______________________________.
   Non, ______________________________.
4. Allez-vous en France chaque année?
   Oui, j' ______________________________.
   Non, je ______________________________.
5. Habitent-ils en Nouvelle-Écosse?
   Oui, ______________________________.
   Non, ______________________________.
6. Habitez-vous à la campagne?
   Oui, nous ______________________________.
   Non, nous ______________________________.
7. Va-t-elle à Rome?
   Oui, ______________________________.
   Non, ______________________________.
8. Vont-ils à la montagne?
   Oui, ______________________________.
   Non, ______________________________.
9. Allez-vous au bord de la mer?
   Oui, nous ______________________________.
   Non, nous ______________________________.
10. Va-t-il en Colombie-Britannique?
    Oui, ______________________________.
    Non, ______________________________.

EXERCICE 10 Utilisez le pronom **y** comme dans l'exemple ci-dessous.

Exemple : Je suis allé au bord de la mer.
J'**y** suis allé.

1. Je suis allé en Italie.

____

2. Nous sommes allés à Vancouver.

____

3. Ils ont habité au Manitoba.

____

4. Vous êtes allé au Manitoba.

____

5. Tu as habité aux États-Unis.

____

6. Elle est allée au Danemark.

____

7. Il n'est pas allé en France.

____

8. Elles ne sont pas allées au bord de la mer.

____

9. Nous n'avons pas habité en Italie.

____

10. Vous n'êtes pas allés en Europe.

____

11. Ils ne sont pas allés en Afrique.

____

12. Je ne suis pas allé en Asie.

____

EXERCICE 11 Répondez aux questions en utilisant le pronom **y.**

1. Vas-tu aller à la campagne?

   Oui, ____________________________________.

   Non, ____________________________________.

2. Va-t-il aller en Amérique du Sud?

   Oui, ____________________________________.

   Non, ____________________________________.

3. Va-t-elle aller en Espagne?

   Oui, ____________________________________.

   Non, ____________________________________.

4. Vont-ils habiter en Saskatchewan?

   Oui, ____________________________________.

   Non, ____________________________________.

5. Vas-tu habiter à Londres?

   Oui, ____________________________________.

   Non, ____________________________________.

6. Vas-tu aller aux États-Unis?

   Oui, ____________________________________.

   Non, ____________________________________.

Lisez attentivement.

Marie. — Louise, sais-tu quoi?
Louise. — Non. Quoi?
Marie. — Je pars en voyage!
Louise. — Ah oui? Où vas-tu?
Marie. — Je vais au Maroc.
Louise. — Chanceuse! Quand pars-tu?
Marie. — Je pars **dans** deux semaines.
Louise. — As-tu réservé les billets d'avion?
Marie. — Oui. J'ai réservé les billets d'avion et j'ai réservé une chambre d'hôtel **il y a** trois mois.
Louise. — Combien de jours vas-tu rester au Maroc?
Marie. — Je vais y rester **pendant** 15 jours.
Louise. — As-tu hâte de partir?
Marie. — Oui, j'ai hâte! **Depuis** trois jours, je pense beaucoup à ce voyage.

OBSERVEZ

il y a et **dans**

Je suis allé au Maroc **il y a** trois mois. → passé
Je vais aller au Maroc **dans** trois mois. → futur

pendant

Pendant indique la durée d'un évènement passé, présent ou futur.
Présent: Je veux rester au Maroc **pendant** deux semaines.
Passé composé: Je suis resté au Maroc **pendant** deux semaines.
Futur proche: Je vais rester au Maroc **pendant** deux semaines.

depuis

Depuis indique le temps écoulé à partir d'un moment du passé.
Exemple: Je suis au Maroc **depuis** deux jours.

Réserver + un billet d'avion / une chambre d'hôtel

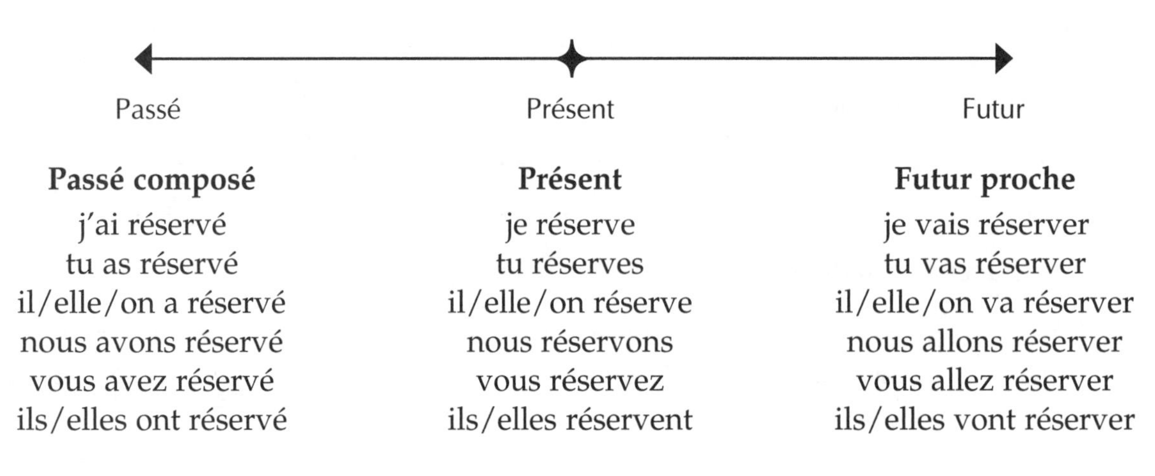

Passé composé	Présent	Futur proche
j'ai réservé	je réserve	je vais réserver
tu as réservé	tu réserves	tu vas réserver
il/elle/on a réservé	il/elle/on réserve	il/elle/on va réserver
nous avons réservé	nous réservons	nous allons réserver
vous avez réservé	vous réservez	vous allez réserver
ils/elles ont réservé	ils/elles réservent	ils/elles vont réserver

Avoir hâte + de partir en voyage

Avoir + hâte

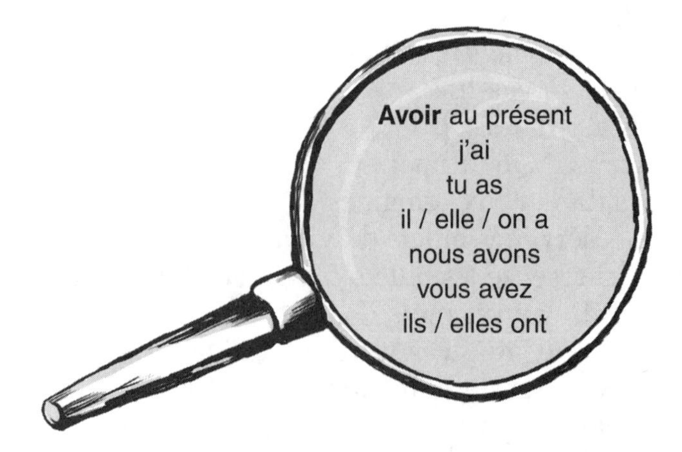

EXERCICE 12 Conjuguez les verbes.

Présent

1. (partir)	Je	______________
2. (rencontrer)	Nous	______________
3. (mettre)	Elle	______________
4. (voyager)	Vous	______________
5. (réserver)	Elle	______________
6. (faire)	Ils	______________
7. (partir)	Nous	______________
8. (aller)	Il	______________
9. (avoir hâte)	J'	______________
10. (visiter)	Tu	______________

Passé composé

11. (réserver)	Elle	______________
12. (voyager)	Il	______________
13. (mettre)	Elles	______________
14. (aller)	Je	______________
15. (rencontrer)	Ils	______________
16. (visiter)	Nous	______________
17. (partir)	Vous	______________
18. (mettre)	Tu	______________
19. (faire)	Ils	______________
20. (voyager)	Nous	______________

Futur proche

21. (partir)	Je	______________
22. (rencontrer)	Vous	______________
23. (réserver)	Tu	______________
24. (aller)	Nous	______________
25. (visiter)	Elles	______________

EXERCICE 13 Répondez aux questions en utilisant **dans** ou **il y a.**

Exemple : Quand est-elle partie ?
(deux semaines) Elle est partie **il y a** deux semaines.

1. Quand sont-ils partis ?
   (trois jours) ______________________________
2. Quand es-tu revenu ?
   (une semaine) ______________________________
3. Quand êtes-vous allés en Europe ?
   (deux ans) ______________________________
4. Quand vas-tu aller aux États-Unis ?
   (trois semaines) ______________________________
5. Quand va-t-elle partir en voyage ?
   (trois jours) ______________________________
6. Quand va-t-elle revenir ?
   (un mois) ______________________________
7. Quand êtes-vous revenu ?
   (cinq jours) ______________________________
8. Dans combien de temps l'avion va-t-il décoller ?
   (une heure) ______________________________
9. Dans combien de temps le train va-t-il arriver ?
   (une demi-heure) ______________________________
10. Dans combien de temps le taxi va-t-il arriver ?
    (un quart d'heure) ______________________________

EXERCICE 14 Répondez aux questions.

1. Depuis combien de temps est-elle en Europe ?
   (trois jours) ____________________
2. Depuis combien de temps sont-ils ici ?
   (deux jours) ____________________
3. Combien de temps veulent-ils partir ?
   (trois semaines) ____________________
4. Pendant combien de temps vont-ils rester en Europe ?
   (un mois) ____________________
5. Pendant combien de temps est-elle partie ?
   (cinq jours) ____________________
6. Depuis combien de temps avez-vous les billets d'avion ?
   (quatre mois) ____________________
7. Depuis combien de temps sont-elles à cet hôtel ?
   (sept jours) ____________________
8. Pendant combien de temps va-t-il rester là-bas ?
   (six semaines) ____________________

Quelques métiers et professions liés aux voyages

un...	**une...**
agent de voyages	agente de voyages
guide touristique	guide touristique
aubergiste	aubergiste
restaurateur	restauratrice
douanier	douanière

Vos suggestions

____________________ ____________________

____________________ ____________________

____________________ ____________________

EXERCICE 15 Lisez attentivement.

Le voyage de Christine

Christine est allée en voyage la semaine dernière. Aujourd'hui, lundi matin, elle rentre au bureau. Comme il est tôt, elle prend un café avec sa collègue Marie-Soleil. Marie-Soleil demande à Christine : « As-tu fait un beau voyage ? »

Christine. — Oui, j'ai fait un très beau voyage.

Marie-Soleil. — Où es-tu allée ?

Christine. — J'ai décidé de découvrir des régions du Québec. Les paysages y sont superbes.

Marie-Soleil. — Qu'est-ce que tu as préféré ?

Christine. — Comme c'est la saison des sucres, j'ai profité de l'occasion pour aller dans le Centre-du-Québec. Je suis allé au Musée québécois de l'érable à Plessisville.

Marie-Soleil. — J'imagine que c'est intéressant.

Christine. — Très intéressant ! J'ai appris les techniques que les Premières Nations utilisaient pour fabriquer le sirop d'érable et les techniques que nous utilisons de nos jours. En plus, il y avait encore de la neige. J'ai profité de l'occasion pour faire du ski de randonnée. La forêt est vraiment belle dans cette région.

Marie-Soleil. — Es-tu allée à Québec ?

Christine. — Oui. J'y vais chaque année. J'aime beaucoup le Vieux-Québec. On y mange bien et c'est agréable de se promener dans ces vieilles rues.

Marie-Soleil. — As-tu vu d'autres endroits ?

Christine. — Comme le ski alpin est mon sport préféré, je suis allée dans la région de Charlevoix. À cette période de l'année, il commence à faire plus doux, mais il y a suffisamment de neige pour faire du ski.

Marie-Soleil. — As-tu d'autres projets de voyages ?

Christine. — Oui ! L'année prochaine, je veux aller en Suisse, mais je dois planifier mon budget…

Marie-Soleil. — À propos de budget, si nous voulons avoir l'argent nécessaire pour voyager, nous sommes mieux de travailler !

Christine. — C'est vrai. Allons-y !

Répondez aux questions sur le texte.

1. Quand Christine est-elle allée en voyage?

 ____

2. Dans quelle région la ville de Plessisville est-elle située?

 ____

3. Quel sport a-t-elle pratiqué dans cette région?

 ____

4. Qu'est-ce que Christine a visité à cet endroit?

 ____

5. Qu'est-ce que Christine apprécie dans le Vieux-Québec?

 ____

6. Pourquoi est-elle allée dans la région de Charlevoix?

 ____

7. Durant quelle saison Christine a-t-elle fait son voyage? Nommez deux éléments du texte qui permettent de trouver la réponse.

 ____

 ____

8. Quel est le prochain voyage que Christine désire faire?

 ____

9. Selon l'information que vous avez sur Christine, pourquoi veut-elle aller dans ce pays?

 ____

10. Qu'est-ce que Christine doit planifier?

 ____

AUTOÉVALUATION

	Réponses possibles			
	1 Très bien	2 Bien	3 Pas assez	4 Pas du tout
VOCABULAIRE				
Je connais les continents.				
Je connais des pays.				
Je connais des noms de nationalités et des noms de langues.				
Je connais les provinces et les territoires du Canada.				
Je connais les documents importants à l'étranger.				
Je connais des vêtements et des articles utiles en voyage.				
ÉLÉMENTS À L'ÉTUDE DANS LE THÈME				
Je connais **ne... pas** avec un verbe suivi d'un infinitif (je **ne veux pas** partir).				
Je connais les prépositions **au, en** et **à** placées devant des noms de lieux.				
Je connais des nationalités et des langues.				
Je peux utiliser le pronom y pour remplacer un lieu.				
Je peux utiliser **il y a, dans, pendant, depuis.**				
Je peux conjuguer des verbes au présent, au passé composé et au futur proche.				
PARTICIPATION				
J'ai participé aux activités de communication orale.				
J'ai fait les exercices écrits.				
J'ai mémorisé les noms de lieux importants pour moi.				
J'ai fait les lectures et j'ai utilisé des stratégies pour comprendre le message.				
J'essaie de penser en français avec les mots que je connais.				
Je pratique mon français tous les jours.				
J'écoute des francophones (à la radio, à la télé, au travail) et j'essaie de comprendre ce qu'ils disent.				
J'essaie de parler français avec des francophones (au bureau, au magasin, etc.).				
J'apprécie mes efforts.				

2

Références grammaticales

L'ALPHABET FRANÇAIS, L'APOSTROPHE ET LE TRAIT D'UNION

1

Il y a 26 lettres dans l'alphabet.

L'alphabet en lettres minuscules

a	b	c	d	e	f	g	h	i	j	k	l	m
n	o	p	q	r	s	t	u	v	w	x	y	z

L'alphabet en lettres majuscules

A	B	C	D	E	F	G	H	I	J	K	L	M
N	O	P	Q	R	S	T	U	V	W	X	Y	Z

Les lettres **a, e, i, o, u, y** sont des voyelles.
Les autres lettres sont des **consonnes.**

Les accents

Les **voyelles a, e, i, o, u** peuvent avoir des **accents.**

- **à**: «**a**» accent grave
- **â**: «**a**» accent circonflexe
- **é**: «**e**» accent aigu
- **è**: «**e**» accent grave
- **ê**: «**e**» accent circonflexe
- **ë**: «**e**» tréma
- **î**: «**i**» accent circonflexe
- **ï**: «**i**» tréma
- **ô**: «**o**» accent circonflexe
- **ù**: «**u**» accent grave
- **û**: «**u**» accent circonflexe
- **ü**: «**u**» tréma

Pourquoi mettre un accent?

- pour le **son** Exemple: café
- pour **différencier** deux mots Exemple: o**u** – o**ù**

En français, le **c** peut prendre une **cédille** (ç) devant **a, o, u.**
La cédille (ç) indique qu'on doit le prononcer comme un **s** sourd.
Exemple: garçon

EXERCICE 1 Récrivez la lettre avec l'accent demandé.

Exemple: **u** accent circonflexe: **û**

1. « **e** » accent aigu: ______
2. « **e** » accent grave: ______
3. « **e** » accent circonflexe: ______
4. « **a** » accent grave: ______
5. « **o** » accent circonflexe: ______
6. « **u** » accent circonflexe: ______
7. « **u** » accent grave: ______
8. « **i** » tréma: ______
9. « **a** » accent circonflexe: ______
10. « **e** » tréma: ______

L'apostrophe (')

Si le mot se termine par **-a, -e** ou **-i** et que le mot suivant commence par une **voyelle** ou un **h muet** → la voyelle à la fin du premier mot est souvent remplacée par une apostrophe.

Exemples:

le enfant → **l'enfant**

↓ ↓

Le mot se termine par **-e.** Le mot commence par une **voyelle.**

la histoire → l'**h**istoire
↓ ↓
Le mot se termine par **-a.** Le mot commence par un **h muet.**

je ai → j'**ai**
↓ ↓
Le mot se termine par **-e.** Le mot commence par une voyelle.

Le trait d'union (-)

Le trait d'union a plusieurs fonctions.

Trois fonctions importantes :

- marque la coupure d'un mot en fin de ligne ;
  Exemple : J'ai un cahier d'exercices, mais je n'ai pas de dictionnaire.
- sépare les éléments d'un mot composé ;
  Exemple : un porte-crayons
- marque l'inversion du verbe et du pronom personnel sujet dans la question.
  Exemple : **As-tu** une automobile ?
  ↓ ↓
  verbe pronom personnel sujet

Références grammaticales

LES NEUF SORTES DE MOTS 2

Les mots variables

- **le nom** → Il varie en genre (féminin / masculin) et en nombre (singulier / pluriel).
  Exemples de noms : tableau, exercice

- **le déterminant** → Il varie en genre (féminin / masculin) et en nombre (singulier / pluriel).
  Exemples de déterminants : le, des

- **l'adjectif** → Il varie en genre (féminin / masculin) et en nombre (singulier / pluriel).
  Exemples d'adjectifs : vert, difficile

- **le pronom** → Il varie en genre et en nombre (féminin / masculin) ; il varie en personne (première, deuxième, troisième personne) ; il varie selon sa fonction.
  Exemples de pronoms : il, tu

- **le verbe** → Il varie en personne (première, deuxième, troisième personne) ; en nombre (singulier / pluriel), en temps (présent, passé, futur,…), en mode (indicatif, impératif,…) et en voix (active / passive).

  Exemples de verbes : regarder, faire

  Exemples de phrases avec des mots variables :

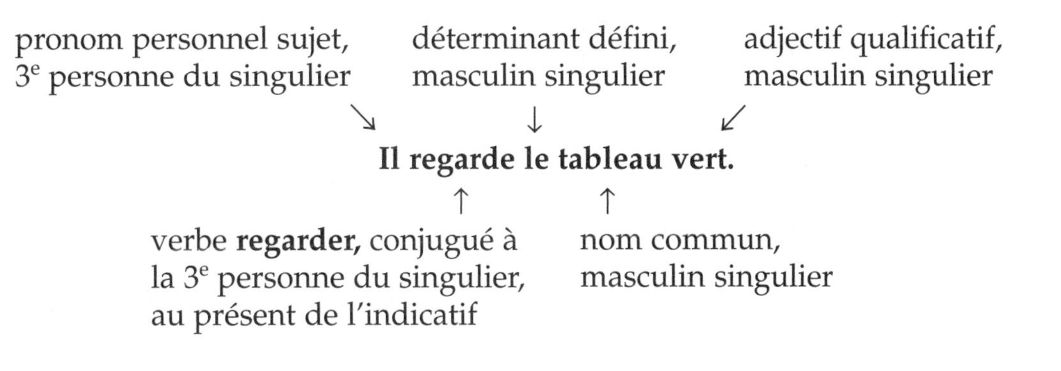

pronom personnel sujet, 2e personne du singulier ↘
déterminant indéfini, féminin pluriel ↓
adjectif qualificatif, féminin pluriel ↙

Tu poses des questions intéressantes.

↑ verbe **poser,** conjugué à la 2e personne du singulier, au présent de l'indicatif
↑ nom commun, féminin pluriel

Les mots invariables

- **l'adverbe** → Il joue souvent un rôle de modificateur.
  L'adverbe peut modifier un adjectif, un adverbe ou un autre verbe.
  Exemple : Il est **très** gentil.
  ↑
  Adverbe qui modifie l'adjectif **gentil.**
- **la préposition** → Elle marque un rapport entre des mots.
  Exemple : L'automobile **de** mon frère.
- **la conjonction** → Elle permet d'unir des éléments.
  Exemple : Je joue au golf **et** au tennis.
- **l'interjection** → Elle exprime un sentiment, une sensation.
  Exemple : **Ah !**

LE NOM 3

Le nom désigne une **chose,** une **personne** ou un **animal.**

Le masculin et le féminin

NOTEZ

Pour savoir si un nom est féminin ou masculin?

Vérifier dans le dictionnaire.

Exemples:

arbre [arbr] *nm*	**table** [tabl] *nf*
nm ou ***n. m.*** → nom masculin	***nf*** ou ***n. f.*** → nom féminin

Groupes de noms généralement masculins*

1. Les noms de **métaux** et de **corps chimiques élémentaires**	Exemples:	**le** fer **le** cuivre **le** mercure
2. Les noms de **langues**	Exemples:	**le** français **le** chinois **le** russe
3. Les noms des **jours,** des **mois** et des **saisons**	Exemples:	**le** lundi **un** février très froid **le** printemps
4. Les noms d'**arbres**	Exemples:	**un** chêne **le** sapin

NOTEZ

* Il existe quelques exceptions.

5. Les noms qui se terminent par :
   - **-ier**
     Exemple : un cah**ier**
   - **-in**
     Exemple : un couss**in**
   - **-isme**
     Exemple : le capital**isme**
   - **-oir**
     Exemple : le pouv**oir**

Groupes de noms généralement féminins*

1. Les noms de **sciences**
   Exemples : **la** médecine
   la biologie
   la chimie
2. Les noms qui se terminent par :
   - **-ade**
     Exemple : une promen**ade**
   - **-aie**
     Exemple : une cr**aie**
   - **-aine**
     Exemple : une diz**aine**
   - **-aison**
     Exemple : une li**aison**
   - **-ande**
     Exemple : une am**ande**
   - **-ence**
     Exemple : une ess**ence**
   - **-esse**
     Exemple : la vit**esse**
   - **-ille**
     Exemple : une qu**ille**
   - **-ise**
     Exemple : une bêt**ise**
   - **-tion**
     Exemple : une situa**tion**
   - **-té**
     Exemple : la beau**té**
   - **-ure**
     Exemple : une coup**ure**

* Il existe quelques exceptions.

EXERCICE 1 Classez les noms ci-dessous dans la colonne du masculin ou dans la colonne du féminin. Soulignez la finale du nom.

menuisier – laine – requin – patin – devoir – limonade – espoir – douzaine – maison – présence – absence – poussin – mouchoir – proposition – couloir – plaie – ballade – coussin – morsure – catholicisme – église – trottoir – bille – paresse – vin – cargaison – protestantisme – tristesse – soulier – fille – matin – sentier

Exemple : adresse (nom féminin)

noms masculins	noms féminins

Références grammaticales

LE DÉTERMINANT 4

Le déterminant varie en **genre** (masculin ou féminin) et en **nombre** (singulier ou pluriel).

Le déterminant est placé **devant** le nom.

- Si le **nom** est **masculin,** le **déterminant** est **masculin.**
- Si le **nom** est **féminin,** le **déterminant** est **féminin.**
- Si le **nom** est **singulier,** le **déterminant** est **singulier.**
- Si le **nom** est **pluriel,** le **déterminant** est **pluriel.**

Exemples :

- **le** chien
  ↓
  nom masc. sing.
  ↓
  déterminant masc. sing.
- **les** chiens
  ↓
  nom masc. plur.
  ↓
  déterminant masc. plur.
- **une** table
  ↓
  nom fém. sing.
  ↓
  déterminant fém. sing.
- **des** tables
  ↓
  nom fém. plur.
  ↓
  déterminant fém. plur.

Les sortes de déterminants

- **définis** (le, la, l', les)
- **indéfinis** (un, une, des)
- **contractés** (au, aux, du, des)
- **partitifs** (du, de la, de l', des)
- **possessifs** (mon, ma, ton, ta,...)
- **démonstratifs** (ce, cet, cette, ces)
- **numéraux** (deux, trois, quatre,...)
- **interrogatifs** (quel... ?, quelle... ?, quels... ?, quelles... ?)
- **exclamatifs** (quel... !, quelle... !, quels... !, quelles... !)
- **quantitatifs** (aucun, plusieurs, chaque,...)
- **relatifs** (lequel, laquelle, lesquels, lesquelles, **suivis d'un nom**)*

* Le déterminant relatif est surtout utilisé dans les textes juridiques. Il n'est pas présenté dans les Références grammaticales.

Les déterminants définis

	masculin	**féminin**
singulier	le, l'	la, l'
pluriel	les	les

On utilise le déterminant défini :

- devant un nom qui représente un être connu ou une chose connue ;

  Exemple : Je regarde **la** télévision.
  ↓
  une chose connue

- devant un nom qui représente une espèce ou une catégorie.

  Exemples : J'aime **les** chats.
  ↓
  une espèce

  J'aime **les** desserts.
  ↓
  une catégorie

Les déterminants indéfinis

	masculin	**féminin**
singulier	un	une
pluriel	des	des

On utilise le déterminant indéfini :

- devant un nom qui représente **un être non connu** ou **une chose non connue** pour la personne qui parle ou la personne qui écoute.

  Exemple : — Je regarde **un** film.
  ↓
  un chose non connue
  — Quel film ?
  — **Le** film *César et Rosalie.*
  ↓
  une chose connue

Les déterminants indéfinis et la forme négative

Dans une phrase à la **forme négative,** les déterminants indéfinis (**un, une, des**) sont remplacés par **de** (**d'** devant une **voyelle** ou un **h muet**).

Exemples :

J'ai **un** chapeau.	**mais**	Je **n'**ai **pas de** chapeau.
Il a **une** question.	**mais**	Il **n'**a **pas de** question.
Vous avez **des** crayons.	**mais**	Vous **n'**avez **pas de** crayon.

EXERCICE 1 Écrivez les phrases à la forme négative.

1. J'ai une maison.

   ____

2. Il a un chat.

   ____

3. Vous avez des verres.

   ____

Références grammaticales

4. Tu as une assiette.

____

5. Il a un manteau.

____

6. Elle a des gants.

____

7. Nous avons des questions.

____

8. Ils ont des enfants.

____

9. Elle a un emploi.

____

10. Elles ont des automobiles.

____

Les déterminants contractés avec la préposition à

	masculin	**féminin**
singulier	au*, à l'	à la, à l'
pluriel	aux*	aux*

* à + le → au
à + les → aux

Exemples : Pierre est **au** bureau.
Paul est **à la** maison.
M. Dumoulin parle **aux** employés.

EXERCICE 2 Ajoutez les déterminants **à la, à l', au** ou **aux.**

1. Il va ______ école.
2. Elle va ______ maternelle.
3. Tu joues ______ ballon.
4. Nous jouons ______ cartes.
5. Il a mal ______ dos.
6. Je suis ______ régime.
7. Elle a mal ______ pieds.
8. J'ai mal ______ tête.
9. Il parle ______ téléphone.
10. Ils vont ______ cinéma.

Les déterminants partitifs

	masculin	**féminin**
singulier	du*, de l'	de la, de l'
pluriel	des*	des*

* de + les → du
de + les → des

Le déterminant partitif est utilisé pour **des choses qui ne se comptent pas.**
Exemples : **du** sable
de l'eau

EXERCICE 3 Écrivez, dans chaque cas, le bon déterminant partitif.

1. _______ savon
2. _______ shampooing
3. _______ poudre
4. _______ eau
5. _______ papier
6. _______ encre
7. _______ pluie
8. _______ neige
9. _______ air
10. _______ argent

Les déterminants partitifs et la forme négative

Dans une phrase à la **forme négative,** le déterminant partitif (**du, de la, de l', des**) est remplacé par **de** (**d'** devant une **voyelle** ou un **h muet**).

Exemples :

Il boit **de l'**eau.	**mais**	Il **ne** boit **pas d'**eau.
Il mange **de la** viande.	**mais**	Il **ne** mange **pas de** viande.
Il mange **des** céréales.	**mais**	Il **ne** mange **pas de** céréales.

EXERCICE 4 Écrivez les phrases à la forme négative.

1. Il boit du café.
____
2. Il boit du jus.
____
3. Elle mange de la salade.
____
4. Il veut du pain.
____
5. Ils veulent du vin.
____
6. Elles ont du travail.
____
7. Ils ont de la difficulté.
____

8. Il tombe de la pluie.

____

9. Il y a du vent.

____

10. Elles ont de la patience.

____

Les déterminants possessifs

Le déterminant possessif varie en **genre,** en **nombre** et en **personne.**

personne **singulier**	**masculin singulier**	**féminin singulier**	**masculin et féminin pluriel**
1re : je	mon	ma	mes
2e : tu	ton	ta	tes
3e : il / elle	son	sa	ses
pluriel			
1re : nous	notre	notre	nos
2e : vous	votre	votre	vos
3e : ils / elles	leur	leur	leurs

NOTEZ

Ma, ta, sa deviennent **mon, ton, son** devant un nom féminin commençant par une voyelle ou un **h muet.**

Exemple : automobile (nom féminin singulier)

- mon automobile
- ton automobile
- son automobile

EXERCICE 5 Ajoutez les déterminants possessifs **mon, ma** ou **mes** dans les questions et **ton, ta** ou **tes** dans les réponses.

Exemple : — Où est mon crayon ?
— Ton crayon est sur la table.

1. Où est ______ chemise ?

   ______ chemise est dans la garde-robe.

2. Où est ______ cravate ?

   ______ cravate est sur la commode.

3. Où sont ______ gants ?

   ______ gants sont sur la table.

4. Où est ______ veston ?

   ______ veston est dans l'auto.

5. Où sont ______ bas ?

   ______ bas sont dans le tiroir.

6. Où est ______ manteau ?

   ______ manteau est sur la chaise.

7. Où est ______ chandail ?

   ______ chandail est dans la sécheuse.

8. Où est ______ blouse ?

   ______ blouse est chez le nettoyeur.

9. Où est ______ montre ?

   ______ montre est sur le comptoir de la cuisine.

10. Où est ______ portefeuille ?

    ______ portefeuille est sur le bureau.

EXERCICE 6 Ajoutez les déterminants possessifs **son, sa** ou **ses.**

1. Il cherche ______ crayons.
2. Il cherche ______ livres.
3. Elle cherche ______ cahier.
4. Elle cherche ______ dictionnaire.
5. ______ clés sont sur ______ chaise.
6. ______ livres sont dans ______ automobile.
7. ______ cahier est dans ______ sac.
8. ______ dictionnaire est dans ______ chambre.
9. Il aime ______ emploi.
10. Il est dans ______ bureau.
11. Elle écoute de la musique avec ______ lecteur MP3.
12. Elle boit dans ______ tasse.
13. Il boit dans ______ verre.
14. Il compte ______ argent.
15. Elle cherche ______ carte de crédit.
16. Il cherche ______ ordinateur de poche.

EXERCICE 7 Ajoutez les déterminants possessifs **votre** ou **vos** dans les questions et **notre** ou **nos** dans les réponses.

1. Avez-vous ______ livres ?
   Oui, nous avons ______ livres.
2. Où sont ______ crayons ?
   ______ crayons sont sur la table.
3. Quelle est ______ adresse ?
   ______ adresse est 333, rue Montagne.
4. Où sont ______ enfants ?
   ______ enfants sont à l'école.
5. Est-ce que ______ maison est en pierre ?
   Oui, ______ maison est en pierre.

6. Est-ce que ______ automobile est rouge?
   Non, ______ automobile n'est pas rouge.
7. Faites-vous ______ exercices tous les matins?
   Oui, nous faisons ______ exercices tous les matins.
8. Faites-vous ______ devoirs tous les soirs?
   Oui, nous faisons ______ devoirs tous les soirs.
9. Où sont ______ tasses?
   ______ tasses sont sur la table.
10. Qui est ______ enseignant?
    ______ enseignant est M. Larose.

EXERCICE 8 Ajoutez les déterminants possessifs **leur** ou **leurs.**

1. Pierre et Jean parlent à ______ père.
2. Ils veulent faire une surprise à ______ mère.
3. Lucie et Sylvain aiment ______ nouvelle maison.
4. Ils n'ont pas ______ livres.
5. Les étudiants posent des questions à ______ enseignante.
6. Pierre et Anne jouent avec ______ enfants.
7. Les employés veulent parler à ______ patron.
8. Ils ne font pas souvent ______ devoirs.
9. Elles prennent ______ vitamines tous les matins.
10. Ils vont au restaurant avec ______ amis.

Les déterminants démonstratifs

	masculin	féminin
singulier	ce, cet	cette
pluriel	ces	ces

La différence entre ce et cet

On utilise **ce** devant un **nom masculin** qui commence par une **consonne.**
Exemple: **ce** livre
↓
masc.

On utilise **cet** devant un **nom masculin** qui commence par une **voyelle** ou un **h muet.**
Exemples: **cet a**rbre
cet homme

EXERCICE 9 Ajoutez, dans chaque cas, le bon déterminant démonstratif.

1. ______ femme
2. ______ table
3. ______ chaise
4. ______ chandail
5. ______ bureau
6. ______ crayons
7. ______ tasses
8. ______ dictionnaire
9. ______ automobile
10. ______ exercice

EXERCICE 10 Écrivez les noms au singulier.

Exemple: ces crayons, ce crayon

1. ces enseignants ____________________
2. ces questions ____________________
3. ces travaux ____________________
4. ces ordinateurs ____________________
5. ces classeurs ____________________
6. ces téléphones ____________________
7. ces étudiants ____________________
8. ces dictionnaires ____________________
9. ces groupes ____________________
10. ces personnes ____________________

Les déterminants numéraux

Les déterminants numéraux sont des nombres suivis d'un nom.

Les déterminants numéraux de zéro (0) à un milliard (1 000 000 000)

EXERCICE 11 Complétez le tableau en écrivant les nombres en lettres.

0
zéro

1 un	2 deux	3 trois	4 quatre	5 cinq
6 six	7 sept	8 huit	9 neuf	10 dix
11 onze	12 douze	13 treize	14 quatorze	15 quinze
16 seize	17 dix-sept	18 dix-huit	19 dix-neuf	20 vingt
21 vingt et un	22 vingt-deux	23 vingt-trois	24 vingt-quatre	25 vingt-cinq
26 vingt-six	27 vingt-sept	28 vingt-huit	29 vingt-neuf	30 trente
31	32	33	34	35
36	37	38	39	40 quarante
41	42	43	44	45
46	47	48	49	50 cinquante

51	52	53	54	55
56	57	58	59	60 soixante
61	62	63	64	65
66	67	68	69	70 soixante-dix
71 soixante et onze	72 soixante-douze	73 soixante-treize	74 soixante-quatorze	75 soixante-quinze
76 soixante-seize	77 soixante-dix-sept	78 soixante-dix-huit	79 soixante-dix-neuf	80 quatre-vingts
81 quatre-vingt-un	82	83	84	85
86	87	88	89	90 quatre-vingt-dix
91	92	93	94	95
96	97	98	99	100 cent

200
deux cents…

300
trois cents…

1000
mille

10 000
dix mille

100 000
cent mille

1 000 000
un million

1 000 000 000
un milliard

Les déterminants interrogatifs et exclamatifs

	masculin	féminin
singulier	quel	quelle
pluriel	quels	quelles

Quel : déterminant interrogatif

Voir la section « La question », p. 301 à 314.

Quel : déterminant exclamatif

Le déterminant exclamatif permet d'exprimer une émotion ou un sentiment.

Exemples : Quel examen !
Quelle belle journée !
Quels problèmes !
Quelles vacances !

Les déterminants quantitatifs

Le déterminant quantitatif exprime une quantité qui **n'**est **pas** précise.

Quelques déterminants quantitatifs souvent utilisés :

- **aucun / aucune**
  Exemple : Aucun étudiant n'a trouvé la réponse.
- **plusieurs**
  Exemple : Plusieurs étudiants ont trouvé la réponse.
- **quelques**
  Exemple : Quelques étudiants ont trouvé la réponse.
- **chaque**
  Exemple : Chaque étudiant a trouvé la réponse.
- **tout / toute** → singulier
  tous / toutes → pluriel
  Exemples : Les étudiants travaillent **toute** la journée.
  Tous les étudiants travaillent bien.

L'ADJECTIF QUALIFICATIF 5

L'adjectif qualificatif s'accorde en **genre** (masculin ou féminin) et en **nombre** (singulier ou pluriel) avec le nom qu'il qualifie.

Exemples : Louis est attentif.
↓
qualifie Louis, masc. sing.

Ariane est attentive.
↓
qualifie Ariane, fém. sing.

EXERCICE 1 Soulignez l'adjectif et indiquez le genre et le nombre.

Exemple : La maison est grande.
↓
fém. sing.

1. Elle a un petit bureau. ______________________
2. Ces enfants sont gentils. ______________________
3. Ce livre est intéressant. ______________________
4. Jacques et Martin sont aimables. ______________________
5. Sylvie est attentive. ______________________
6. J'ai de bons amis. ______________________
7. Les devoirs ne sont pas difficiles. ______________________
8. Il cherche des employés sérieux. ______________________
9. Les étudiants sont intelligents. ______________________
10. La vie est belle. ______________________

LE PRONOM 6

Les sortes de pronoms

- Les pronoms personnels*
  - sujets (je, tu, il,...)
  - compléments (me, te, lui, en, y,...)
  - réfléchis (me, te, se,...)
  - accentués (moi, toi, lui,...)
- Les pronoms possessifs (le mien, le tien, le sien,...)
- Les pronoms démonstratifs (celui, celle, ceux,...)
- Les pronoms relatifs (qui, que, dont,...)
- Les pronoms interrogatifs (qui, qui est-ce qui, qu'est-ce que,...)
- Les pronoms indéfinis (certains, personne, rien,...)
- Les pronoms numéraux (deux, trois, dix-sept,...)

* Les Références grammaticales présentent uniquement les pronoms personnels.

Les pronoms personnels sujets

	masculin	féminin	indéterminé
singulier			
1re personne	je / j'	je / j'	
2e personne	tu	tu	
3e personne	il	elle	on
pluriel			
1re personne	nous	nous	
2e personne	vous	vous	
3e personne	ils	elles	

Les pronoms personnels compléments

Les pronoms personnels compléments directs et indirects*

	masculin	féminin
singulier		
1re personne	me / m'	me / m'
2e personne	te / t'	te / t'
	direct	
3e personne	le / l'	la / l'
	indirect	
	lui	lui
pluriel		
1re personne	nous	nous
2e personne	vous	vous
	direct	
3e personne	les	les
	indirect	
	leur	leur

* Les pronoms personnels directs et indirects → Voir le cahier de niveau intermédiaire pour les explications et la pratique.

Les pronoms personnels compléments **en** et **y**

Le pronom personnel **en**

Le pronom **en** peut remplacer un nom précédé d'un déterminant indéfini ou partitif.

Exemples : J'ai **un** chat. → J'**en** ai un.
J'ai **des** oiseaux. → J'**en** ai.
Je mange **de la** soupe. → J'**en** mange.

mais

Le pronom **en ne peut pas** remplacer un nom précédé d'un **déterminant défini.**

Exemple : J'ai **le** crayon rouge. → ~~J'en ai.~~

Si le nom remplacé est précédé des déterminants **un** ou **une,** ou d'un **nombre précis,** on conserve **un** ou **une,** ou le **nombre précis** dans la phrase avec **en.**

Exemples : J'ai **un** problème. → J'en ai **un.**
J'ai **une** question. → J'en ai **une.**
J'ai **deux** chats. → J'en ai **deux.**

mais

J'ai **des** problèmes. → J'en ai.

La place du pronom **en** dans la phrase affirmative, au présent

sujet + en + verbe

Exemple : Pierre joue **de la guitare.**
↓ ↓
sujet verbe
Pierre **en** joue.

La place du pronom **en** dans la phrase négative, au présent

sujet + ne + en + verbe + pas

Exemple : Pierre **ne** joue **pas de guitare.**
Pierre n'**en** joue pas.

EXERCICE 1 Reformulez les phrases en utilisant le pronom **en.**

Exemple : J'ai un chat. J'en ai un.

1. J'ai une automobile. ______
2. Il cherche un appartement. ______
3. Nous avons des livres. ______
4. Tu écoutes de la musique. ______
5. Ils ont des questions. ______
6. Elle a une idée. ______
7. Vous avez des devoirs. ______
8. Ils ont une pause-café. ______

EXERCICE 2 Reformulez les phrases en utilisant le pronom **en.**

Exemple : Je n'ai pas de chat. Je n'en ai pas.

1. Il ne veut pas de chien. ______
2. Tu n'as pas de bateau. ______
3. Elle n'écoute pas de musique. ______
4. Nous n'avons pas d'ordinateur. ______
5. Ils n'ont pas de dictionnaire. ______
6. Je ne connais pas de médecin. ______
7. Vous n'avez pas d'emploi. ______
8. Elles ne veulent pas de café. ______

EXERCICE 3 Répondez aux questions en utilisant le pronom **en.**

Exemple : — Est-ce que tu as une automobile ?
— Oui, j'en ai une.

1. Est-ce que tu as un chien ?

   Oui, ______________________________.

2. Est-ce qu'elle a une question ?

   Oui, ______________________________.

3. Est-ce qu'il cherche un emploi ?

   Oui, ______________________________.

4. Est-ce que vous avez des questions ?

   Non, ______________________________.

5. Est-ce qu'ils veulent des explications ?

   Oui, ______________________________.

6. Est-ce que tu as une maison ?

   Non, ______________________________.

Le pronom personnel y

- Le pronom **y** peut remplacer le nom d'un lieu.
  Exemples : Je vais **à Montréal.** → J'**y** vais.
  Je vais **au gymnase.** → J'**y** vais.

La place du pronom y dans la phrase affirmative

- Au présent et au passé composé, le pronom **y** est placé devant le verbe conjugué.
  Exemples : Je vais à Québec. → J'**y** vais.
  Je suis allé à Québec. → J'**y** suis allé.
- Au futur proche, le pronom **y** est placé devant l'infinitif.
  Exemple : Je vais aller à la piscine. → Je vais **y** aller.

La place du pronom y dans la phrase négative

- **Au présent**
  sujet + ne + y + verbe + pas
  Exemple : Je n'**y** vais pas.
- **Au passé composé**
  sujet + ne + y + auxiliaire + pas + participe passé
  Exemple : Je n'**y** suis pas allé.
- **Au futur proche**
  sujet + ne + verbe aller au présent + pas + y + infinitif
  Exemple : Je ne vais pas **y** aller.

EXERCICE 4 Reformulez les phrases en utilisant le pronom **y.**

Exemple : Je vais à l'école. J'y vais.

1. Il va au bureau. ____________________
2. Elles sont à Montréal. ____________________
3. Tu vis en Ontario. ____________________
4. Je suis à l'université. ____________________
5. Vous allez en Alberta. ____________________
6. Ils vont à la bibliothèque. ____________________

EXERCICE 5 Reformulez les phrases en utilisant le pronom **y.**

Exemple : Je ne vais pas à l'école. Je n'y vais pas.

1. Tu ne vas pas au collège. ____________________
2. Elle n'est pas à la maison. ____________________
3. Vous n'allez pas au bord de la mer. ____________________
4. Il ne va pas au bureau. ____________________
5. Je ne vais pas au théâtre. ____________________
6. Nous n'allons pas au magasin. ____________________

EXERCICE 6 Répondez aux questions en utilisant le pronom **y.** Faites attention aux temps du verbe (passé composé et futur proche).

Exemple : — Es-tu allé au restaurant ?
— Non, je n'y suis pas allé.

1. Est-elle allée au cinéma ?

   Non, ____.

2. Es-tu allé au bureau ?

   Non, ____.

3. Va-t-elle aller à Montréal ?

   Oui, ____.

4. Vont-ils aller au magasin ?

   Oui, ____.

5. Sont-ils allés au magasin ?

   Non, ____.

6. Est-il allé à la pharmacie ?

   Oui, ____.

7. Êtes-vous allés au cinéma ?

   Oui, ____.

8. Allez-vous aller au restaurant ?

   Oui, ____.

Les pronoms personnels réfléchis

	masculin et féminin
singulier	
1re personne	me
2e personne	te
3e personne	se
pluriel	
1re personne	nous
2e personne	vous
3e personne	se

Le pronom personnel réfléchi est utilisé dans les verbes à la forme pronominale.

Exemples : Je **me** lave.
Il **se** couche.

Pour la pratique des pronoms personnels réfléchis

Voir « Les verbes à la forme pronominale », pages 286 à 288.

Les pronoms personnels accentués

	masculin	**féminin**
singulier		
1re personne	moi	moi
2e personne	toi	toi
3e personne	soi	soi
pluriel		
1re personne	nous	nous
2e personne	vous	vous
3e personne	eux	elles

Le pronom personnel accentué est souvent utilisé après des prépositions.

Exemples : Est-ce que ce livre est **à toi** ? Non. C'est **à lui.**
Il parle **avec toi.**
J'ai un cadeau **pour eux.**

LE VERBE

Le verbe exprime une **action** ou un **état.**

Les trois groupes de verbes

1er groupe	**2e groupe**	**3e groupe**
-er	**-ir**	autres
modèle : aim**er**	(radical long au pluriel)	
	modèle : fin**ir**	

L'utilisation du présent, du passé composé et du futur proche

La notion du temps

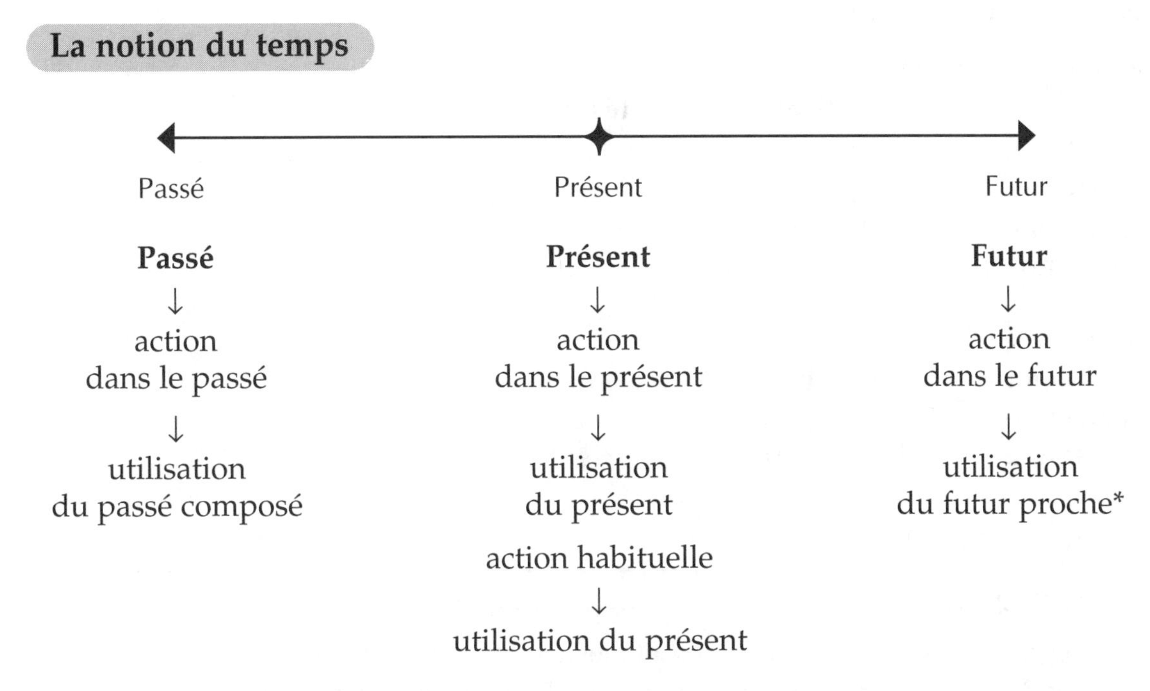

* Le futur proche est un temps utilisé dans la conversation.

Le présent

Les verbes du 1er groupe au présent

Désinence -er à l'infinitif (exception: aller)

La majorité des verbes en français se conjuguent sur le modèle des verbes du 1er groupe. Tous les nouveaux verbes sont formés à partir de ce modèle.

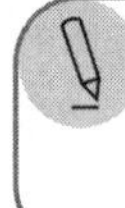

NOTEZ

La désinence de l'infinitif (**-er**) se prononce **/e/.**

Exemple: parler

je parl**e**	nous parl**ons**
tu parl**es**	vous parl**ez**
il / elle / on parl**e**	ils / elles parl**ent**

Formation du présent

radical + désinence

	radical	désinence
singulier		
1re personne	je parl	e
2e personne	tu parl	es
3e personne	il / elle / on parl	e
pluriel		
1re personne	nous parl	ons
2e personne	vous parl	ez
3e personne	ils / elles parl	ent

NOTEZ

Les désinences **-e, -es, -e** et **-ent** sont muettes. Elles **ne sont pas** prononcées.
Les désinences **-ons** et **-ez** sont vocaliques. Elles sont prononcées.

EXERCICE 1 Conjuguez les verbes au présent.
Séparez le radical de la désinence.

Exemple : Parler
Je parl / e

1. Aimer

2. Regarder

3. Écouter

4. Marcher

5. Demander

Les verbes du 2e groupe au présent

Désinence **-ir** à l'infinitif avec un radical court au singulier et un radical long au pluriel.

Exemple : finir

je fini**s**	nous finiss**ons**
tu fini**s**	vous finiss**ez**
il / elle / on fini**t**	ils / elles finiss**ent**

Formation du présent

radical + désinence

	radical	**désinence**
singulier		
1re personne	je fini	s
2e personne	tu fini	s
3e personne	il / elle / on fini	t
pluriel		
1re personne	nous finiss	ons
2e personne	vous finiss	ez
3e personne	ils / elles finiss	ent

- Les trois personnes du singulier → radical court
- Les trois personnes du pluriel → radical long (fini + ss)

NOTEZ

Les désinences **-s, -s, -t** et **-ent** sont muettes. Elles **ne sont pas** prononcées.
Les désinences **-ons** et **-ez** sont vocaliques. Elles sont prononcées.

EXERCICE 2 Conjuguez les verbes au présent.
Séparez le radical de la désinence.

Exemple : Finir
Je fini / s
Tu fini / s

1. Grandir

2. Applaudir

3. Bâtir

4. Choisir

5. Investir

Les verbes du 3e groupe au présent

- le verbe **aller**;
- les verbes en **-ir** qui **n'ont pas** le radical long avec **-iss-** au **pluriel** comme les verbes du 2e groupe;
- les verbes en **-oir**;
- les verbes en **-re.**

NOTEZ

Les verbes qui se terminent par **-ir, -oir** ou **-re** à l'infinitif se prononcent **/r/.**

La désinence dominante des verbes du 3e groupe au présent est:

je...	radical + **s**	nous...	radical + **ons**
tu...	radical + **s**	vous...	radical + **ez**
il / elle / on...	radical + **t**	ils / elles...	radical + **ent**

Exemple: courir

je cour + **s**	nous cour + **ons**
tu cour + **s**	vous cour + **ez**
il / elle / on cour + **t**	ils / elles cour + **ent**

Les verbes du 3e groupe qui ont la même désinence que les verbes du 1er groupe

Quelques verbes du 3e groupe ont la même désinence que les verbes du 1er groupe.

je...	radical + **e**	nous...	radical + **ons**
tu...	radical + **es**	vous...	radical + **ez**
il / elle / on...	radical + **e**	ils / elles...	radical + **ent**

Exemple: ouvrir

j'ouvr + **e**	nous ouvr + **ons**
tu ouvr + **es**	vous ouvr + **ez**
il / elle / on ouvr + **e**	ils / elles ouvr + **ent**

Couvrir, offrir, souffrir, cueillir se conjuguent sur ce modèle.

NOTEZ

Pour la majorité des verbes…

Deux désinences importantes à apprendre au **singulier** :

- **-e, -es, -e** (tous les verbes du 1er groupe et quelques verbes du 3e groupe) ;
- **-s, -s, -t** (tous les verbes du 2e groupe et la majorité des verbes du 3e groupe).

Une désinence importante à apprendre au **pluriel** :

- **-ons, -ez, ent**

Les deux désinences prononcées quand on parle : **-ons** et **-ez.**

Les verbes qui se terminent par -d à la 3e personne du singulier au présent

Environ 60 verbes se terminent par **-d** à la 3e personne du singulier au présent.
Ce sont des verbes qui se terminent souvent par le son ɑ̃ (à l'oral) au singulier.
Exemples : prendre (il prend), vendre (il vend)

Pour ces verbes, on **ne met pas** la désinence **-t.**
Exemple : rendre

je rend + **s**	nous rend + **ons**
tu rend + **s**	vous rend + **ez**
il rend	ils / elles rend + **ent**

EXERCICE 3 Complétez ces verbes du 2e groupe et du 3e groupe avec la bonne désinence au présent.

1. Je voi____
2. Il fini____
3. Nous appren____
4. Elle boi____
5. Tu ouvr____
6. Vous conduis____
7. Il atten____
8. Ils vienn____
9. Tu reçoi____
10. Elle li____
11. Tu dor____
12. J'attend____
13. Nous ven____
14. Vous choisiss____
15. J'offr____
16. Je comprend____

Références grammaticales

Sept verbes irréguliers du 3e groupe au présent

Les verbes **être, avoir, aller, faire, dire, vouloir** et **pouvoir** sont irréguliers et difficiles à classer. Vous devez mémoriser ces verbes.

Être

je suis — nous sommes
tu es — vous êtes
il / elle / on est — ils / elles sont

Avoir

j'ai — nous avons
tu as — vous avez
il / elle / on a — ils / elles ont

Aller

je vais — nous allons
tu vas — vous allez
il / elle / on va — ils / elles vont

Faire

je fais — nous faisons
tu fais — vous **faites**
il / elle / on fait — ils / elles font

Dire

je dis — nous disons
tu dis — vous **dites**
il / elle / on dit — ils / elles disent

Vouloir

je veux — nous voulons
tu veux — vous voulez
il / elle / on veut — ils / elles veulent

Pouvoir

je peux — nous pouvons
tu peux — vous pouvez
il / elle / on peut — ils / elles peuvent

EXERCICE 4 Conjuguez les verbes au présent.

1. (aller) Je ____________________ au bureau.
2. (faire) Il ____________________ la vaisselle.
3. (aller) Nous ____________________ au magasin.
4. (être) Elles ____________________ à la maison.
5. (faire) Vous ____________________ le ménage.
6. (dire) Vous ____________________ la vérité.
7. (vouloir) Je ____________________ lire.
8. (pouvoir) Je ____________________ apprendre le français.
9. (vouloir) Ils ____________________ regarder la télévision.
10. (faire) On ____________________ un travail.

11. (vouloir)	Tu	______________	écouter la radio.
12. (faire)	Nous	______________	du sport.
13. (aller)	Tu	______________	au dépanneur.
14. (avoir)	Il	______________	un problème.
15. (être)	Vous	______________	en retard.
16. (dire)	Ils	______________	des choses intéressantes.

Le passé composé

Formation du passé composé :

auxiliaire **avoir** ou **être** au présent + **participe passé** du verbe à conjuguer

Le participe passé

- **1er groupe** (infinitif **-er**) : **participe passé → désinence -é**

  Exemple : infinitif : aim**er** → participe passé → aim**é**

- **2e groupe et 3e groupe : principaux participes passés → désinence -i ou -u**

  Exemples : infinitif : dorm**ir** → participe passé → dorm**i**
  infinitif : ven**ir** → participe passé → ven**u**

- **Quelques participes passés → désinence -s ou -t**

  Exemples : infinitif : prendre → participe passé → pri**s**
  infinitif : dire → participe passé → di**t**
  infinitif : ouvrir → participe passé → ouver**t**

Exemples de conjugaisons au passé composé :

Parler

j'**ai** parlé
tu **as** parlé
il / elle / on **a** parlé
nous **avons** parlé
vous **avez** parlé
ils / elles **ont** parlé

Finir

j'**ai** fini
tu **as** fini
il / elle /on **a** fini
nous **avons** fini
vous **avez** fini
ils / elles **ont** fini

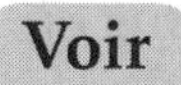

j'**ai** vu
tu **as** vu
il / elle / on **a** vu
nous **avons** vu
vous **avez** vu
ils / elles **ont** vu

EXERCICE 5 Conjuguez les verbes au passé composé.

1. Écouter

______________________ ______________________
______________________ ______________________
______________________ ______________________

2. Regarder

______________________ ______________________
______________________ ______________________
______________________ ______________________

3. Choisir

______________________ ______________________
______________________ ______________________
______________________ ______________________

4. Dire

______________________ ______________________
______________________ ______________________
______________________ ______________________

5. Répondre

______________________ ______________________
______________________ ______________________
______________________ ______________________

Les verbes **être** et **avoir** au passé composé

Être

j'ai été	nous avons été
tu as été	vous avez été
il / elle / on a été	ils / elles ont été

Avoir

j'ai eu	nous avons eu
tu as eu	vous avez eu
il / elle / on a eu	ils / elles ont eu

EXERCICE 6 Conjuguez les verbes au passé composé.

1. (faire)	J'	____________	la vaisselle.
2. (vouloir)	Il	____________	dormir.
3. (être)	Elle	____________	malade.
4. (pouvoir)	Nous	____________	lire.
5. (avoir)	Vous	____________	une surprise.
6. (courir)	Tu	____________	jusqu'au dépanneur.
7. (faire)	Nous	____________	le ménage.
8. (choisir)	Il	____________	un cadeau.
9. (avoir)	J'	____________	un problème.
10. (faire)	Elles	____________	du sport.
11. (prendre)	Elle	____________	des vacances.
12. (finir)	Ils	____________	leur travail.
13. (être)	Tu	____________	gentil.
14. (apprendre)	Il	____________	le français.
15. (boire)	Nous	____________	du café.

Une liste de verbes très utilisés qui se conjuguent avec l'auxiliaire être au passé composé

- aller (part. passé : allé)
- arriver (part. passé : arrivé)
- devenir (part. passé : devenu)
- entrer (part. passé : entré)
- mourir (part. passé : mort)
- naître (part. passé : né)
- partir (part. passé : parti)
- rentrer (part. passé : rentré)
- repartir (part. passé : reparti)
- rester (part. passé : resté)
- retourner (part. passé : retourné)
- revenir (part. passé : revenu)
- sortir (part. passé : sorti)
- tomber (part. passé : tombé)
- venir (part. passé : venu)
- tous les verbes à la forme pronominale (exemple : se laver)

NOTEZ

Pour tous les verbes qui se conjuguent avec l'auxiliaire **être,** le **participe passé** s'accorde en **genre** (masculin ou féminin) et en **nombre** (singulier ou pluriel) avec le **sujet.**

Exemple : aller

sujets masculins	sujets féminins
je **suis** allé	je **suis** allée
tu **es** allé	tu **es** allée
il **est** allé	elle **est** allée
nous **sommes** allés	nous **sommes** allées
vous **êtes** allés	vous **êtes** allées
ils **sont** allés	elles **sont** allées

EXERCICE 7 Conjuguez les verbes au passé composé.

1. Arriver

sujets masculins	sujets féminins
______________________	______________________
______________________	______________________
______________________	______________________
______________________	______________________
______________________	______________________
______________________	______________________

2. Partir

sujets masculins	sujets féminins
______________________	______________________
______________________	______________________
______________________	______________________
______________________	______________________
______________________	______________________
______________________	______________________

3. Sortir

sujets masculins	sujets féminins
______________________	______________________
______________________	______________________
______________________	______________________
______________________	______________________
______________________	______________________
______________________	______________________

4. Venir

sujets masculins | **sujets féminins**

Le futur proche

Les verbes des trois groupes au futur proche

Formation du futur proche:

verbe **aller** au présent + verbe à l'**infinitif**

	présent	**infinitif**
Exemples:	je vais	parler
	tu vas	finir
	il / elle / on va	aller
	nous allons	voir
	vous allez	
	ils vont	

EXERCICE 8 Conjuguez les verbes au futur proche.

1. Avoir

2. Être

3. Étudier

Références grammaticales

4. Finir

5. Faire

Les verbes à la forme pronominale

Les verbes à la forme pronominale au présent

L'**action** est **dirigée sur le sujet.**
Le verbe à la forme **pronominale** → **utilisation de deux pronoms**

pronoms sujets		**pronoms réfléchis**
je	+	me
tu	+	te
il / elle / on	+	se
nous	+	nous
vous	+	vous
ils / elles	+	se

À l'infinitif → **se** + **verbe**
Exemple : se laver

EXERCICE 9 Conjuguez les verbes à la forme pronominale au présent.

1. Se regarder

2. Se lever

3. Se nourrir

Les verbes à la forme pronominale au passé composé

On conjugue toujours les verbes avec l'auxiliaire **être.**

Exemple : se laver

sujets masculins	**sujets féminins**
je me suis lavé	je me suis lavée
tu t'es lavé	tu t'es lavée
il s'est lavé	elle s'est lavée
nous nous sommes lavés	nous nous sommes lavées
vous vous êtes lavés	vous vous êtes lavées
ils se sont lavés	elles se sont lavées

EXERCICE 10 Conjuguez les verbes pronominaux au passé composé.

1. Se regarder

sujets masculins **sujets féminins**

2. Se coucher

sujets masculins **sujets féminins**

Références grammaticales

3. S'endormir

sujets masculins	sujets féminins

Les verbes à la forme pronominale au futur proche

Le pronom réfléchi est placé devant l'infinitif.

Exemple : se laver

je vais **me** laver	nous allons **nous** laver
tu vas **te** laver	vous allez **vous** laver
il / elle / on va **se** laver	ils / elles vont **se** laver

EXERCICE 11 Conjuguez les verbes au futur proche.

1. Se regarder

2. Se coucher

3. S'endormir

LA NÉGATION

La négation **ne... pas** au présent

Deux mots : ne* + pas

Exemple : Je travaille. (phrase **affirmative**)
Je **ne** travaille **pas.** (phrase **négative**)

Exemple : Je **n'**étudie **pas.**

- **ne** placé avant le verbe conjugué
- **pas** placé après le verbe conjugué

Exemple : Je **ne** parle **pas.**
↓
verbe conjugué

* **ne** devient **n'** devant une **voyelle.**

EXERCICE 1 Écrivez les phrases à la forme négative.

Exemple : Il travaille.
Il ne travaille pas.

1. Tu parles.
______
2. Elle écoute.
______
3. J'étudie.
______
4. Vous travaillez.
______
5. Il dort.
______

6. Nous lisons.

7. Ils veulent.

8. Je peux.

EXERCICE 2 Écrivez les phrases à la forme négative.

Exemple : Elle cherche ses clés.
Elle ne cherche pas ses clés.

1. Il ferme la porte.
2. Elle est à la maison.
3. Nous faisons nos devoirs.
4. Il cherche son crayon.
5. Je suis au bureau.
6. Il veut un crayon.
7. Elle achète du chocolat.
8. Ils ont des billets.
9. Il dit la vérité.
10. Elle parle quatre langues.

EXERCICE 3 Répondez aux questions.

Exemple : — Comprends-tu cet exercice ?
— Non, je ne comprends pas cet exercice.

1. Aimes-tu le café ?
   Non, ______________________.
2. Parles-tu allemand ?
   Non, ______________________.
3. Est-il occupé ?
   Non, ______________________.
4. Sont-ils au magasin ?
   Non, ______________________.
5. Est-elle à la maison ?
   Non, ______________________.
6. Parlez-vous anglais ?
   Non, nous ______________________.
7. Manges-tu au restaurant tous les jours ?
   Non, ______________________.
8. Habitez-vous près d'ici ?
   Non, nous ______________________.
9. Aiment-ils l'hiver ?
   Non, ______________________.
10. Travaillent-elles à Toronto ?
    Non, ______________________.

La négation au passé composé

- **ne** placé avant l'auxiliaire **avoir** ou **être**
- **pas** placé après l'auxiliaire **avoir** ou **être**

Exemples : Je **n'**ai **pas** travaillé.
Je **ne** suis **pas** parti.

EXERCICE 4 Écrivez les phrases à la forme négative.

1. Nous avons travaillé.

____

2. Elle a écouté.

____

3. Ils ont dormi.

____

4. J'ai mangé.

____

5. Tu es tombé.

____

6. Il est arrivé.

____

7. Vous avez lu.

____

8. Elles ont étudié.

____

9. J'ai fini.

____

10. Nous avons compris.

____

EXERCICE 5 Écrivez les phrases à la forme négative.

Exemple : Tu as parlé au téléphone.
Tu n'as pas parlé au téléphone.

1. Ils ont fini leur travail.

____

2. Elle a parlé à son patron.

____

3. Ils sont allés à la réunion.

____

4. Nous avons étudié toute la soirée.

____

5. Il est parti hier.

____

6. Tu es arrivé en retard.

____

7. Elle a terminé cet exercice.

____

8. Il a payé ses factures.

____

9. Ils ont nettoyé toute la maison.

____

10. Vous êtes allés au magasin.

____

EXERCICE 6 Répondez aux questions.

Exemple : — As-tu terminé ton travail ?
— Non, je n'ai pas terminé mon travail.

1. As-tu lu le journal ?
   Non, ______________________________.
2. A-t-il téléphoné dans l'après-midi ?
   Non, ______________________________.
3. Est-il parti chez son client ?
   Non, ______________________________.
4. Êtes-vous rentrés tard ?
   Non, ______________________________.
5. Ont-ils assisté à la réunion ?
   Non, ______________________________.
6. Sont-elles parties en Europe ?
   Non, ______________________________.
7. Avez-vous vu mon crayon ?
   Non, je ______________________________.
8. Avez-vous trouvé votre crayon ?
   Non, je ______________________________.
9. A-t-il nettoyé son bureau ?
   Non, ______________________________.
10. Avez-vous écouté le professeur ?
    Non, nous ______________________________.

La négation au futur proche

- **ne** placé avant le verbe **aller** conjugué au présent
- **pas** placé après le verbe **aller** conjugué au présent

Exemple : Je **ne** vais **pas** travailler.

EXERCICE 7 Écrivez les phrases à la forme négative.

1. Tu vas écouter.

 ____

2. Elle va regarder.

 ____

3. Nous allons manger.

 ____

4. Ils vont étudier.

 ____

5. Je vais partir.

 ____

6. Il va travailler.

 ____

7. Vous allez lire.

 ____

8. Elles vont rester.

 ____

9. Je vais dormir.

 ____

10. Tu vas tomber.

 ____

EXERCICE 8 Répondez aux questions.

1. Vas-tu revenir tard?
   Non, ______________________________.
2. Allez-vous téléphoner à vos clients?
   Non, nous ______________________________.
3. Vont-ils étudier ce soir?
   Non, ______________________________.
4. Va-t-elle arriver bientôt?
   Non, ______________________________.
5. Va-t-il vendre sa maison?
   Non, ______________________________.
6. Allons-nous avoir la pause-café bientôt?
   Non, ______________________________.
7. Allez-vous mémoriser toutes les règles de grammaire?
   Non, nous ______________________________.
8. Va-t-il faire ses devoirs?
   Non, ______________________________.
9. Va-t-elle travailler sur l'ordinateur tous les jours?
   Non, ______________________________.
10. Vont-ils déménager cette année?
    Non, ______________________________.

Ne... pas avec les verbes à la forme pronominale

Au présent

- **ne** placé avant le pronom réfléchi
- **pas** placé après le verbe conjugué

Exemples : Je **ne** me couche **pas.**
Il **ne** se lève **pas.**

EXERCICE 9 Écrivez les phrases à la forme négative.

1. Je me regarde.

____

2. Tu te couches.

____

3. Nous nous levons.

____

4. Elle se lave.

____

5. Il se couche.

____

EXERCICE 10 Écrivez les phrases à la forme négative.

Exemple : (présent) Ne pas se regarder

je ne me regarde pas	nous ne nous regardons pas
tu ne te regardes pas	vous ne vous regardez pas
il / elle / on ne se regarde pas	ils ne se regardent pas

1. (présent) Ne pas se lever

je ______________	nous ______________
tu ______________	vous ______________
il / elle / on ______________	ils / elles ______________

2. (présent) Ne pas se coucher

je ______________	nous ______________
tu ______________	vous ______________
il / elle / on ______________	ils / elles ______________

3. (présent) Ne pas se réveiller

je ______________	nous ______________
tu ______________	vous ______________
il / elle / on ______________	ils / elles ______________

Au passé composé

- **ne** placé avant le pronom réfléchi
- **pas** placé après l'auxiliaire **être**

Exemples : Elle **ne** s'est **pas** couchée.
Vous **ne** vous êtes **pas** levés.

EXERCICE 11 Écrivez les phrases à la forme négative.

1. Je me suis couché.

____

2. Il s'est levé.

____

3. Elles se sont regardées.

____

4. Vous vous êtes levés.

____

5. Tu t'es couché.

____

EXERCICE 12 Répondez aux questions.

1. Est-ce que tu t'es couché tôt hier soir ?
   Non, _______________.
2. Est-ce que tu t'es levé en retard ce matin ?
   Non, _______________.
3. Est-ce qu'il s'est rasé ce matin ?
   Non, _______________.
4. Est-ce qu'elle s'est maquillée ce matin ?
   Non, _______________.

5. Est-ce que vous vous êtes reposés en fin de semaine?

   Non, nous ______________________________.

6. Est-ce qu'ils se sont levés à six heures?

   Non, ______________________________.

7. Est-ce qu'elles se sont endormies au cinéma?

   Non, ______________________________.

8. Est-ce qu'ils se sont couchés tard?

   Non, ______________________________.

Au futur proche

- **ne** placé avant le verbe **aller** conjugué au présent
- **pas** placé après le verbe **aller** conjugué au présent

Exemples: Tu **ne** vas **pas** te coucher.
Ils **ne** vont **pas** se lever.

EXERCICE 13 Écrivez les phrases à la forme négative.

1. Il va se coucher.

   ____

2. Nous allons nous lever.

   ____

3. Je vais me laver.

   ____

4. Elle va se regarder.

   ____

5. Vous allez vous coucher.

   ____

EXERCICE 14 Écrivez les phrases à la forme négative.

Exemple : (futur proche) Ne pas se lever

je ne vais pas me lever	nous n'allons pas nous lever
tu ne vas pas te lever	vous n'allez pas vous lever
il / elle / on ne va pas se lever	ils / elles ne vont pas se lever

1. (futur proche) Ne pas se coucher

je ______________________________	nous ______________________________
tu ______________________________	vous ______________________________
il / elle / on ____________________	ils / elles ___________________________

2. (futur proche) Ne pas s'habiller

je ______________________________	nous ______________________________
tu ______________________________	vous ______________________________
il / elle / on ____________________	ils / elles ___________________________

3. (futur proche) Ne pas se réveiller

je ______________________________	nous ______________________________
tu ______________________________	vous ______________________________
il / elle / on ____________________	ils / elles ___________________________

LA QUESTION 9

La question avec inversion du sujet

Au présent

OBSERVEZ

As-tu un crayon ?
↙ ↘
verbe sujet

Est-il grand ?
↙ ↘
verbe sujet

Parlez-vous français ?
↙ ↘
verbe sujet

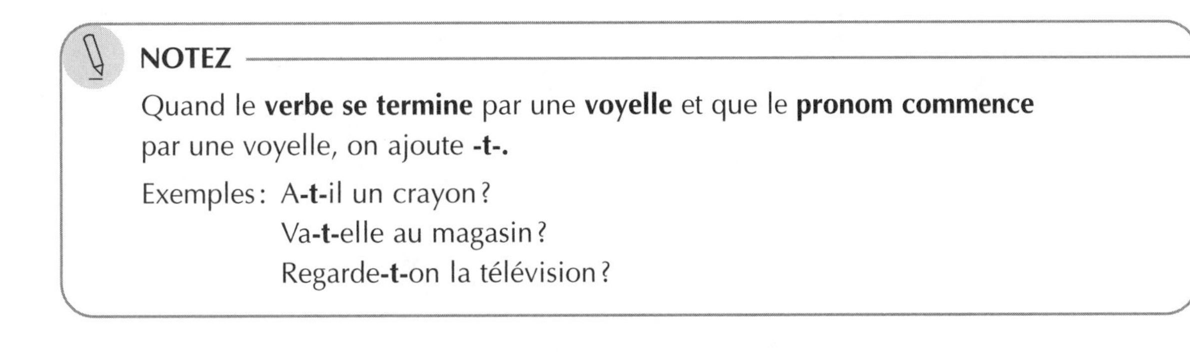

NOTEZ

Quand le **verbe se termine** par une **voyelle** et que le **pronom commence** par une voyelle, on ajoute **-t-.**

Exemples : A-**t**-il un crayon ?
Va-**t**-elle au magasin ?
Regarde-**t**-on la télévision ?

EXERCICE 1 Écrivez les questions.

Exemple : Nous avons des crayons.
Avons-nous des crayons ?

1. Tu regardes la télévision.

____

2. Il écoute la radio.

____

3. Elles parlent français.

____

4. Vous mangez des céréales.

____

5. Ils dorment.

____

6. Elle travaille.

____

7. Vous écrivez une lettre.

____

8. Tu pars bientôt.

____

Au passé composé

OBSERVEZ

As-tu mangé?

↙ ↓ ↘

auxiliaire sujet participe passé

Sont-ils partis?

↙ ↓ ↘

auxiliaire sujet participe passé

Avez-vous étudié?

↙ ↓ ↘

auxiliaire sujet participe passé

EXERCICE 2 Écrivez les questions.

Exemple: Vous avez mangé.
Avez-vous mangé?

1. Tu as étudié.

____

2. Elles ont écouté.

____

3. Vous êtes partis.

____

4. Elle a dormi.

____

5. Ils ont travaillé.

____

EXERCICE 3 Écrivez les questions.

Exemple : — As-tu mangé ?
— Oui, j'ai mangé.

1. ______________________

Oui, j'ai fini mon travail.

2. ______________________

Oui, il est parti.

3. ______________________

Non, il n'a pas téléphoné.

4. ______________________

Non, ils n'ont pas étudié.

5. ______________________

Oui, nous sommes allés au cinéma.

6. ______________________

Oui, nous avons rencontré des clients.

7. ______________________

Oui, j'ai envoyé mon curriculum vitæ.

8. ______________________

Non, je ne suis pas allé au magasin.

9. ______________________

Oui, j'ai acheté le journal.

10. ______________________

Non, je n'ai pas compris.

Au futur proche

OBSERVEZ

Vas-tu étudier ?
↙ ↓ ↘
verbe **aller** sujet infinitif

Vont-elles travailler ?
↙ ↓ ↘
verbe **aller** sujet infinitif

Va-t-il partir ?
↙ ↓ ↘
verbe **aller** sujet infinitif

EXERCICE 4 Écrivez les questions.

Exemple : Elle va étudier.
Va-t-elle étudier ?

1. Ils vont regarder la télévision.

___

2. Tu vas travailler.

___

3. Nous allons avoir un examen.

___

4. Elle va dormir.

___

5. Vous allez partir.

___

6. Il va arriver plus tard.

___

7. Elle va revenir demain.

___

8. Ils vont poser des questions.

___

La question avec **où, quand, comment, pourquoi**

Pour connaître...	le lieu	le temps	la manière	la cause
	↓	↓	↓	↓
	où ?	**quand ?**	**comment ?**	**pourquoi ?**

OBSERVEZ

présent	**passé composé**	**futur proche**
Où travaille-t-il ?	Où a-t-il travaillé ?	Où va-t-il travailler ?
↓ ↓	↙ ↓ ↘	↙ ↓ ↘
verbe sujet	auxiliaire sujet participe passé	verbe **aller** sujet infinitif
présent	**passé composé**	**futur proche**
Quand part-il ?	Quand est-il parti ?	Quand va-t-il partir ?
↙ ↓	↙ ↓ ↘	↙ ↓ ↘
verbe sujet	auxiliaire sujet participe passé	verbe **aller** sujet infinitif
présent	**passé composé**	**futur proche**
Comment faites-vous ?	Comment avez-vous fait ?	Comment allez-vous faire ?
↓ ↓	↙ ↙ ↓	↙ ↓ ↘
verbe sujet	auxiliaire sujet participe passé	verbe **aller** sujet infinitif
présent	**passé composé**	**futur proche**
Pourquoi pars-tu ?	Pourquoi es-tu parti ?	Pourquoi vas-tu partir ?
↙ ↓	↙ ↙ ↓	↙ ↓ ↘
verbe sujet	auxiliaire sujet participe passé	verbe **aller** sujet infinitif

EXERCICE 5 Choisissez **où, quand, comment** ou **pourquoi.**

1. ______________________ vas-tu ?
   Je vais très bien.
2. ______________________ est-il ?
   Il est dans son bureau.
3. ______________________ est-il fâché ?
   Il est fâché parce que son automobile est en panne.

4. ______________________________ va-t-elle revenir ?

Elle va revenir demain.

5. ______________________________ travaillent-ils ?

Ils travaillent bien.

6. ______________________________ es-tu fatigué ?

Je suis fatigué parce que je manque de sommeil.

7. ______________________________ ouvre-t-il la fenêtre ?

Il ouvre la fenêtre parce qu'il fait chaud.

8. ______________________________ est mon livre ?

Ton livre est sur la table.

9. ______________________________ est-il parti ?

Il est parti parce qu'il doit rencontrer un client.

10. ______________________________ est-il allé ?

Il est allé chez un client.

11. ______________________________ est-il parti ?

Il est parti il y a une heure.

12. ______________________________ est-il allé chez son client ?

Il est allé chez son client en automobile.

13. ______________________________ va-t-il revenir ?

Il va revenir à cinq heures.

14. ______________________________ vas-tu partir à deux heures ?

Je vais partir à deux heures parce que j'ai un rendez-vous chez le dentiste.

15. ______________________________ va-t-elle aller au magasin ?

Elle va aller au magasin en métro.

16. ______________________________ vont-ils manger ce midi ?

Ils vont manger au restaurant.

La question avec **combien**

Combien permet de connaître une quantité : un prix, un poids, une durée, etc.

Exemples :
- avec le verbe **coûter**
  Combien coûte ce livre ?
  Combien coûtent ces jeux ?
- avec le verbe **valoir**
  Combien vaut cette bague ?
  Combien valent ces actions ?
- avec le verbe **peser**
  Combien pèse le bébé ?
  Combien pèsent ces colis ?

Combien de… ?

Combien de + nom qui est le sujet du verbe.

Exemples :
- Combien de personnes travaillent dans cette entreprise ?
  ↓
  sujet du verbe
- Combien d'étudiants ont fait leurs devoirs ?
  ↓
  sujet du verbe

Combien de + nom qui n'est pas le sujet du verbe.

L'inversion verbe et sujet est obligatoire.

Exemples :
- Combien de billets voulez-vous ?
  ↓ ↓
  verbe sujet
- Combien d'appels avez-vous reçus ?
  ↙ ↓ ↘
  auxiliaire sujet participe passé

Combien de fois par…
- jour ?
- semaine ?
- mois ?
- année ?

Exemples : **Combien de fois par** semaine faites-vous de l'exercice ?
Combien de fois par jour téléphonez-vous à des amis ou à des membres de votre famille ?
Combien de fois par année fait-il des voyages d'affaires ?

Pendant combien de (d')...
- temps ?
- années ?
- mois ?
- jours ?
- heures ?

Exemples : **Pendant combien de** temps sera-t-il absent ?
Pendant combien d'années a-t-elle étudié à l'université ?
Pendant combien de jours va-t-elle rester à l'hôpital ?

NOTEZ

Dans une conversation...

où, quand, comment, pourquoi et **combien** sont souvent suivis de **est-ce que.**

Exemples : — **Où est-ce que** tu vas ?
— **Quand est-ce qu'**il est parti ?
— **Comment est-ce que** cette imprimante fonctionne ?
— **Pourquoi est-ce qu'**elle est venue ?
— **Combien est-ce que** cette automobile coûte ?

EXERCICE 6 Écrivez les questions appropriées en utilisant **combien.**

1. ______________________________
Cette automobile vaut soixante mille dollars.

2. ______________________________
Le livre coûte trente-cinq dollars.

3. ______________________________
Elle travaille trois jours par semaine.

4. ______________________________
Il prend des vacances deux fois par année.

5. ______________________________
Cette enveloppe pèse trente grammes.

6. ______________________________
Ils vont rester à Chicoutimi pendant cinq jours.

7. ______________________________
Ils ont quatre enfants.

8. ______________________________
Cette montre coûte trois cents dollars.

La question avec **qui**

Qui permet de connaître l'identité d'une personne.

Exemples : Qui est là ?
Qui a téléphoné ?
Qui va venir ?

NOTEZ

Dans la conversation…

on utilise souvent **qui est-ce qui…**

Exemples : Qui est-ce qui veut un café ?
Qui est-ce qui a téléphoné ?

EXERCICE 7 Écrivez une question en utilisant **qui.**

1. ______________________________
C'est Anne qui est là.
2. ______________________________
Moi, je veux faire une pause.
3. ______________________________
C'est Paul qui a pris les clés.
4. ______________________________
C'est Louise qui a écrit cette lettre.
5. ______________________________
Josée va travailler demain.

La question avec **quel**

Quel : déterminant interrogatif

Le déterminant interrogatif **quel** s'accorde en **genre** (masculin ou féminin) et en **nombre** (singulier ou pluriel) avec le **nom.**

	masculin	**féminin**
singulier	quel	quelle
pluriel	quels	quelles

OBSERVEZ

Quel est ton nom ?
↑ ↓
masculin ← nom masculin singulier

Quel est ton numéro de téléphone ?
↑ ↓
masculin ← nom masculin singulier

Quelle est ton adresse ?
↑ ↓
féminin ← nom féminin singulier

Quelle date sommes-nous ?
↑ ↓
féminin ← nom féminin singulier

EXERCICE 8 Faites l'accord du déterminant **quel.**

1. ______________ âge avez-vous ?
2. ______________ est votre nom ?
3. ______________ est votre adresse ?
4. ______________ est votre code postal ?
5. ______________ sont vos loisirs ?
6. ______________ sont vos couleurs préférées ?
7. ______________ langues parle-t-il ?
8. ______________ est la couleur de son chandail ?
9. ______________ est votre dessert favori ?
10. ______________ heure est-il ?

La question avec **est-ce que**

OBSERVEZ

Est-ce que tu travaill**es** ?
↓ ↓
sujet verbe

Est-ce qu'elle a étudi**é** ?
↓ ↓
sujet verbe

Est-ce qu'ils vont travaill**er** ?
↓ ↓
sujet verbe

EXERCICE 9 Formulez des questions comme dans l'exemple ci-dessous.

Exemple : (il mange) Est-ce qu'il mange ?

1. (elle étudie) ______________________
2. (vous travaillez) ______________________
3. (tu comprends) ______________________
4. (ils sont à la maison) ______________________
5. (il va faire beau) ______________________
6. (elle est partie) ______________________
7. (il a téléphoné) ______________________
8. (vous avez fini) ______________________

La question avec **qu'est-ce que**

OBSERVEZ

Qu'est-ce que tu fais?
↙ ↓
sujet verbe

Qu'est-ce qu'il a dit?
↙ ↓
sujet verbe

Qu'est-ce que vous allez faire?
↓ ↓
sujet verbe

EXERCICE 10 Écrivez les questions qui correspondent aux réponses.

Exemple: — Qu'est-ce qu'il mange?
— Il mange du pain.

1. ______________________________
Elle boit du café.

2. ______________________________
Je fais le ménage.

3. ______________________________
Je lis un livre de science-fiction.

4. ______________________________
Il prépare une tourtière.

5. ______________________________
Elles veulent parler à la directrice.

6. ______________________________
J'ai acheté du papier et des crayons.

7. ______________________________

Ils ont apporté les documents.

8. ______________________________

Elle a perdu ses clés.

9. ______________________________

Il va acheter des timbres et des enveloppes.

10. ______________________________

Nous allons étudier le français.

Partie

3 Corrigé

CORRIGÉ THÈMES

Partie 1

PRÉAMBULE

Les noms

1. bouteille de vin
2. assiette
3. tasse
4. cuillère
5. couteau
6. verre à vin
7. théière
8. verre
9. cafetière
10. fourchette

EXERCICE 2

1. golfeur
2. facteur
3. soldat
4. policier
5. serveur
6. enseignant
7. mannequin
8. danseur
9. peintre
10. musicien

EXERCICE 3

1. lapin
2. pingouin
3. girafe
4. canard
5. vache
6. ours
7. tigre
8. mouton
9. poisson
10. mouffette
11. éléphant
12. cochon

Les déterminants

EXERCICE 1

singulier	pluriel
1. **la** chaise	**les** chaise**s**
2. **la** table	**les** table**s**
3. **le** bureau	**les** bureau**x**
4. **le** tableau	**les** tableau**x**
5. **la** fenêtre	**les** fenêtre**s**
6. **le** cahier	**les** cahier**s**
7. **le** crayon	**les** crayon**s**
8. **la** porte	**les** porte**s**
9. **le** mur	**les** mur**s**
10. **le** plancher	**les** plancher**s**
11. **l'**ordinateur	**les** ordinateur**s**
12. **l'**horloge	**les** horloge**s**

EXERCICE 2

1. **la** bouteille
2. **la** cuillère
3. **les** couteaux
4. **les** verres
5. **l'**homme
6. **les** enfants
7. **la** femme
8. **les** tables
9. **le** cahier
10. **les** murs
11. **les** tableaux
12. **les** crayons

EXERCICE 3

singulier	pluriel
1. **un** homme	**des** homme**s**
2. **une** femme	**des** femme**s**
3. **une** robe	**des** robe**s**
4. **un** manteau	**des** manteau**x**
5. **un** chapeau	**des** chapeau**x**
6. **un** soulier	**des** soulier**s**
7. **une** jupe	**des** jupe**s**
8. **un** pantalon	**des** pantalon**s**
9. **un** chandail	**des** chandail**s**
10. **une** chemise	**des** chemise**s**

EXERCICE 4

1. **un** exercice
2. **des** crayons
3. **des** animaux
4. **un** manteau
5. **des** jupes
6. **des** chemises
7. **un** chapeau
8. **une** lampe
9. **une** question
10. **une** réponse
11. **une** leçon
12. **une** pause-café

Les verbes **avoir** et **être** au présent de l'indicatif

EXERCICE 1

Les réponses varient.

Corrigé

EXERCICE 2

1. Tu as...
2. Il a...
3. Elles ont...
4. Elle a...
5. Ils ont...
6. Vous avez...
7. J'ai...
8. Elles ont...
9. Nous avons...
10. Tu as...
11. J'ai...
12. Vous avez...

EXERCICE 3

a) Les réponses varient.

b) 1. Elle est...
   2. Il est...
   3. Nous sommes...
   4. Elles sont...
   5. Vous êtes...
   6. Tu es...
   7. Pierre est...
   8. Hélène et Ariane sont...
   9. Annie est...
   10. Sébastien et Pascal sont...
   11. Tu es...
   12. Nous sommes...

EXERCICE 4

Les réponses varient.

THÈME 1 **LA SANTÉ**

EXERCICE 1

Exercice de mémorisation

EXERCICE 2

1. des dent**s**
2. des oreille**s**
3. des main**s**
4. des doigt**s**
5. des jambe**s**
6. des pied**s**
7. des cheveu**x**
8. des **yeux**
9. des **bras**
10. des orteil**s**

EXERCICE 3

1. Je ne vais pas bien. J'ai mal à la tête.
2. Je ne vais pas bien. J'ai mal aux jambes.
3. Elle ne va pas bien. Elle a mal à la tête.
4. Il ne va pas bien. Il a mal aux oreilles.
5. Elles ne vont pas bien. Elles ont mal aux pieds.

EXERCICE 4

1. Oui, elle est malade. Elle a la grippe.
2. Oui, je suis malade. J'ai le rhume.
3. Oui, ils sont malades. Ils ont la grippe.
4. Oui, je suis malade. J'ai une pneumonie.
5. Oui, elles sont malades. Elles ont le rhume.

EXERCICE 5

1. d) des analgésiques
2. a) du sirop contre la toux
3. c) des gouttes pour les oreilles
4. b) du décongestionnant

EXERCICE 6

1. un fruit
2. un fruit
3. de la volaille
4. de la viande
5. un légume
6. un produit laitier
7. une céréale
8. un fruit
9. un produit laitier
10. un légume
11. un produit laitier
12. du poisson
13. un fruit
14. un produit laitier
15. un légume
16. du poisson

EXERCICE 7

1. une grappe de raisins
2. une poire
3. des champignons
4. des tomates
5. des oignons
6. une pomme
7. des saucisses
8. des œufs
9. un cornet de crème glacée
10. du fromage
11. un croissant
12. du gâteau
13. un épi de maïs
14. du poulet
15. du pain

EXERCICE 8

1. Elle mange des fraises.
2. Je mange un croissant.
3. Nous mangeons du poulet.
4. Ils mangent du pain.
5. On mange des framboises.
6. Elles mangent du poisson.
7. Je mange des céréales.
8. Il mange un œuf.
9. Nous mangeons du gâteau.
10. Je mange des tomates.

EXERCICE 9

1. Je bois **du** café.
2. Elles boivent **du** vin.
3. Tu bois **un verre de** jus d'orange.
4. Il boit **une tasse de** thé.

5. Elle boit **du** lait.
6. Ils mangent **de la** tarte au sucre.
7. Tu manges **un morceau de** gâteau au chocolat.
8. Je mange **une pointe de** fromage.
9. Nous mangeons **du** pain.
10. Vous mangez **du** poulet.
11. On mange **du** beurre d'arachide.
12. Ils mangent **de la** sauce tomate.

EXERCICE 10

1. J'ai faim
2. Il mange
3. Vous avez soif
4. Elle boit
5. Nous avons soif
6. Il a faim
7. J'ai soif
8. Tu bois
9. J'ai mangé
10. Ils ont bu
11. Nous avons mangé
12. J'ai bu
13. Tu as bu
14. Elle a mangé
15. Nous allons manger
16. Tu vas boire
17. Je vais manger
18. Elles vont boire
19. Il va boire
20. Vous allez manger

EXERCICE 11

1. du pain doré: d)
2. du pâté chinois: c)
3. de la tire: b)
4. des fèves au lard: e)
5. des crêpes: a)

EXERCICE 12

Ce matin, Anita a déjeuné à sept heures. Elle a mangé des **céréales** et elle a bu un **verre de jus d'orange.** À midi, Anita a dîné. Elle a préparé une **salade.** Elle a mis de la **laitue,** des **oignons,** des **carottes,** des **tomates,** du **concombre** et de la **vinaigrette.** Elle a bu un **verre de jus de tomate.** À six heures du soir, Anita a soupé. Elle a mangé du **poulet** avec du **riz.** Elle a bu un **verre de vin.** Pour dessert, elle a mangé du **gâteau** et elle a bu du **café.**

EXERCICE 13

1. Il fait de la planche à voile.
2. Il fait du vélo.
3. Il fait du ski alpin.
4. Il fait du ski de randonnée.
5. Il fait du jogging.
6. Il joue au football.
7. Il joue au hockey.
8. Il joue au tennis.
9. Il joue au baseball.
10. Il joue au golf.

EXERCICE 14

1. Je suis en forme.
2. Nous faisons de l'exercice.
3. Vous faites du sport.
4. Il joue au tennis.
5. Elle est en forme.
6. Nous jouons au hockey.
7. Ils font du sport.
8. Tu joues au golf.
9. J'ai joué au football.
10. Il a fait du vélo.
11. Nous avons joué au golf.
12. Vous avez fait du ski alpin.
13. Elle a joué au tennis.
14. Tu as fait de la voile.
15. Ils vont faire du sport.
16. Tu vas jouer au golf.
17. Je vais faire du ski de randonnée.
18. Vous allez jouer au tennis.
19. Il va faire de l'exercice.
20. Nous allons faire du ski.

EXERCICE 15

1. Je ne joue pas au golf.
2. Elle n'est pas en forme.
3. Il ne fait pas de sport.
4. Vous n'êtes pas en forme.
5. Nous n'avons pas joué au football.
6. Tu n'as pas fait de ski alpin.
7. Elles n'ont pas joué au tennis.
8. Il ne va pas jouer au tennis.
9. Elles ne vont pas faire de planche à voile.
10. Tu ne vas pas faire d'exercice.

EXERCICE 16

c) le plongeon
b) le patinage de vitesse
e) le ski acrobatique
c) le plongeon
d) la nage synchronisée
b) le patinage de vitesse
a) le hockey

EXERCICE 17

1. Jean-Claude ne mange pas de viande parce qu'il **est végétarien.**
2. Jean-Claude mange des légumes, du poisson, des fruits, du pain, des céréales et des produits laitiers.
3. Jean-Claude fait du jogging, il joue au tennis et il joue au hockey.
4. Jean-Claude travaille pour vivre.
5. Sylvain travaille onze (11) heures par jour (ou dix (10) heures + une (1) heure de dîner).
6. Non, Sylvain n'est pas en bonne santé.
7. Au dîner, Sylvain mange un sandwich.
8. Au souper, Sylvain mange des mets surgelés.
9. Non, Sylvain ne fait pas d'exercice.
10. Sylvain vit pour travailler.

THÈME 2 LES QUALITÉS ET LES DÉFAUTS

EXERCICE 1

1. petit**e**
2. poli**e**
3. grand**e**
4. fort**e**
5. distrait**e**
6. intelligent**e**
7. délicat**e**
8. intéressant**e**
9. amusant**e**
10. souriant**e**

EXERCICE 2

1. faible
2. pauvre
3. honnête
4. aimable
5. sensible
6. timide
7. sincère
8. sympathique
9. étrange
10. égoïste

EXERCICE 3

1. préci**euse**
2. peur**euse**
3. heur**euse**
4. malheur**euse**
5. fiévr**euse**
6. coût**euse**
7. séri**euse**
8. souci**euse**
9. studi**euse**
10. superstiti**euse**

EXERCICE 4

1. sport**ive**
2. inact**ive**
3. impuls**ive**
4. product**ive**
5. attent**ive**
6. na**ïve**
7. dépress**ive**
8. créat**ive**
9. express**ive**
10. craint**ive**

EXERCICE 5

1. Pierre et Marc sont **forts.**
2. Louise est **sensible.**
3. Diane et Pauline sont **sympathiques.**
4. Nous sommes **sincères.**
5. Jeanne est **studieuse.**
6. Tu es **timide.**
7. Ils sont **méchants.**
8. Nous sommes **honnêtes.**
9. Elles sont **attentives.**
10. Ils sont **sérieux.**
11. Lucie est **heureuse.**
12. Elles sont **craintives.**
13. Je suis **sincère.**
14. Jean et Luc sont **amusants.**
15. Viviane est **intelligente.**

EXERCICE 6

Les réponses varient.

EXERCICE 7

1. **mon** oncle
2. **ma** sœur
3. **ma** grand-mère
4. **mon** frère
5. **mes** parents
6. **mon** cousin
7. **ma** tante
8. **mon** grand-père
9. **ma** mère
10. **mon** père
11. **mes** parents
12. **ma** cousine

EXERCICE 8

Les réponses varient.

EXERCICE 9

Les réponses varient.

EXERCICE 10

1. **Est-il** agressif ?
2. **Es-tu** nerveux ?
3. **Êtes-vous** paresseux ?
4. **Est-elle** têtue ?
5. **Sont-ils** calmes ?
6. **Sont-elles** généreuses ?
7. **Est-il** distrait ?
8. **Êtes-vous** attentifs ?
9. **Est-elle** malhonnête ?
10. **Est-il** poli ?

EXERCICE 11

1. Tu **n'**es **pas** aimable.
2. Je **ne** suis **pas** calme.
3. Nous **ne** sommes **pas** attentifs.
4. Vous **n'**êtes **pas** polis.
5. Tu **n'**es **pas** obéissant.
6. Elles **ne** sont **pas** nerveuses.
7. Ils **ne** sont **pas** gentils.
8. Je **ne** suis **pas** têtu.
9. Elle **n'**est **pas** ponctuelle.
10. Il **n'**est **pas** généreux.

EXERCICE 12

1. Non, elle n'est pas généreuse. Elle est égoïste.
2. Non, il n'est pas doux. Il est agressif.
3. Non, je ne suis pas distrait. Je suis attentif.
4. Non, ils ne sont pas travailleurs. Ils sont paresseux.
5. Non, elle n'est pas stupide. Elle est intelligente.
6. Non, nous ne sommes pas obéissants. Nous sommes désobéissants.
7. Non, elle n'est pas nerveuse. Elle est calme.
8. Non, je ne suis pas retardataire. Je suis ponctuel.
9. Non, il n'est pas poli. Il est impoli.
10. Non, elles ne sont pas méchantes. Elles sont gentilles.

EXERCICE 13

1. Claude est paresseux.
2. Marie est distraite.
3. Alain est honnête.
4. Jocelyne est ponctuelle.
5. Marc-Antoine est généreux.
6. Sylvain est têtu.
7. Louise est polie.
8. Vincent est travailleur.

EXERCICE 14

Séraphin est avare.
Le père Noël est généreux.
Le Petit Chaperon rouge est naïf.
Sol est spirituel.
La Sagouine est bavarde.

EXERCICE 15

Les réponses varient.

EXERCICE 16

1. Je vais très bien. **ou** Nous allons très bien.
2. Je m'appelle…
3. Je suis enchanté(e) de faire votre connaissance. **ou** Enchanté(e).
4. Je vais bien. **ou** Ça va.
5. De rien. **ou** Ça m'a fait plaisir.
6. Je suis désolé(e). **ou** Désolé(e). **ou** Excusez-moi.

EXERCICE 17

Les réponses varient.

EXERCICE 18

1. Marie a vu l'offre d'emploi dans le journal.
2. Elle a envoyé son curriculum vitæ à l'entreprise Transport Gendron.
3. Mme Lemieux est la directrice de l'entreprise Transport Gendron.
4. Mme Lemieux est grande, elle a les cheveux noirs et elle est très sérieuse.
5. Marie est honnête, travailleuse et intelligente.
6. Elle est nerveuse.
7. Non, elle n'est pas triste.
8. Marie doit être au bureau lundi prochain, à neuf heures.
9. La secrétaire de Mme Lemieux.
10. Elle dit: «Quoi? J'ai le poste?»

THÈME 3 LA MÉTÉO

EXERCICE 1

1. Le printemps commence au mois de **mars** et finit au mois de **juin.**
2. L'été commence au mois de **juin** et finit au mois de **septembre.**
3. L'automne commence au mois de **septembre** et finit au mois de **décembre.**
4. L'hiver commence au mois de **décembre** et finit au mois de **mars.**

EXERCICE 2

Les réponses varient.

EXERCICE 3

1. Il fait zéro (0) degré.
2. Il fait six (6) degrés.
3. Il fait neuf (9) degrés au-dessous de zéro. **ou** Il fait moins neuf (−9) degrés.
4. Il fait onze (11) degrés.
5. Il fait seize (16) degrés au-dessous de zéro. **ou** Il fait moins seize (−16) degrés.
6. Il fait dix-sept (17) degrés.
7. Il fait vingt et un (21) degrés au-dessous de zéro. **ou** Il fait moins vingt et un (−21) degrés.
8. Il fait vingt-huit (28) degrés.

EXERCICE 4

Suggestions de réponses (voir le thermomètre dans le thème):

1. Il fait frais.
2. Il fait doux.
3. Il fait frais.
4. Il fait très froid.
5. Il fait très chaud.
6. Il fait doux.
7. Il fait froid.
8. Il fait chaud.

EXERCICE 5

Les réponses varient.

EXERCICE 6

Suggestions de réponses:

1. J'ai froid.
   J'ai froid parce qu'il vente et il pleut.
2. J'ai chaud.
   J'ai chaud parce que la fenêtre est fermée et il fait 23 °C.
3. Je suis bien.
   Je suis bien parce qu'il fait doux.

EXERCICE 7

Suggestions de réponses:

1. Excusez-moi, Monsieur. J'ai froid. Pouvez-vous fermer la fenêtre, s'il vous plaît?
2. Pardon, Madame, j'ai chaud. Pouvez-vous ouvrir la fenêtre?
3. J'ai froid. Peux-tu fermer la fenêtre?
4. J'ai chaud. Peux-tu baisser la vitre? **ou** Peux-tu ouvrir le climatiseur?

EXERCICE 8

1. **la** pluie
2. **le** vent
3. **la** tornade
4. **le** tonnerre
5. **le** soleil
6. **l'**été
7. **l'**automne
8. **la** neige
9. **le** nuage
10. **l'**éclair
11. **la** saison
12. **l'**orage
13. **l'**hiver
14. **le** printemps

EXERCICE 9

1. Quand il y a du soleil, il fait **beau.**
2. Quand il y a de gros nuages gris, il fait **mauvais.**
3. Quand il y a une tornade, il **vente.**
4. Pendant un orage, il y a du **tonnerre** et des **éclairs.**
5. La saison la plus froide est l'**hiver.**
6. J'ai ouvert mon parapluie parce qu'il **pleut.**
7. L'hiver, il **neige.**
8. Les **nuages** cachent le soleil.

EXERCICE 10

1. Quand il fait froid, je porte un **manteau.**
2. J'ai ouvert mon **parapluie** parce qu'il pleut.
3. Je porte des **lunettes de soleil** parce qu'il fait soleil.
4. Je porte des **bottes** quand il neige.
5. Je porte des **gants** parce que j'ai froid aux mains.
6. Je porte un **chapeau** pour ne pas avoir froid à la tête.
7. Nous sommes assis sous le **parasol** parce qu'il fait soleil.
8. Je porte un **imperméable** parce qu'il pleut.
9. Je porte un **foulard** pour ne pas avoir froid au cou.
10. J'ai enlevé mon **veston** parce qu'il fait chaud.

EXERCICE 11

1. Présentement, il **pleut.**
2. La semaine dernière, il **a neigé.**
3. Nous ne jouons pas au badminton parce qu'il **vente.**
4. La nuit dernière, il **a plu.**
5. Demain, il **va venter.**
6. Quand il **neige,** les enfants jouent dehors.
7. Je pense qu'il **va pleuvoir.**
8. Dimanche dernier, il **a venté** très fort.
9. J'**ai eu chaud** avec mon manteau.
10. Il **fait froid** aujourd'hui.
11. Il **va faire beau** jeudi prochain.
12. Il **a fait frais** cette nuit.

EXERCICE 12

1. Oui, il fait beau.
2. Il fait froid.
3. Il fait douze (12) degrés Celsius.
4. Non, il n'a pas neigé (ce matin).
5. Oui, il a plu (hier).
6. Non, je n'ai pas froid.
7. Oui, j'ai eu chaud.
8. Oui, il va faire beau (demain).
9. Non, il n'a pas venté (la nuit dernière).
10. Non, elles n'ont pas eu froid.
11. Oui, il va faire froid (demain).
12. Non, il ne va pas neiger (demain).

EXERCICE 13

1. Fait-il beau?
2. Combien fait-il?
3. Pleut-il?
4. Avez-vous eu froid?
5. As-tu eu chaud?
6. A-t-il venté?
7. A-t-il neigé?
8. Va-t-il faire froid?
9. Va-t-il pleuvoir?
10. A-t-il fait −30 °C? **ou** A-t-il fait trente (30) degrés au-dessous de zéro?

EXERCICE 14

Les réponses varient.

EXERCICE 15

a) Les réponses varient.

b) Les abris d'auto: l'hiver.
L'abattage des arbres: le printemps, l'été et l'automne.
La collecte des feuilles et des branches d'arbres: l'automne pour les feuilles, et le printemps, l'été et l'automne pour les branches d'arbres.
L'arrosage des fleurs: l'été.
L'enlèvement de la neige: l'hiver.
L'utilisation des pesticides: le printemps et l'été.
L'installation des piscines privées: le printemps et l'été.

EXERCICE 16

1. Ils sont au bureau.
2. Elle est allée en Italie.
3. Oui, il a fait très beau.
4. Il a fait chaud.
5. Il a fait environ vingt-cinq (25) °C.
6. Il y a eu un gros orage.
7. Il a venté très fort toute la journée.
8. Il pense que le soleil a déménagé en Italie.

THÈME 4 LES TRANSPORTS

EXERCICE 1

1. Il va **à la** bibliothèque.
2. Elle va **à l'**hôpital.
3. Nous allons **au** magasin.
4. Ils vont **au** parc.
5. Elles vont **au** cinéma.
6. Je vais **à la** banque.
7. On va **au** restaurant.
8. Ils vont **à l'**école.
9. Je vais **au** bureau.
10. Nous allons **au** centre commercial. **ou** Vous allez **au** centre commercial.

EXERCICE 2

1. Il est **à la** maison.
2. Elle est **au** bureau.
3. Ils sont **à l'**école.
4. Tu vas **à la** pâtisserie.
5. Je vais **au** marché.
6. Il va **chez le** médecin.
7. Vous allez **chez le** dentiste.
8. Elles sont **au** collège.
9. Vous êtes **à l'**université.
10. Il est **au** centre d'emploi.
11. Elle va **chez l'**optométriste.
12. Nous allons **au** magasin.

EXERCICE 3

1. Je vais au restaurant **en** automobile.
2. Elle va au magasin **en** métro.
3. Il va à la banque **en** automobile.
4. Nous allons au cinéma **en** taxi.
5. Ils vont au marché **en** autobus.
6. Je vais à l'école **à** pied.
7. Elle revient à la maison **en** autobus.
8. Nous revenons au bureau **en** métro.

EXERCICE 4

1. Comment vas-tu à l'hôpital ?
2. Comment allez-vous au théâtre ?
3. Comment vont-elles au magasin ?
4. Comment revient-il au bureau ?
5. Comment va-t-elle au dépanneur ?
6. Comment reviennent-ils à la maison ?

EXERCICE 5

1. vrai
2. faux
3. vrai
4. faux
5. faux

EXERCICE 6

Exercice de mémorisation

EXERCICE 7

1. rétroviseur
2. portière
3. réservoir d'essence
4. pare-brise
5. volant
6. siège
7. toit
8. capot
9. moteur
10. coffre à bagages
11. pneus
12. silencieux

EXERCICE 8

1. — J'ai une automobile. Veux-tu que je te dépose au magasin ?
2. — Viens, nous allons prendre le métro ensemble.
3. — Bien sûr ! Ça me fait plaisir.
4. — Non, merci. C'est gentil, mais je vais prendre mon vélo.
5. — C'est gentil, mais je finis de travailler à six heures. Je vais prendre l'autobus.

EXERCICE 9

1. faux
2. non mentionné
3. faux
4. non mentionné
5. non mentionné
6. vrai

EXERCICE 10

1. Ce matin, Martine **est allée** au bureau en automobile.
   Martine **est retournée** à la maison pour prendre son porte-documents.
2. — Après ton rendez-vous, est-ce que tu **reviens *ou* vas revenir** au bureau ?
   — Oui, je **reviens *ou* vais revenir** parce que j'ai beaucoup de travail.
3. — Annie, est-ce que tu **es venue** au bureau en automobile ?
   — Non, je ne **suis** pas **venue** au bureau en automobile. Je **suis venue** au bureau en métro.
   — Et toi, Marc, comment **es**-tu **venu** au bureau ce matin ?
   — Je **suis venu** au bureau en autobus.

EXERCICE 11

1. Nous allons
2. Ils avancent
3. Vous conduisez
4. Je freine
5. Tu retournes
6. Elle prend
7. Nous venons
8. Il recule
9. Elles prennent
10. Ils viennent
11. Elle a reculé
12. Tu es retourné
13. Il a pris
14. Ils sont venus
15. Nous avons attendu
16. Vous êtes allé(s)
17. J'ai pris
18. Elle est retournée
19. Il a attendu
20. Je suis allé
21. Je vais revenir
22. Tu vas aller

23. Vous allez attendre
24. Ils vont retourner
25. Elles vont prendre
26. Nous allons venir
27. Je vais prendre
28. Il va attendre
29. Elle va revenir
30. Nous allons retourner

EXERCICE 12

1. le garage ou le concessionnaire
2. le Service de transport en commun
3. l'aéroport
4. le Service de transport en commun
5. la marina

EXERCICE 13

1. L'avion a décollé à huit (8) heures.
2. L'avion va atterrir à sept (7) heures.
3. L'avion vole à cinq cents (500) kilomètres heure.
4. Le train roule à cent (100) kilomètres heure.
5. Le bateau navigue sur l'eau.

EXERCICE 14

1. Pierre travaille pour l'entreprise Ordi Plus.
2. Il est représentant.
3. Il vend des ordinateurs.
4. Il va au bureau et chez ses clients en automobile.
5. Il est allé à Toronto.
6. Il est revenu jeudi passé.
7. Il va aller à Vancouver lundi prochain.
8. Il va prendre l'avion.
9. Il va aller à Vancouver pour rencontrer un nouveau client.
10. Il va prendre un taxi.

THÈME 5 **LE TRAVAIL**

EXERCICE 1

1. Les sept jours de la semaine sont: lundi, mardi, mercredi, jeudi, vendredi, samedi, dimanche.
2. Dans une entreprise, les employés travaillent du **lundi** au **vendredi.**
3. Dans une entreprise, les employés travaillent cinq **jours** par semaine, huit **heures** par jour.

EXERCICE 2

1. Travailles-tu?
2. Où travaillent-elles?
3. Combien d'heures travaille-t-il par jour?
4. Quel est votre horaire de travail?
5. Travailles-tu à temps partiel?
6. Quel est ton salaire?
7. Travaille-t-il à temps plein?
8. Combien de jours travaillent-ils par semaine? **ou** Quel est leur horaire de travail?
9. Cherches-tu un emploi?
10. Travailles-tu les fins de semaine? **ou** Travaillez-vous les fins de semaine?

EXERCICE 3

1. Il gagne 10 dollars l'heure.
2. Son salaire horaire est de 15 dollars.
3. Je gagne 40 000 dollars par année. **ou** Nous gagnons 40 000 dollars par année.
4. Le salaire offert par année est de 55 000 dollars.
5. Le salaire annuel offert est de 37 000 dollars.
6. Je gagne 150 000 dollars par année.
7. Cette femme d'affaires gagne des millions de dollars par année.
8. Il gagne des milliards de dollars.

EXERCICE 4

1. Un salarié reçoit **un salaire.** b)
2. Un vendeur reçoit **une commission.** c)
3. Un serveur reçoit **un pourboire.** e)
4. Un professionnel reçoit **des honoraires.** a)
5. Un auteur reçoit **des redevances.** d)

EXERCICE 5

1. Quel est votre nom? **ou** Quel est ton nom?
2. Quelle est votre profession? **ou** Quelle est ta profession?
3. Quel est votre / ton horaire de travail? **ou** Quelles sont vos / tes heures de travail?
4. Quel est votre titre? **ou** Quel est ton titre?
5. Quelles sont vos coordonnées? **ou** Quelles sont tes coordonnées?
6. Quelles sont les heures d'ouverture?

EXERCICE 6

Les réponses varient.

EXERCICE 7

1. Est-ce que vous travaillez à l'intérieur, dehors ou sur la route?
2. Est-ce que vous travaillez assis, debout ou dans les deux positions?
3. Est-ce que vous travaillez seul ou avec d'autres personnes?
4. Est-ce que vous travaillez avec le public?
5. Est-ce que vous travaillez le jour, le soir ou la nuit?

6. Est-ce que vous travaillez la fin de semaine?
7. Est-ce que vous travaillez dans un environnement calme ou bruyant?
8. Est-ce que vous parlez au téléphone souvent?
9. Est-ce que vous écrivez souvent?
10. Est-ce que votre travail est très stressant?

EXERCICE 8

1. Le premier à être nommé premier ministre du Québec. c) Pierre-Joseph-Olivier Chauveau
2. Le premier à être nommé premier ministre du Canada. h) John A. MacDonald
3. Le fondateur du *Journal de Montréal* et du *Journal de Québec*. d) Pierre Péladeau
4. La première infirmière laïque en Amérique du Nord et fondatrice de l'Hôtel-Dieu de Montréal. b) Jeanne Mance
5. Auteur qui a marqué l'histoire du théâtre au Québec. e) Michel Tremblay
6. Le premier cardiologue qui a réalisé une greffe cardiaque au Canada. f) Pierre Grondin
7. Chercheuse scientifique en neurologie et première astronaute canadienne. a) Roberta Bondar
8. Grande écrivaine francophone native du Manitoba. g) Gabrielle Roy

EXERCICE 9

1. Elle est avocate.	C'est une avocate.
2. Il est journaliste.	C'est un journaliste.
3. Il est médecin.	C'est un médecin.
4. Elle est vendeuse.	C'est une vendeuse.
5. Elle est enseignante.	C'est une enseignante.
6. Il est fonctionnaire.	C'est un fonctionnaire.
7. Elle est coiffeuse.	C'est une coiffeuse.
8. Il est pompier.	C'est un pompier.
9. Il est électricien.	C'est un électricien.
10. Il est plombier.	C'est un plombier.

EXERCICE 10

1. La branche d'activité qui offre le salaire horaire le plus élevé est l'extraction minière et l'extraction de pétrole et de gaz.
2. Une personne qui travaille dans le domaine de l'administration publique gagne, en moyenne, 17,98 $ l'heure.
3. Une personne qui travaille dans la gestion des déchets gagne, en moyenne, 14,96 $ l'heure.
4. a) Une compagnie de théâtre: arts, spectacles et loisirs
   b) Un distributeur de produits pharmaceutiques: commerce de gros
   c) Une entreprise de services de transport par camion: transport et entreposage
   d) Un cabinet de comptable: services professionnels, scientifiques et techniques
5. Les réponses varient.

EXERCICE 11

Les réponses varient.

EXERCICE 12

1. un déménageur / une déménageuse
2. un facteur / une factrice
3. un coiffeur / une coiffeuse
4. un camionneur / une camionneuse
5. un caissier / une caissière
6. un ouvrier / une ouvrière

EXERCICE 13

1. c) L'agriculteur ou l'agricultrice ne doit pas réparer les bijoux. (C'est le bijoutier ou la bijoutière qui répare les bijoux.)
2. b) L'analyste en informatique ne doit pas faire des analyses de sang. (C'est le technicien ou la technicienne de laboratoire qui fait des analyses de sang.)
3. a) L'infirmier ou l'infirmière ne doit pas vendre des vêtements. (C'est un vendeur ou une vendeuse qui vend des vêtements.)
4. b) L'agent immobilier ou l'agente immobilière ne doit pas corriger des examens. (C'est un enseignant ou une enseignante qui corrige des examens.)

EXERCICE 14

1. le serveur / la serveuse
2. le serveur / la serveuse
3. le vendeur / la vendeuse
4. le vendeur / la vendeuse
5. le vendeur / la vendeuse
6. le serveur / la serveuse
7. le serveur / la serveuse
8. le vendeur / la vendeuse

EXERCICE 15

Les réponses varient.

EXERCICE 16

1. Elle cherche du travail.
2. Tu as un emploi.
3. Ils sont avocats.
4. Vous gagnez un bon salaire.
5. Je dois travailler.
6. Nous recevons un salaire.
7. J'ai eu une promotion.
8. Elle a été vendeuse.
9. Il a travaillé dans une boutique.
10. Tu as reçu des prestations d'assurance-emploi.
11. Nous avons regardé les offres d'emploi.
12. Ils ont dû partir.
13. Tu vas être directrice.

14. Elles vont travailler dans un restaurant.
15. Je vais remplir le formulaire.
16. Vous allez recevoir une réponse.
17. Il va chercher du travail.
18. Elle va avoir un nouveau poste.

EXERCICE 17

1. Lundi dernier, Lucie **a reçu** un appel…
2. Présentement, Daniel **écrit** une lettre.
3. Ce matin, Vincent **est arrivé** en retard. Il **a eu** un problème…
4. Demain, Louis **va rencontrer** un nouveau client.
5. La semaine prochaine, les employés **vont avoir** une réunion.
6. Maintenant, la directrice **parle** aux superviseurs.
7. Présentement, nous **discutons** du problème. Plus tard, nous **allons prendre** une décision.
8. L'année dernière, j'**ai trouvé** un emploi.
9. La semaine dernière, elle **a dû** prendre congé.
10. L'année prochaine, l'entreprise **va engager** de nouveaux employés.

EXERCICE 18

1. J'ai téléphoné au client et j'ai laissé un message dans sa boîte vocale.
2. Nous voulons travailler, mais il y a trop de bruit.
3. Elle a fait une demande d'emploi, mais elle n'a pas eu de réponse.
4. Ils sont arrivés au bureau à 8 h et ils sont partis à 10 h.
5. Tu gagnes un bon salaire et tu aimes ton emploi.
6. Tu veux aller manger, mais tu n'as pas le temps.

EXERCICE 19

Les réponses varient.

EXERCICE 20

1. Pierre travaille pour l'entreprise G. D. Déchets. **ou** Pierre travaille chez G. D. Déchets.
2. Il est directeur de l'entreprise.
3. Il travaille pour cette entreprise depuis 16 ans.
4. Il arrive au bureau à huit heures.
5. Il doit rencontrer des clients ; il doit écrire des lettres ; il doit parler au téléphone ; il doit répondre aux questions des employés ; il doit prendre des décisions.
6. Il travaille très bien.
7. Il travaille du lundi au vendredi. **ou** Il travaille lundi, mardi, mercredi, jeudi et vendredi.
8. Il travaille cinquante (50) heures par semaine. **ou** Il travaille quarante-cinq (45) heures par semaine. (Si on ne compte pas les cinq (5) heures de dîner.)
9. L'entreprise G. D. Déchets existe depuis 20 ans.
10. Pierre est préoccupé par la qualité de l'environnement.

THÈME 6 LES ACTIONS QUOTIDIENNES

EXERCICE 1

1. Il est cinq heures.
2. Il est huit heures.
3. Il est trois heures.
4. Il est une heure.
5. Il est dix heures.
6. Il est sept heures.
7. Il est une heure trente.
8. Il est dix heures et quart. **ou** Il est dix heures quinze.
9. Il est huit heures et vingt.
10. Il est quatre heures moins vingt.
11. Il est midi moins quart. **ou** Il est minuit moins quart.
12. Il est deux heures moins cinq.

EXERCICE 2

1. Il est vingt-deux heures vingt.
2. Il est dix-huit heures cinq.
3. Il est neuf heures quarante-cinq.
4. Il est quinze heures vingt-cinq.
5. Il est vingt-trois heures quinze.
6. Il est sept heures cinquante-cinq.
7. Il est seize heures trente.
8. Il est huit heures quarante.
9. Il est dix-neuf heures quinze.
10. Il est cinq heures cinquante.

EXERCICE 3

1. il **se**
2. tu **te**
3. nous **nous**
4. je **me**
5. on **se**
6. vous **vous**
7. elle **se**
8. ils **se**
9. il **se**
10. nous **nous**
11. je **me**
12. vous **vous**
13. elles **se**
14. elle **se**
15. nous **nous**
16. vous **vous**

EXERCICE 4

1. Je me réveille
2. Tu te peignes
3. Elle se brosse
4. Vous vous levez
5. Elle se maquille
6. Ils se rasent
7. Je m'habille
8. Nous nous essuyons
9. Il se lave
10. Nous nous réveillons
11. Je me suis lavé
12. Elle s'est brossé**e**
13. Vous vous êtes habillé(s)
14. Il s'est peigné
15. Elles se sont maquillé**es**
16. Tu t'es levé
17. Il s'est rasé
18. Je me suis essuyé
19. Elle s'est lavé**e**
20. Je me suis levé
21. Elle va se peigner
22. Il va se raser
23. Je vais m'habiller
24. Elles vont se brosser
25. Elle va se maquiller
26. Nous allons nous réveiller
27. Tu vas t'essuyer
28. Je vais me lever
29. Vous allez vous laver
30. Tu vas te peigner

EXERCICE 5

1. Je me réveille quand le **réveil** sonne.
2. Quand je me lève, je descends du **lit.**
3. Je me brosse les dents avec une **brosse à dents.**
4. Je me lave dans la **douche.**
5. Je m'essuie avec une **serviette.**
6. Je me brosse les cheveux avec une **brosse à cheveux.**
7. Je me peigne avec un **peigne.**
8. Je me maquille avec du **maquillage.**
9. Je me rase avec un **rasoir.**
10. Je m'habille avec des **vêtements.**

EXERCICE 6

1. Elle se réveille à six heures.
2. Nous nous levons à cinq heures quinze.
   ou Nous nous levons à cinq heures et quart.
3. Ils se lèvent à sept heures quinze.
   ou Ils se lèvent à sept heures et quart.
4. Je me réveille à huit heures quarante-cinq.
5. Ils se réveillent à neuf heures trente.
   ou Ils se réveillent à neuf heures et demie.

EXERCICE 7

1. Il s'est réveillé à six heures.
2. Nous nous sommes réveillés à sept heures quinze. **ou** Nous nous sommes réveillés à sept heures et quart.
3. Je me suis levé à six heures quarante-cinq.
4. Elle s'est réveillée à dix heures.
5. Ils se sont réveillés à dix heures quarante-cinq.

EXERCICE 8

Attendre

Passé composé

j'ai attendu	nous avons attendu
tu as attendu	vous avez attendu
il / elle / on a attendu	ils / elles ont attendu

Présent

j'attends	nous attendons
tu attends	vous attendez
il / elle / on attend	ils / elles attendent

Futur proche

je vais attendre	nous allons attendre
tu vas attendre	vous allez attendre
il / elle / on va attendre	ils / elles vont attendre

Aller

Passé composé

je suis allé	nous sommes allés
tu es allé	vous êtes allés
il / on est allé	ils sont allés
elle est allée	elles sont allées

Présent

je vais	nous allons
tu vas	vous allez
il / elle / on va	ils / elles vont

Futur proche

je vais aller	nous allons aller
tu vas aller	vous allez aller
il / elle / on va aller	ils / elles vont aller

Téléphoner

Passé composé

j'ai téléphoné	nous avons téléphoné
tu as téléphoné	vous avez téléphoné
il / elle / on a téléphoné	ils / elles ont téléphoné

Présent

je téléphone	nous téléphonons
tu téléphones	vous téléphonez
il / elle / on téléphone	ils / elles téléphonent

Futur proche

je vais téléphoner	nous allons téléphoner
tu vas téléphoner	vous allez téléphoner
il / elle / on va téléphoner	ils / elles vont téléphoner

Déposer

Passé composé

j'ai déposé	nous avons déposé
tu as déposé	vous avez déposé
il / elle / on a déposé	ils / elles ont déposé

Corrigé

Présent

je dépose	nous déposons
tu déposes	vous déposez
il / elle / on dépose	ils / elles déposent

Futur proche

je vais déposer	nous allons déposer
tu vas déposer	vous allez déposer
il / elle / on va déposer	ils / elles vont déposer

Promener

Passé composé

j'ai promené	nous avons promené
tu as promené	vous avez promené
il / elle / on a promené	ils / elles ont promené

Présent

je promène	nous promenons
tu promènes	vous promenez
il / elle / on promène	ils / elles promènent

Futur proche

je vais promener	nous allons promener
tu vas promener	vous allez promener
il / elle / on va promener	ils / elles vont promener

EXERCICE 9

1. Je dois allumer le **téléviseur** pour regarder la télévision.
2. As-tu lavé toute la **vaisselle**?
3. Les enfants jouent avec des **jouets.**
4. Ils préparent le souper avec des **casseroles.**
5. Hier, j'ai acheté un bon **CD.**
6. Ce soir, elle va lire un **livre.**

EXERCICE 10

1. Je prépare...
2. Elle lit...
3. Il essuie...
4. Elles dorment...
5. Nous lavons...
6. Tu regardes...
7. Il aide...
8. J'écoute...
9. Vous jouez...
10. Ils lisent...
11. J'ai lavé...
12. Il a aidé...
13. Nous avons écouté...
14. Elle a essuyé...
15. Vous avez préparé...
16. J'ai lu...
17. Tu as dormi...
18. Ils ont joué...
19. Elle a regardé...
20. Il a lu...
21. Je vais préparer...
22. Nous allons écouter...
23. Elles vont jouer...
24. Tu vas lire...
25. Il va regarder...

EXERCICE 11

1. — Est-ce qu'il joue sur l'ordinateur?
   — Non, il ne joue pas sur l'ordinateur.
   — Qu'est-ce qu'il fait?
   — Il étudie.
2. — Est-ce que vous regardez un film?
   — Non, nous ne regardons pas de film.
   — Qu'est-ce que vous faites?
   — Nous jouons aux cartes.
3. — Est-ce qu'elle fait la vaisselle?
   — Non, elle ne fait pas la vaisselle.
   — Qu'est-ce qu'elle fait?
   — Elle regarde la télévision.
4. — Est-ce que tu dors?
   — Non, je ne dors pas.
   — Qu'est-ce que tu fais?
   — Je réfléchis.
5. — Est-ce qu'elle aide sa mère?
   — Non, elle n'aide pas sa mère.
   — Qu'est-ce qu'elle fait?
   — Elle joue à un jeu vidéo.
6. — Est-ce qu'il joue avec les enfants?
   — Non, il ne joue pas avec les enfants.
   — Qu'est-ce qu'il fait?
   — Il parle au téléphone.

EXERCICE 12

1. Marc est avec son fils. **non mentionné**
2. Marc n'a pas de carte de points Super. **vrai**
3. La caissière donne une carte de points Super à Marc. **faux**
4. Marc veut partir rapidement. **vrai**
5. Marc n'a pas de carte de débit. **non mentionné**
6. La caissière met la facture dans le sac. **vrai**

EXERCICE 13

1. Sophie veut apprendre le piano. **faux**
2. L'École La musique enchantée offre des leçons de guitare. **non mentionné**
3. Chaque leçon de piano coûte 25 $. **vrai**
4. Sophie trouve que les leçons coûtent cher. **non mentionné**
5. La réceptionniste demande à Sophie de patienter au téléphone. **vrai**
6. L'école ne peut pas accepter de nouveaux étudiants présentement. **faux**
7. La réceptionniste va rappeler Sophie. **faux** (selon le texte)

EXERCICE 14

Suggestions de réponses:

1. Combien coûte cet article? **ou** Combien ça coûte? **ou** Quel est le prix de cet article?
2. Non, merci. Je ne suis pas intéressé(e). **ou** Non, ça ne m'intéresse pas.

3. Je veux avoir des renseignements sur le cours de yoga. **ou** J'aimerais avoir des renseignements sur le cours de yoga. **ou** Est-ce que je peux avoir des renseignements sur le cours de yoga?
4. Pardon? **ou** Pouvez-vous répéter, s'il vous plaît? **ou** Excusez-moi, je n'ai pas compris.
5. Madame X **ou** Monsieur X, pouvez-vous patienter un instant? **ou** J'ai un autre appel, un instant, s'il vous plaît.

EXERCICE 15

a) André Dupont, Paul Laurent et Bernard Beaujardin ont inventé **le tapis Sauve-pantalon.**
b) George Klein a inventé **le fauteuil roulant électrique.**
c) Thomas Ahearn a inventé **la cuisinière électrique.**
d) Norman Breaky a inventé **le rouleau à peinture.**
e) Alexander Graham Bell a inventé **le téléphone.**

EXERCICE 16

Suggestions de réponses:
1. — Parce que j'ai besoin de faire nettoyer mon pantalon. **ou** Parce que je vais chercher mon pantalon. **ou** Parce que mon pantalon est sale.
2. — Parce que j'ai besoin de bottes. **ou** Parce que j'ai besoin d'acheter des bottes.
3. — Oui, j'ai besoin de dentifrice.
4. — Oui, j'ai besoin de céréales et de lait.
5. — Non, je n'ai besoin de rien. **ou** Non, merci. Je n'ai besoin de rien.

EXERCICE 17

a) Une journée dans la vie de Caroline
Présentement, il **est** 14 h. Ce matin, Caroline **s'est réveillée** à 6 h 30. Elle **s'est levée,** elle **s'est maquillée,** elle **s'est habillée** et elle **est partie** au bureau. Présentement, Caroline **est** au bureau. Elle **travaille.** À 17 h, Caroline **va rencontrer** une amie au restaurant. Elles **vont souper** ensemble. Après le souper, Caroline **va rentrer** chez elle. Elle **va travailler** à la maison. Elle **va étudier** un dossier important. Caroline **est** avocate et elle **va rencontrer** des clients importants demain. Elle **doit** connaître le dossier.

b) Une journée dans la vie de Philippe
Philippe **est** très fatigué. Il **est** 23 h présentement. Il **a eu** une grosse journée. Ce matin, Philippe **s'est levé** à 5 h 15. Il **est allé** faire du jogging et il **est revenu** à la maison vers 6 h 20. Il **s'est lavé,** il **s'est habillé** et il **a déjeuné.** Il **a quitté** la maison à 7 h 30. Il **a travaillé** jusqu'à 18 h 30. Il **est rentré** à la maison à 19 h 30. Il **a soupé** et il **a lavé** la vaisselle. Il **a fait** du ménage et il **a lu** le journal.Il **a payé** les factures d'électricité et de téléphone. Il **a fait** des chèques. Il **va poster** les chèques demain matin. Dans quelques minutes, Philippe **va se brosser** les dents et il **va se coucher.**

EXERCICE 18

Suggestions de mots à souligner:
Le Centre d'études sur le stress humain de l'Institut universitaire en santé mentale Douglas définit **quatre facteurs** importants qui **causent** le **stress**:
- une **perte de contrôle** de la situation;
- des **évènements imprévus**;
- une **nouvelle situation**;
- une **menace** à votre personne.

Voici un diagramme de Statistique Canada qui a mené une **enquête** sur la **santé mentale** dans les **collectivités canadiennes**:
Pourcentage de la **population** de 15 à 74 ans évaluant son **niveau de stress** (quotidien et au travail) comme **élevé** selon les provinces canadiennes (2005)

EXERCICE 19

Les réponses varient.

EXERCICE 20

1. Les couleurs peuvent avoir un effet stimulant ou un effet calmant.
2. a) Le bleu a un effet de paix et de tranquillité.
   b) Le vert a un effet reposant.
   c) Les lilas diminuent l'anxiété.
   d) Les couleurs neutres donnent une sensation de sécurité.
3. Le désordre peut élever le niveau de stress.
4. Parce que l'eau est calmante.
5. La lecture, la musique, le cinéma.
6. La lavande, la mandarine, la mélisse, la verveine et le romarin.
7. a) calmant: **stimulant** (Certaines couleurs ont un effet stimulant...)
   b) ordre: **désordre** (Le désordre élève le niveau de stress.)
   c) élever: **diminuer** *ou* **réduire** (Les tons de lilas diminuent... **ou** Les accessoires peuvent aider à réduire...)
   d) utile: **inutile** (Débarrassez-vous des objets inutiles.)
   e) salir: **nettoyer** (Rangez les choses et nettoyez votre maison.)
8. Les réponses varient.

THÈME 7 LE BUREAU

EXERCICE 1

1. **un** classeur
2. **un** porte-crayons
3. **une** chaise
4. **un** trombone
5. **un** stylo
6. **une** caméra vidéo
7. **une** souris
8. **un** écran
9. **une** gomme à effacer
10. **une** lampe
11. **une** calculatrice
12. **une** déchiqueteuse
13. **un** photocopieur
14. **une** agrafeuse
15. **un** porte-documents
16. **un** crayon

EXERCICE 2

1. C'est un crayon.
2. Ce sont des stylos.
3. Ce sont des trombones.
4. Ce sont des ciseaux.
5. C'est une agrafeuse.
6. C'est un photocopieur.
7. Ce sont des étiquettes.
8. C'est un porte-documents.
9. C'est une calculatrice.
10. C'est un classeur.

EXERCICE 3

Les dialogues varient.

EXERCICE 4

1. Oui, j'ai besoin de mon stylo.
2. Non, elle n'a pas besoin de son agrafeuse.
3. Oui, ils ont besoin de l'imprimante.
4. Oui, nous avons besoin d'enveloppes.
5. Non, nous n'avons pas besoin de la déchiqueteuse.

EXERCICE 5

1. Oui, j'en ai un.
2. Oui, nous en avons une.
3. Oui, il en a une.
4. Oui, elle en a.
5. Oui, elle en écrit une.
6. Oui, elle en fait.

EXERCICE 6

1. Non, nous n'en avons pas.
2. Non, je n'en ai pas.
3. Non, elle n'en a pas.
4. Non, je n'en ai pas.
5. Non, je n'en ai pas.
6. Non, nous n'en voulons pas.

EXERCICE 7

Suggestions de réponses:

1. Il est sur le bureau.
2. Il est dans le tiroir.
3. Il est entre l'agrafeuse et la lampe.
4. Il est sous le bureau.
5. Elles sont dans la boîte.
6. Elles sont sur le bureau.
7. Elles sont sous la table.
8. Elles sont entre la chaise et le bureau.

EXERCICE 8

1. Il **a besoin de** papier pour le photocopieur.
2. Est-ce que tu **as branché** la lampe?
3. Ce soir, elle **va fermer** le bureau.
4. Nous **avons ouvert** la porte.
5. Ils **débranchent** le télécopieur.
6. Je **vais avoir besoin de** chemises.
7. Vous **ouvrez** le tiroir du classeur.
8. Est-ce qu'elle **a fermé** la porte?
9. Il n'**a** pas **débranché** l'ordinateur.
10. Elle **a besoin d'**enveloppes.
11. Je **vais fermer** l'ordinateur.
12. Il **a ouvert** la fenêtre.

EXERCICE 9

1. Pourquoi as-tu mis le papier sur une tablette de l'étagère?
2. Pourquoi M. Martel a-t-il annulé son rendez-vous?
3. Pourquoi dois-tu partir à 4 h?
4. Pourquoi n'a-t-elle pas lu la documentation?
5. Pourquoi a-t-il appelé?

EXERCICE 10

1. Elle travaille à temps plein.
2. Une personne fait des heures supplémentaires quand elle fait plus d'heures de travail que son horaire normal.
3. Elle utilise quatre appareils: le téléphone, l'ordinateur, le photocopieur et le télécopieur.
4. Sa superviseure est aimable, dynamique et toujours de bonne humeur.
5. Les réponses varient.

EXERCICE 11

1. je **parl**e: radical court
   nous **parl**ons: radical court
2. je **finis**: radical court
   Nous **finiss**ons: radical long
3. je **téléphon**e: radical court
   nous **téléphon**ons: radical court
4. je **bâti**s: radical court
   Nous **bâtiss**ons: radical long

5. je **cour**s : radical court
   nous **cour**ons : radical court
6. je **connai**s : radical court
   nous **connaiss**ons : radical long

EXERCICE 12

1. Elle classe des dossiers.
2. Nous réfléchissons.
3. Il a parlé à un client.
4. Je vais lire mes courriels.
5. Elle a répondu au téléphone.
6. Nous allons envoyer une télécopie.
7. J'ai fait des photocopies.
8. Ils remplissent un formulaire.

EXERCICE 13

1. Non, je ne peux pas. Je dois écrire une lettre.
2. Non, elle ne peut pas. Elle doit répondre au téléphone.
3. Non, nous ne pouvons pas. Nous devons préparer un document. **ou** Non, vous ne pouvez pas. Vous devez préparer un document.
4. Non, je n'ai pas pu. J'ai lu les courriels.
5. Non, je ne peux pas. Je dois rencontrer un client. **ou** Non, nous ne pouvons pas. Nous devons rencontrer un client.

EXERCICE 14

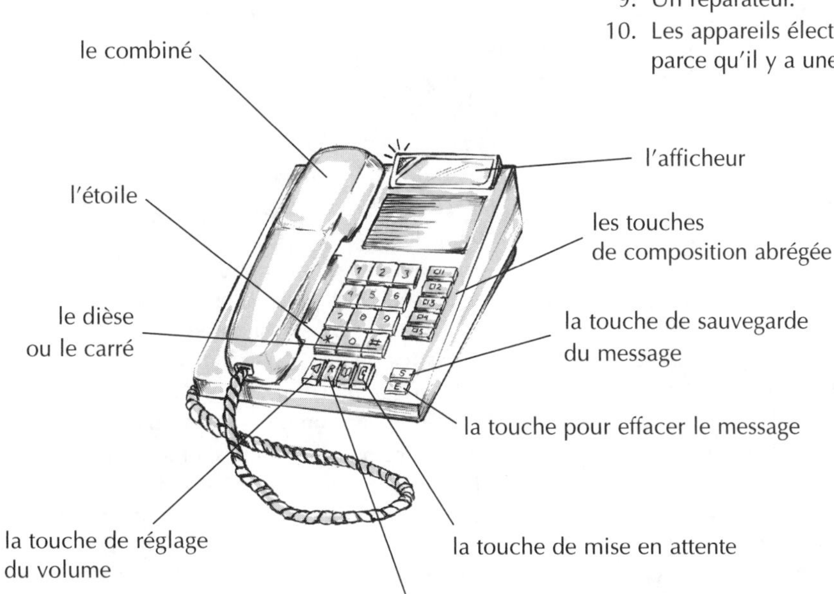

EXERCICE 15

a) Votre nom ou le nom de l'entreprise
b) Oui, certainement. Un instant, s'il vous plaît.
c) Pouvez-vous patienter un instant ?
d) Vous avez un appel. Pouvez-vous répondre ?
e) Bonjour, c'est (votre nom). S'il vous plaît, rappelez-moi au (votre numéro de téléphone), poste (votre numéro de poste). Merci.
f) Pouvez-vous épeler votre nom, s'il vous plaît ?
g) Monsieur X, Madame Y, excusez-moi de vous avoir fait attendre.

EXERCICE 16

Les lettres varient.

EXERCICE 17

Les réponses varient.

EXERCICE 18

1. Le directeur s'appelle M. Legault.
2. Il arrive au bureau à 8 h 30.
3. Il est très fatigué.
4. Mme Beaumont est la secrétaire administrative.
5. C'est un photocopieur.
6. C'est un télécopieur.
7. Un client.
8. Le téléphone.
9. Un réparateur.
10. Les appareils électriques ne fonctionnent pas parce qu'il y a une panne d'électricité.

THÈME 8 LES VOYAGES

EXERCICE 1

1. Oui, j'aime voyager.
2. Oui, il préfère rester à la maison.
3. Oui, ils veulent partir en voyage.
4. Oui, nous aimons aller au bord de la mer.
5. Oui, je préfère voyager l'été.
6. Non, elles ne préfèrent pas partir demain.
7. Non, je ne veux pas rester à la campagne.
8. Non, il n'aime pas voyager seul.

EXERCICE 2

1. La capitale du Mexique est **Mexico.**
   Les habitants et les habitantes du Mexique sont **les Mexicains et les Mexicaines.**
   La langue officielle est **l'espagnol.**
   La monnaie est **le peso.**
2. La capitale de l'Argentine est **Buenos Aires.**
   Les habitants et les habitantes de l'Argentine sont **les Argentins et les Argentines.**
   La langue officielle est **l'espagnol.**
   La monnaie est **le peso.**
3. La capitale de la France est **Paris.**
   Les habitants et les habitantes de la France sont **les Français et les Françaises.**
   La langue officielle est **le français.**
   La monnaie est **l'euro.**
4. La capitale de la Suisse est **Berne.**
   Les habitants et les habitantes de la Suisse sont **les Suisses.**
   Les langues officielles sont **l'allemand, le français, l'italien et le romanche.**
   La monnaie est **le franc.**
5. La capitale du Maroc est **Rabat.**
   Les habitants et les habitantes du Maroc sont **les Marocains et les Marocaines.**
   La langue officielle est **l'arabe.**
   La monnaie est **le dirham.**
6. La capitale de Madagascar est **Antananarivo.**
   Les habitants et les habitantes de Madagascar sont **les Malgaches.**
   Les langues officielles sont **le malgache, le français et l'anglais.**
   La monnaie est **l'ariayry.**
7. La capitale de l'Inde est **New Delhi.**
   Les habitants et les habitantes de l'Inde sont **les Indiens et les Indiennes.**
   Les langues officielles sont **l'hindi et l'anglais.**
   La monnaie est **le rupee.**
8. La capitale de la Chine est **Pékin (Beijing).**
   Les habitants et les habitantes de la Chine sont **les Chinois et les Chinoises.**
   La langue officielle est **le mandarin.**
   La monnaie est **le yuan (renminbi).**
9. La capitale du Japon est **Tokyo.**
   Les habitants et les habitantes du Japon sont **les Japonais et les Japonaises.**
   La langue officielle est **le japonais.**
   La monnaie est **le yen.**
10. La capitale de Taïwan est **Taipei.**
    Les habitants et les habitantes de Taïwan sont **les Taïwanais et les Taïwanaises.**
    La langue officielle est **le mandarin.**
    La monnaie est **le nouveau dollar.**

EXERCICE 3

On parle français...

1. **au** Canada
2. **à** Haïti
3. **en** Belgique
4. **en** France
5. **au** Luxembourg
6. **à** Monaco
7. **en** Suisse
8. **au** Vatican
9. **au** Bénin
10. **au** Burkina Faso
11. **au** Burundi
12. **au** Cameroun
13. **en** Centrafrique
14. **aux** Comores
15. **au** Congo
16. **en** République démocratique du Congo
17. **en** Côte d'Ivoire
18. **au** Djibouti
19. **au** Gabon
20. **en** Guinée
21. **en** Guinée équatoriale
22. **à** Madagascar
23. **au** Mali
24. **au** Niger
25. **au** Sénégal
26. **au** Tchad
27. **au** Togo
28. **au** Rwanda

EXERCICE 4

1. On **compte** 43 565 000 francophones **en** Afrique subsaharienne.
2. Il y a 15 700 000 francophones qui **vivent au** Maghreb.
3. Si on **compte** les francophones et les francophones partiels, on **trouve** 4 409 000 personnes qui **parlent** français dans **la** région de **l'**océan Indien.
4. **En** Amérique du Nord, il y a, au total, 10 560 000 personnes qui **savent** parler français.
5. Dans **la** région **des** Caraïbes, on **trouve** 1 805 000 francophones, c'est-à-dire **des** personnes dont **le** français est **la** langue première, **la** langue seconde ou **la** langue d'adoption.
6. **En** Extrême-Orient, **le** total **des** francophones et **des** francophones partiels **se chiffre** à 417 000 personnes.
7. Il y a 1 818 000 francophones et 763 000 francophones partiels qui **habitent** dans **la** région **du** Proche-Orient et **du** Moyen-Orient.
8. On **trouve** 6 596 000 francophones dans **la** région de **l'**Europe centrale et orientale.

9. **Le** total de francophones dans **la** région de **l'**Europe de l'Ouest **s'élève** à 70 175 000 personnes.
10. **En** Océanie, il y a 423 000 personnes qui **sont des** francophones et 48 000 personnes qui **sont des** francophones partiels.

EXERCICE 5

→ Suggestions de réponses :

La demande de passeport

Où s'adresser
→ Au bureau de Passeport Canada

Documents importants
→ Un formulaire de demande
→ Une preuve de citoyenneté (un certificat de naissance ou une carte de citoyenneté)
→ Une preuve de son identité avec photo

Autres faits importants
→ Ça coûte de l'argent (droits exigibles pour la demande).

La demande de visa

Où s'adresser
→ Au consulat ou au Service consulaire de l'ambassade du pays

Documents importants
→ Un passeport
→ Une photo d'identité récente
→ Une preuve d'assurance voyage
→ Des pièces justificatives

Autres faits importants
→ Obtenir la liste des pièces à fournir à l'ambassade

La demande d'assurance voyage

Où s'adresser
→ À une agence de voyages, à une compagnie d'assurances ou à une banque

Documents importants

Durant le voyage :
→ avoir le numéro d'assuré
→ avoir le numéro de téléphone et l'adresse de l'assureur

Autres faits importants
→ S'il y a un problème durant le voyage, demander des pièces justificatives.

La vaccination

Où s'adresser
→ À un médecin ou à une clinique de santé-voyage

Documents importants
→ Documents du ministère des Affaires étrangères et Commerce international

Autres faits importants
→ Prévoir la vaccination de six (6) à huit (8) semaines avant de partir.
→ En voyage, faire attention aux insectes et surveiller la nourriture et les boissons.

EXERCICE 6

1. La ville d'Ottawa est **en Ontario.**
2. La ville de Winnipeg est **au Manitoba.**
3. La ville de Fredericton est **au Nouveau-Brunswick.**
4. La ville de Regina est **en Saskatchewan.**
5. La ville de Vancouver est **en Colombie-Britannique.**
6. La ville de Montréal est **au Québec.**
7. La ville d'Halifax est **en Nouvelle-Écosse.**
8. La ville de St. John's est **à Terre-Neuve.**
9. La ville d'Edmonton est **en Alberta.**
10. La ville de Charlottetown est **à l'Île-du-Prince-Édouard.**

EXERCICE 7

1. un complet
2. des bas
3. des sous-vêtements
4. des chemises
5. une cravate
6. des chaussures
7. un chandail
8. une ceinture
9. un rasoir
10. une brosse à dents
11. du dentifrice
12. du shampooing
13. un sèche-cheveux
14. du fil et une aiguille

EXERCICE 8

1. Je **vais au** Canada.
2. Elle **est allée au** Nouveau-Brunswick.
3. Il **va aller à** Halifax.
4. Vous **êtes allés à** l'Île-du-Prince-Édouard.
5. Nous **sommes allés en** Alberta.
6. Ils **vont à** Toronto.
7. Tu **vas aller à** Vancouver.
8. Elles **vont au** Manitoba.
9. Je **vais aller au** Nunavut.
10. Vous **allez dans les** Territoires du Nord-Ouest.
11. Ils **sont allés au** Yukon.
12. Nous **sommes allés en** Ontario.

EXERCICE 9

1. Oui, j'y vais souvent.
   Non, je n'y vais pas souvent.
2. Oui, elle y va souvent.
   Non, elle n'y va pas souvent.
3. Oui, j'y vais.
   Non, je n'y vais pas.
4. Oui, j'y vais chaque année.
   Non, je n'y vais pas chaque année.
5. Oui, ils y habitent.
   Non, ils n'y habitent pas.
6. Oui, nous y habitons.
   Non, nous n'y habitons pas.
7. Oui, elle y va.
   Non, elle n'y va pas.
8. Oui, ils y vont.
   Non, ils n'y vont pas.
9. Oui, nous y allons.
   Non, nous n'y allons pas.
10. Oui, il y va.
    Non, il n'y va pas.

EXERCICE 10

1. J'y suis allé.
2. Nous y sommes allés.
3. Ils y ont habité.
4. Vous y êtes allé.
5. Tu y as habité.
6. Elle y est allée.
7. Il n'y est pas allé.
8. Elles n'y sont pas allées.
9. Nous n'y avons pas habité.
10. Vous n'y êtes pas allés.
11. Ils n'y sont pas allés.
12. Je n'y suis pas allé.

EXERCICE 11

1. Oui, je vais y aller.
   Non, je ne vais pas y aller.
2. Oui, il va y aller.
   Non, il ne va pas y aller.
3. Oui, elle va y aller.
   Non, elle ne va pas y aller.
4. Oui, ils vont y habiter.
   Non, ils ne vont pas y habiter.
5. Oui, je vais y habiter.
   Non, je ne vais pas y habiter.
6. Oui, je vais y aller.
   Non, je ne vais pas y aller.

EXERCICE 12

1. Je pars
2. Nous rencontrons
3. Elle met
4. Vous voyagez
5. Elle réserve
6. Ils font
7. Nous partons
8. Il va
9. J'ai hâte
10. Tu visites
11. Elle a réservé
12. Il a voyagé
13. Elles ont mis
14. Je suis allé
15. Ils ont rencontré
16. Nous avons visité
17. Vous êtes partis
18. Tu as mis
19. Ils ont fait
20. Nous avons voyagé
21. Je vais partir
22. Vous allez rencontrer
23. Tu vas réserver
24. Nous allons aller
25. Elles vont visiter

EXERCICE 13

1. Ils sont partis **il y a** trois jours.
2. Je suis revenu **il y a** une semaine.
3. Nous sommes allés en Europe **il y a** deux ans.
4. Je vais aller aux États-Unis **dans** trois semaines.
5. Elle va partir en voyage **dans** trois jours.
6. Elle va revenir **dans** un mois.
7. Je suis revenu **il y a** cinq jours.
8. L'avion va décoller **dans** une heure.
9. Le train va arriver **dans** une demi-heure.
10. Le taxi va arriver **dans** un quart d'heure.

EXERCICE 14

1. Elle est en Europe **depuis** trois jours.
2. Ils sont ici **depuis** deux jours.
3. Ils veulent partir **pendant** trois semaines.
4. Ils vont rester en Europe **pendant** un mois.
5. Elle est partie **pendant** cinq jours.
6. Nous avons les billets d'avion **depuis** quatre mois.
7. Elles sont à cet hôtel **depuis** sept jours.
8. Il va rester là-bas **pendant** six semaines.

EXERCICE 15

1. Christine est allée en voyage la semaine dernière.
2. La ville de Plessisville est située dans le Centre-du-Québec.
3. Elle a fait du ski de randonnée.
4. Elle a visité le Musée québécois de l'érable.
5. Elle trouve qu'on y mange bien et elle aime se promener dans les vieilles rues.
6. Parce qu'elle aime le ski alpin.
7. Christine dit : « Comme c'est la saison des sucres… » et « À cette période de l'année, il commence à faire plus doux, mais il y a suffisamment de neige… »
8. Elle veut aller en Suisse.
9. Parce qu'elle aime faire du ski alpin.
10. Elle doit planifier son budget.

CORRIGÉ
RÉFÉRENCES GRAMMATICALES

Partie 2

1 L'ALPHABET FRANÇAIS, L'APOSTROPHE ET LE TRAIT D'UNION

EXERCICE 1

1. é
2. è
3. ê
4. à
5. ô
6. û
7. ù
8. ï
9. â
10. ë

3 LE NOM

EXERCICE 1

noms masculins		noms féminins	
menuisier	coussin	laine	ballade
requin	catholicisme	limonade	morsure
patin	trottoir	douzaine	église
devoir	vin	maison	bille
espoir	protestantisme	présence	paresse
poussin	soulier	absence	cargaison
mouchoir	matin	proposition	tristesse
couloir	sentier	plaie	fille

4 LE DÉTERMINANT

EXERCICE 1

1. Je n'ai pas de maison.
2. Il n'a pas de chat.
3. Vous n'avez pas de verre.
4. Tu n'as pas d'assiette.
5. Il n'a pas de manteau.
6. Elle n'a pas de gants.
7. Nous n'avons pas de question.
8. Ils n'ont pas d'enfant.
9. Elle n'a pas d'emploi.
10. Elles n'ont pas d'automobile.

EXERCICE 2

1. Il va **à** l'école.
2. Elle va **à la** maternelle.
3. Tu joues **au** ballon.
4. Nous jouons **aux** cartes.
5. Il a mal **au** dos.
6. Je suis **au** régime.
7. Elle a mal **aux** pieds.
8. J'ai mal **à la** tête.
9. Il parle **au** téléphone.
10. Ils vont **au** cinéma.

EXERCICE 3

1. **du** savon
2. **du** shampooing
3. **de la** poudre
4. **de l'**eau
5. **du** papier
6. **de l'**encre
7. **de la** pluie
8. **de la** neige
9. **de l'**air
10. **de l'**argent

EXERCICE 4

1. Il ne boit pas de café.
2. Il ne boit pas de jus.
3. Elle ne mange pas de salade.
4. Il ne veut pas de pain.
5. Ils ne veulent pas de vin.
6. Elles n'ont pas de travail.
7. Ils n'ont pas de difficulté.
8. Il ne tombe pas de pluie.
9. Il n'y pas de vent.
10. Elles n'ont pas de patience.

EXERCICE 5

1. Où est **ma** chemise?
   Ta chemise est dans la garde-robe.
2. Où est **ma** cravate?
   Ta cravate est sur la commode.
3. Où sont **mes** gants?
   Tes gants sont sur la table.
4. Où est **mon** veston?
   Ton veston est dans l'auto.
5. Où sont **mes** bas?
   Tes bas sont dans le tiroir.
6. Où est **mon** manteau?
   Ton manteau est sur la chaise.
7. Où est **mon** chandail?
   Ton chandail est dans la sécheuse.
8. Où est **ma** blouse?
   Ta blouse est chez le nettoyeur.
9. Où est **ma** montre?
   Ta montre est sur le comptoir de la cuisine.
10. Où est **mon** portefeuille?
    Ton portefeuille est sur le bureau.

EXERCICE 6

1. Il cherche **ses** crayons.
2. Il cherche **ses** livres.
3. Elle cherche **son** cahier.
4. Elle cherche **son** dictionnaire.
5. **Ses** clés sont sur **sa** chaise.
6. **Ses** livres sont dans **son** automobile.
7. **Son** cahier est dans **son** sac.
8. **Son** dictionnaire est dans **sa** chambre.
9. Il aime **son** emploi.
10. Il est dans **son** bureau.
11. Elle écoute de la musique avec **son** lecteur MP3.
12. Elle boit dans **sa** tasse.
13. Il boit dans **son** verre.
14. Il compte **son** argent.
15. Elle cherche **sa** carte de crédit.
16. Il cherche **son** ordinateur de poche.

EXERCICE 7

1. Avez-vous **vos** livres?
   Oui, nous avons **nos** livres.
2. Où sont **vos** crayons?
   Nos crayons sont sur la table.
3. Quelle est **votre** adresse?
   Mon adresse est 333, rue Montagne.
4. Où sont **vos** enfants?
   Nos enfants sont à l'école.
5. Est-ce que **votre** maison est en pierre?
   Oui, **notre** maison est en pierre.
6. Est-ce que **votre** automobile est rouge?
   Non, **notre** automobile n'est pas rouge.
7. Faites-vous **vos** exercices tous les matins?
   Oui, nous faisons **nos** exercices tous les matins.
8. Faites-vous **vos** devoirs tous les soirs?
   Oui, nous faisons **nos** devoirs tous les soirs.
9. Où sont **vos** tasses?
   Nos tasses sont sur la table.
10. Qui est **votre** enseignant?
    Notre enseignant est M. Larose.

EXERCICE 8

1. Pierre et Jean parlent à **leur** père.
2. Ils veulent faire une surprise à **leur** mère.
3. Lucie et Sylvain aiment **leur** nouvelle maison.
4. Ils n'ont pas **leurs** livres.
5. Les étudiants posent des questions à **leur** enseignante.
6. Pierre et Anne jouent avec **leurs** enfants.
7. Les employés veulent parler à **leur** patron.
8. Ils ne font pas souvent **leurs** devoirs.
9. Elles prennent **leurs** vitamines tous les matins.
10. Ils vont au restaurant avec **leurs** amis.

EXERCICE 9

1. **cette** femme
2. **cette** table
3. **cette** chaise
4. **ce** chandail
5. **ce** bureau
6. **ces** crayons
7. **ces** tasses
8. **ce** dictionnaire
9. **cette** automobile
10. **cet** exercice

EXERCICE 10

1. cet enseignant
2. cette question
3. ce travail
4. cet ordinateur
5. ce classeur
6. ce téléphone
7. cet étudiant
8. ce dictionnaire
9. ce groupe
10. cette personne

EXERCICE 11

31 / trente et un
32 / trente-deux
33 / trente-trois
34 / trente-quatre
35 / trente-cinq
36 / trente-six
37 / trente-sept
38 / trente-huit
39 / trente-neuf
41 / quarante et un
42 / quarante-deux
43 / quarante-trois
44 / quarante-quatre
45 / quarante-cinq
46 / quarante-six
47 / quarante-sept
48 / quarante-huit
49 / quarante-neuf
51 / cinquante et un
52 / cinquante-deux
53 / cinquante-trois
54 / cinquante-quatre
55 / cinquante-cinq
56 / cinquante-six
57 / cinquante-sept
58 / cinquante-huit
59 / cinquante-neuf
61 / soixante et un
62 / soixante-deux
63 / soixante-trois
64 / soixante-quatre
65 / soixante-cinq
66 / soixante-six
67 / soixante-sept
68 / soixante-huit
69 / soixante-neuf
82 / quatre-vingt-deux
83 / quatre-vingt-trois
84 / quatre-vingt-quatre
85 / quatre-vingt-cinq
86 / quatre-vingt-six
87 / quatre-vingt-sept
88 / quatre-vingt-huit
89 / quatre-vingt-neuf
91 / quatre-vingt-onze
92 / quatre-vingt-douze
93 / quatre-vingt-treize
94 / quatre-vingt-quatorze
95 / quatre-vingt-quinze
96 / quatre-vingt-seize
97 / quatre-vingt-dix-sept
98 / quatre-vingt-dix-huit
99 / quatre-vingt-dix-neuf

5 L'ADJECTIF QUALIFICATIF

EXERCICE 1

1. petit: masculin singulier
2. gentils: masculin pluriel
3. intéressant: masculin singulier
4. aimables: masculin pluriel
5. attentive: féminin singulier
6. bons: masculin pluriel
7. difficiles: masculin pluriel
8. sérieux: masculin pluriel
9. intelligents: masculin pluriel
10. belle: féminin singulier

6 LE PRONOM

EXERCICE 1

1. J'en ai une.
2. Il en cherche un.
3. Nous en avons.
4. Tu en écoutes.
5. Ils en ont.
6. Elle en a une.
7. Vous en avez.
8. Ils en ont une.

EXERCICE 2

1. Il n'en veut pas.
2. Tu n'en as pas.
3. Elle n'en écoute pas.
4. Nous n'en avons pas.
5. Ils n'en ont pas.
6. Je n'en connais pas.
7. Vous n'en avez pas.
8. Elles n'en veulent pas.

EXERCICE 3

1. Oui, j'en ai un.
2. Oui, elle en a une.
3. Oui, il en cherche un.
4. Non, nous n'en avons pas.
   ou Non, je n'en ai pas.
5. Oui, ils en veulent.
6. Non, je n'en ai pas.

EXERCICE 4

1. Il y va.
2. Elles y sont.
3. Tu y vis.
4. J'y suis.
5. Vous y allez.
6. Ils y vont.

EXERCICE 5

1. Tu n'y vas pas.
2. Elle n'y est pas.
3. Vous n'y allez pas.
4. Il n'y va pas.
5. Je n'y vais pas.
6. Nous n'y allons pas.

EXERCICE 6

1. Non, elle n'y est pas allée.
2. Non, je n'y suis pas allé.
3. Oui, elle va y aller.
4. Oui, ils vont y aller.
5. Non, ils n'y sont pas allés.
6. Oui, il y est allé.
7. Oui, nous y sommes allés.
8. Oui, nous allons y aller. **ou** Oui, je vais y aller.

7 LE VERBE

EXERCICE 1

1. j'aim / e
   tu aim / es
   il / elle / on aim / e
   nous aim / ons
   vous aim / ez
   ils / elles aim / ent
2. je regard / e
   tu regard / es
   il / elle / on regard / e
   nous regard / ons
   vous regard / ez
   ils / elles regard / ent
3. j'écout / e
   tu écout / es
   il / elle / on écout / e
   nous écout / ons
   vous écout / ez
   ils / elles écout / ent
4. je march / e
   tu march / es
   il / elle / on march / e
   nous march / ons
   vous march / ez
   ils / elles march / ent
5. je demand / e
   tu demand / es
   il / elle / on demand / e
   nous demand / ons
   vous demand / ez
   ils / elles demand / ent

EXERCICE 2

1. je grandi / s
   tu grandi / s
   il / elle / on grandi / t
   nous grandiss / ons
   vous grandiss / ez
   ils / elles grandiss / ent
2. j'applaudi / s
   tu applaudi / s
   il / elle / on applaudi / t
   nous applaudiss / ons
   vous applaudiss / ez
   ils / elles applaudiss / ent
3. je bâti / s
   tu bâti / s
   il / elle / on bâti / t
   nous bâtiss / ons
   vous bâtiss / ez
   ils / elles bâtiss / ent
4. je choisi / s
   tu choisi / s
   il / elle / on choisi / t
   nous choisiss / ons
   vous choisiss / ez
   ils / elles choisiss / ent
5. j'investi / s
   tu investi / s
   il / elle / on investi / t
   nous investiss / ons
   vous investiss / ez
   ils / elles investiss / ent

EXERCICE 3

1. Je voi**s**
2. Il fini**t**
3. Nous appren**ons**
4. Elle boi**t**
5. Tu ouvr**es**
6. Vous conduis**ez**
7. Il attend
8. Ils vienn**ent**
9. Tu reçoi**s**
10. Elle li**t**
11. Tu dor**s**
12. J'attend**s**
13. Nous ven**ons**
14. Vous choisiss**ez**
15. J'offr**e**
16. Je comprend**s**

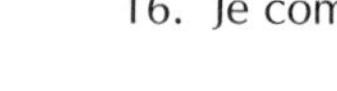

EXERCICE 4

1. Je **vais** au bureau.
2. Il **fait** la vaisselle.
3. Nous **allons** au magasin.
4. Elles **sont** à la maison.
5. Vous **faites** le ménage.
6. Vous **dites** la vérité.
7. Je **veux** lire.
8. Je **peux** apprendre le français.
9. Ils **veulent** regarder la télévision.
10. On **fait** un travail.
11. Tu **veux** écouter la radio.
12. Nous **faisons** du sport.
13. Tu **vas** au dépanneur.
14. Il **a** un problème.
15. Vous **êtes** en retard.
16. Ils **disent** des choses intéressantes.

EXERCICE 5

1. j'ai écouté
   tu as écouté
   il / elle / on a écouté
   nous avons écouté
   vous avez écouté
   ils / elles ont écouté
2. j'ai regardé
   tu as regardé
   il / elle / on a regardé
   nous avons regardé

vous avez regardé
ils / elles ont regardé

3. j'ai choisi
tu as choisi
il / elle / on a choisi
nous avons choisi
vous avez choisi
ils / elles ont choisi
4. j'ai dit
tu as dit
il / elle / on a dit
nous avons dit
vous avez dit
ils / elles ont dit
5. j'ai répondu
tu as répondu
il / elle / on a répondu
nous avons répondu
vous avez répondu
ils / elles ont répondu

EXERCICE 6

1. J'ai fait la vaisselle.
2. Il a voulu dormir.
3. Elle a été malade.
4. Nous avons pu lire.
5. Vous avez eu une surprise.
6. Tu as couru jusqu'au dépanneur.
7. Nous avons fait le ménage.
8. Il a choisi un cadeau.
9. J'ai eu un problème.
10. Elles ont fait du sport.
11. Elle a pris des vacances.
12. Ils ont fini leur travail.
13. Tu as été gentil.
14. Il a appris le français.
15. Nous avons bu du café.

EXERCICE 7

1. **sujets masculins**
je suis arrivé
tu es arrivé
il est arrivé
nous sommes arrivés
vous êtes arrivés
ils sont arrivés
sujets féminins
je suis arrivée
tu es arrivée
elle est arrivée
nous sommes arrivées
vous êtes arrivées
elles sont arrivées
2. **sujets masculins**
je suis parti
tu es parti
il est parti
nous sommes partis
vous êtes partis
ils sont partis
sujets féminins
je suis partie
tu es partie
elle est partie
nous sommes parties
vous êtes parties
elles sont parties
3. **sujets masculins**
je suis sorti
tu es sorti
il est sorti
nous sommes sortis
vous êtes sortis
ils sont sortis
sujets féminins
je suis sortie
tu es sortie
elle est sortie
nous sommes sorties
vous êtes sorties
elles sont sorties
4. **sujets masculins**
je suis venu
tu es venu
il est venu
nous sommes venus
vous êtes venus
ils sont venus
sujets féminins
je suis venue
tu es venue
elle est venue
nous sommes venues
vous êtes venues
elles sont venues

EXERCICE 8

1. je vais avoir
tu vas avoir
il / elle / on va avoir
nous allons avoir
vous allez avoir
ils / elles vont avoir
2. je vais être
tu vas être
il / elle / on va être
nous allons être

vous allez être
ils / elles vont être

3. je vais étudier
tu vas étudier
il / elle / on va étudier
nous allons étudier
vous allez étudier
ils / elles vont étudier
4. je vais finir
tu vas finir
il / elle / on va finir
nous allons finir
vous allez finir
ils / elles vont finir
5. je vais faire
tu vas faire
il / elle / on va faire
nous allons faire
vous allez faire
ils / elles vont faire

EXERCICE 9

1. je me regarde
tu te regardes
il / elle / on se regarde
nous nous regardons
vous vous regardez
ils / elles se regardent
2. je me lève
tu te lèves
il / elle / on se lève
nous nous levons
vous vous levez
ils / elles se lèvent
3. je me nourris
tu te nourris
il / elle / on se nourrit
nous nous nourrissons
vous vous nourrissez
ils / elles se nourrissent

EXERCICE 10

1. **sujets masculins**
je me suis regardé
tu t'es regardé
il s'est regardé
nous nous sommes regardés
vous vous êtes regardés
ils se sont regardés
sujets féminins
je me suis regardée
tu t'es regardée
elle s'est regardée
nous nous sommes regardées
vous vous êtes regardées
elles se sont regardées
2. **sujets masculins**
je me suis couché
tu t'es couché
il s'est couché
nous nous sommes couchés
vous vous êtes couchés
ils se sont couchés
sujets féminins
je me suis couchée
tu t'es couchée
elle s'est couchée
nous nous sommes couchées
vous vous êtes couchées
elles se sont couchées
3. **sujets masculins**
je me suis endormi
tu t'es endormi
il s'est endormi
nous nous sommes endormis
vous vous êtes endormis
ils se sont endormis
sujets féminins
je me suis endormie
tu t'es endormie
elle s'est endormie
nous nous sommes endormies
vous vous êtes endormies
elles se sont endormies

EXERCICE 11

1. je vais me regarder
tu vas te regarder
il / elle / on va se regarder
nous allons nous regarder
vous allez vous regarder
ils / elles vont se regarder
2. je vais me coucher
tu vas te coucher
il / elle / on va se coucher
nous allons nous coucher
vous allez vous coucher
ils / elles vont se coucher
3. je vais m'endormir
tu vas t'endormir
il / elle / on va s'endormir
nous allons nous endormir
vous allez vous endormir
ils / elles vont s'endormir

8 LA NÉGATION

EXERCICE 1

1. Tu ne parles pas.
2. Elle n'écoute pas.
3. Je n'étudie pas.
4. Vous ne travaillez pas.
5. Il ne dort pas.
6. Nous ne lisons pas.
7. Ils ne veulent pas.
8. Je ne peux pas.

EXERCICE 2

1. Il ne ferme pas la porte.
2. Elle n'est pas à la maison.
3. Nous ne faisons pas nos devoirs.
4. Il ne cherche pas son crayon.
5. Je ne suis pas au bureau.
6. Il ne veut pas de crayon.
7. Elle n'achète pas de chocolat.
8. Ils n'ont pas de billet.
9. Il ne dit pas la vérité.
10. Elle ne parle pas quatre langues.

EXERCICE 3

1. Non, je n'aime pas le café.
2. Non, je ne parle pas allemand.
3. Non, il n'est pas occupé.
4. Non, ils ne sont pas au magasin.
5. Non, elle n'est pas à la maison.
6. Non, nous ne parlons pas anglais.
7. Non, je ne mange pas au restaurant tous les jours.
8. Non, nous n'habitons pas près d'ici.
9. Non, ils n'aiment pas l'hiver.
10. Non, elles ne travaillent pas à Toronto.

EXERCICE 4

1. Nous n'avons pas travaillé.
2. Elle n'a pas écouté.
3. Ils n'ont pas dormi.
4. Je n'ai pas mangé.
5. Tu n'es pas tombé.
6. Il n'est pas arrivé.
7. Vous n'avez pas lu.
8. Elles n'ont pas étudié.
9. Je n'ai pas fini.
10. Nous n'avons pas compris.

EXERCICE 5

1. Ils n'ont pas fini leur travail.
2. Elle n'a pas parlé à son patron.
3. Ils ne sont pas allés à la réunion.
4. Nous n'avons pas étudié toute la soirée.
5. Il n'est pas parti hier.
6. Tu n'es pas arrivé en retard.
7. Elle n'a pas terminé cet exercice.
8. Il n'a pas payé ses factures.
9. Ils n'ont pas nettoyé toute la maison.
10. Vous n'êtes pas allés au magasin.

EXERCICE 6

1. Non, je n'ai pas lu le journal.
2. Non, il n'a pas téléphoné dans l'après-midi.
3. Non, il n'est pas parti chez son client.
4. Non, nous ne sommes pas rentrés tard.
5. Non, ils n'ont pas assisté à la réunion.
6. Non, elles ne sont pas parties en Europe.
7. Non, je n'ai pas vu votre crayon.
8. Non, je n'ai pas trouvé mon crayon.
9. Non, il n'a pas nettoyé son bureau.
10. Non, nous n'avons pas écouté le professeur.

EXERCICE 7

1. Tu ne vas pas écouter.
2. Elle ne va pas regarder.
3. Nous n'allons pas manger.
4. Ils ne vont pas étudier.
5. Je ne vais pas partir.
6. Il ne va pas travailler.
7. Vous n'allez pas lire.
8. Elles ne vont pas rester.
9. Je ne vais pas dormir.
10. Tu ne vas pas tomber.

EXERCICE 8

1. Non, je ne vais pas revenir tard.
2. Non, nous n'allons pas téléphoner à nos clients.
3. Non, ils ne vont pas étudier ce soir.
4. Non, elle ne va pas arriver bientôt.
5. Non, il ne va pas vendre sa maison.
6. Non, nous n'allons pas avoir la pause-café bientôt.
7. Non, nous n'allons pas mémoriser toutes les règles de grammaire.
8. Non, il ne va pas faire ses devoirs.
9. Non, elle ne va pas travailler sur l'ordinateur tous les jours.
10. Non, ils ne vont pas déménager cette année.

EXERCICE 9

1. Je ne me regarde pas.
2. Tu ne te couches pas.
3. Nous ne nous levons pas.
4. Elle ne se lave pas.
5. Il ne se couche pas.

EXERCICE 10

1. je ne me lève pas
   tu ne te lèves pas
   il / elle / on ne se lève pas
   nous ne nous levons pas
   vous ne vous levez pas
   ils / elles ne se lèvent pas
2. je ne me couche pas
   tu ne te couches pas
   il / elle / on ne se couche pas
   nous ne nous couchons pas
   vous ne vous couchez pas
   ils / elles ne se couchent pas
3. je ne me réveille pas
   tu ne te réveilles pas
   il / elle / on ne se réveille pas
   nous ne nous réveillons pas
   vous ne vous réveillez pas
   ils / elles ne se réveillent pas

EXERCICE 11

1. Je ne me suis pas couché.
2. Il ne s'est pas levé.
3. Elles ne se sont pas regardées.
4. Vous ne vous êtes pas levés.
5. Tu ne t'es pas couché.

EXERCICE 12

1. Non, je ne me suis pas couché tôt hier soir.
2. Non, je ne me suis pas levé en retard ce matin.
3. Non, il ne s'est pas rasé ce matin.
4. Non, elle ne s'est pas maquillée ce matin.
5. Non, nous ne nous sommes pas reposés en fin de semaine.
6. Non, ils ne se sont pas levés à six heures.
7. Non, elles ne se sont pas endormies au cinéma.
8. Non, ils ne se sont pas couchés tard.

EXERCICE 13

1. Il ne va pas se coucher.
2. Nous n'allons pas nous lever.
3. Je ne vais pas me laver.
4. Elle ne va pas se regarder.
5. Vous n'allez pas vous coucher.

EXERCICE 14

1. je ne vais pas me coucher
   tu ne vas pas te coucher
   il / elle / on ne va pas se coucher
   nous n'allons pas nous coucher
   vous n'allez pas vous coucher
   ils / elles ne vont pas se coucher
2. je ne vais pas m'habiller
   tu ne vas pas t'habiller
   il / elle / on ne va pas s'habiller
   nous n'allons pas nous habiller
   vous n'allez pas vous habiller
   ils / elles ne vont pas s'habiller
3. je ne vais pas me réveiller
   tu ne vas pas te réveiller
   il / elle / on ne va pas se réveiller
   nous n'allons pas nous réveiller
   vous n'allez pas vous réveiller
   ils / elles ne vont pas se réveiller

9 LA QUESTION

EXERCICE 1

1. Regardes-tu la télévision ?
2. Écoute-t-il la radio ?
3. Parlent-elles français ?
4. Mangez-vous des céréales ?
5. Dorment-ils ?
6. Travaille-t-elle ?
7. Écrivez-vous une lettre ?
8. Pars-tu bientôt ?

EXERCICE 2

1. As-tu étudié ?
2. Ont-elles écouté ?
3. Êtes-vous partis ?
4. A-t-elle dormi ?
5. Ont-ils travaillé ?

EXERCICE 3

1. As-tu fini ton travail ? **ou** Avez-vous fini votre travail ?
2. Est-il parti ?
3. A-t-il téléphoné ?
4. Ont-ils étudié ?
5. Êtes-vous allés au cinéma ?
6. Avez-vous rencontré des clients ?
7. As-tu envoyé ton curriculum vitæ ? **ou** Avez-vous envoyé votre curriculum vitæ ?
8. Es-tu allé au magasin ? **ou** Êtes-vous allé au magasin ?
9. As-tu acheté le journal ? **ou** Avez-vous acheté le journal ?
10. As-tu compris ? **ou** Avez-vous compris ?

EXERCICE 4

1. Vont-ils regarder la télévision?
2. Vas-tu travailler?
3. Allons-nous avoir un examen?
4. Va-t-elle dormir?
5. Allez-vous partir?
6. Va-t-il arriver plus tard?
7. Va-t-elle revenir demain?
8. Vont-ils poser des questions?

EXERCICE 5

1. **Comment** vas-tu?
2. **Où** est-il?
3. **Pourquoi** est-il fâché?
4. **Quand** va-t-elle revenir?
5. **Comment** travaillent-ils?
6. **Pourquoi** es-tu fatigué?
7. **Pourquoi** ouvre-t-il la fenêtre?
8. **Où** est mon livre?
9. **Pourquoi** est-il parti?
10. **Où** est-il allé?
11. **Quand** est-il parti?
12. **Comment** est-il allé chez son client?
13. **Quand** va-t-il revenir?
14. **Pourquoi** vas-tu partir à deux heures?
15. **Comment** va-t-elle aller au magasin?
16. **Où** vont-ils manger ce midi?

EXERCICE 6

1. Combien vaut cette automobile?
2. Combien coûte le livre?
3. Combien de jours par semaine travaille-t-elle?
4. Combien de fois par année prend-il des vacances?
5. Combien pèse cette enveloppe?
6. Pendant combien de temps vont-ils rester à Chicoutimi?
7. Combien d'enfants ont-ils?
8. Combien coûte cette montre?

EXERCICE 7

1. Qui est là?
2. Qui veut faire une pause?
3. Qui a pris les clés?
4. Qui a écrit cette lettre?
5. Qui va travailler demain?

EXERCICE 8

1. **Quel** âge avez-vous?
2. **Quel** est votre nom?
3. **Quelle** est votre adresse?
4. **Quel** est votre code postal?
5. **Quels** sont vos loisirs?
6. **Quelles** sont vos couleurs préférées?
7. **Quelles** langues parle-t-il?
8. **Quelle** est la couleur de son chandail?
9. **Quel** est votre dessert favori?
10. **Quelle** heure est-il?

EXERCICE 9

1. Est-ce qu'elle étudie?
2. Est-ce que vous travaillez?
3. Est-ce que tu comprends?
4. Est-ce qu'ils sont à la maison?
5. Est-ce qu'il va faire beau?
6. Est-ce qu'elle est partie?
7. Est-ce qu'il a téléphoné?
8. Est-ce que vous avez fini?

EXERCICE 10

1. Qu'est-ce qu'elle boit?
2. Qu'est-ce que tu fais?
3. Qu'est-ce que tu lis?
4. Qu'est-ce qu'il prépare?
5. Qu'est-ce qu'elles veulent?
6. Qu'est-ce que tu as acheté?
7. Qu'est-ce qu'ils ont apporté?
8. Qu'est-ce qu'elle a perdu?
9. Qu'est-ce qu'il va acheter?
10. Qu'est-ce que vous allez étudier?